#3주_완성
#쉽게
#빠르게
#재미있게

초등 수학 전략

Chunjae
Makes
Chunjae

▼

[수학 전략]

기획총괄 김안나
편집개발 이근우, 김정희, 서진호, 한인숙, 김현주,
최수정, 김혜민, 박웅, 김정민
디자인총괄 김희정
표지디자인 윤순미, 안채리
내지디자인 박희춘
제작 황성진, 조규영

발행일 2022년 5월 15일 초판 2022년 5월 15일 1쇄
발행인 (주)천재교육
주소 서울시 금천구 가산로9길 54
신고번호 제2001-000018호
고객센터 1577-0902

※ 정답 분실 시에는 천재교육 교재 홈페이지에서 내려받으세요.
※ KC 마크는 이 제품이 공통안전기준에 적합하였음을 의미합니다.
※ 주의
책 모서리에 다칠 수 있으니 주의하시기 바랍니다.
부주의로 인한 사고의 경우 책임지지 않습니다.
8세 미만의 어린이는 부모님의 관리가 필요합니다.

수학 전략

초등 수학 6-2

이 책의 구성과 특징 — 3주 완성

핵심 개념

단원별로 꼭 필요한 핵심 개념을 만화를 보면서
재미있게 익힐 수 있도록 하였습니다.

분수의 나눗셈,
소수의 나눗셈

개념 돌파 전략❶, ❷

개념 돌파 전략❶에서는 단원별로
기본적인 개념을 설명하고 개념의 기초를 확인하는
문제를 제시하였습니다.
개념 돌파 전략❷에서는 기본적인 개념을 알고 있는지
문제로 확인할 수 있습니다.

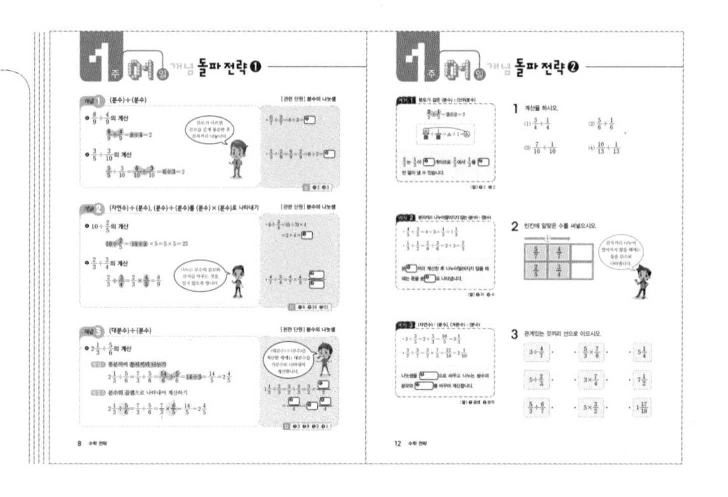
개념 돌파 전략❶

개념 돌파 전략❷

필수 체크 전략❶, ❷

필수 체크 전략❶에서는 단원별로
중요한 유형을 선택하여 반복 연습할 수 있도록
하였습니다.
필수 체크 전략❷에서는 추가적으로
중요한 유형을 선택하여 문제로 확인할 수 있도록
하였습니다.

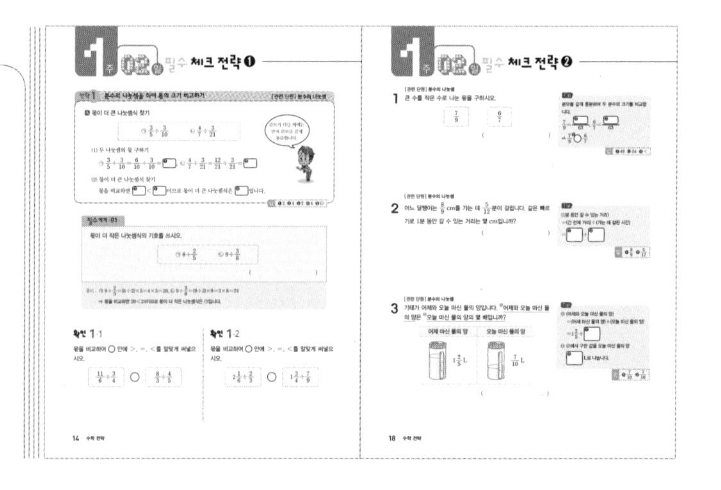
필수 체크 전략❶

필수 체크 전략❷

1주에 4일 구성+1일에 6쪽 구성

교과서 대표 전략❶, ❷

교과서 대표 전략❶에서는 단원별로 교과서에 나오는 대표적인 문제를 제시하였습니다.
교과서 대표 전략❷에서는 한 번 더 확인할 수 있는 문제를 제시하였습니다.

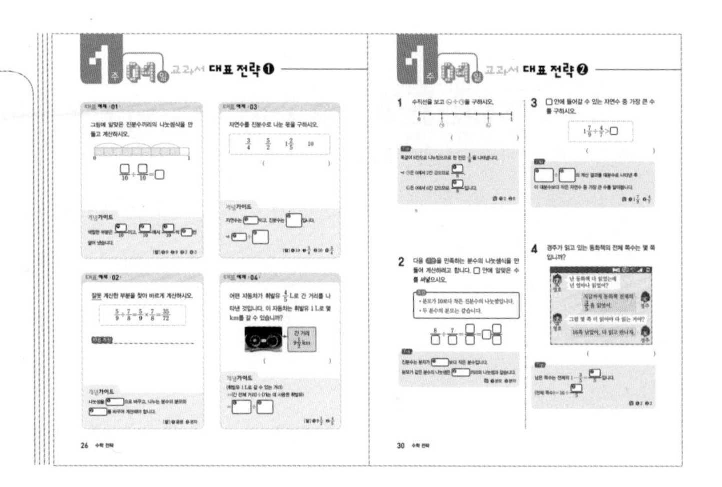
교과서 대표 전략❶
교과서 대표 전략❷

누구나 만점 전략
창의·융합·코딩 전략❶, ❷

누구나 만점 전략에서는 단원별로 꼭 풀어야 하는 문제를 제시하여 누구나 만점을 받을 수 있도록 하였습니다.
창의•융합•코딩 전략에서는 새 교육과정에서 제시하는 창의, 융합, 코딩 문제를 쉽게 접근할 수 있도록 제시하였습니다.

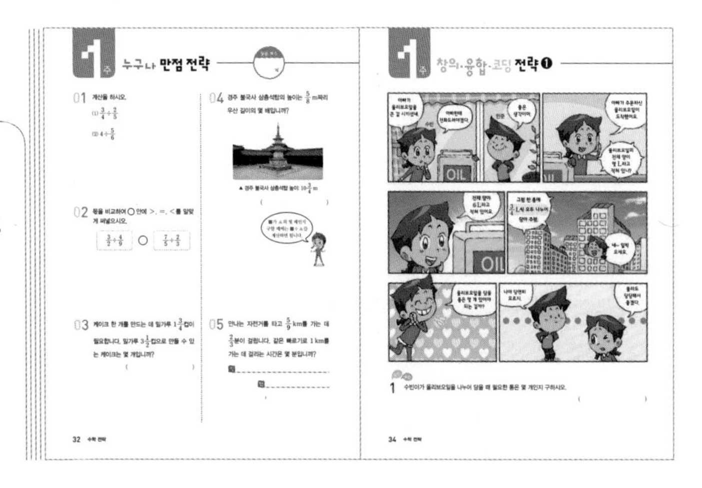
누구나 만점 전략
창의·융합·코딩 전략❶

권말정리 마무리 전략
신유형·신경향·서술형 전략
학력진단 전략 1~3회

권말정리 마무리 전략은 만화로 마무리할 수 있게 하였습니다.
신유형•신경향,•서술형 전략에서는 신유형, 신경향, 서술형 문제를 쉽게 풀 수 있도록 단계별로 제시하였습니다.
학력진단 전략은 총 3회로 전 단원의 학력을 진단할 수 있도록 구성하였습니다.

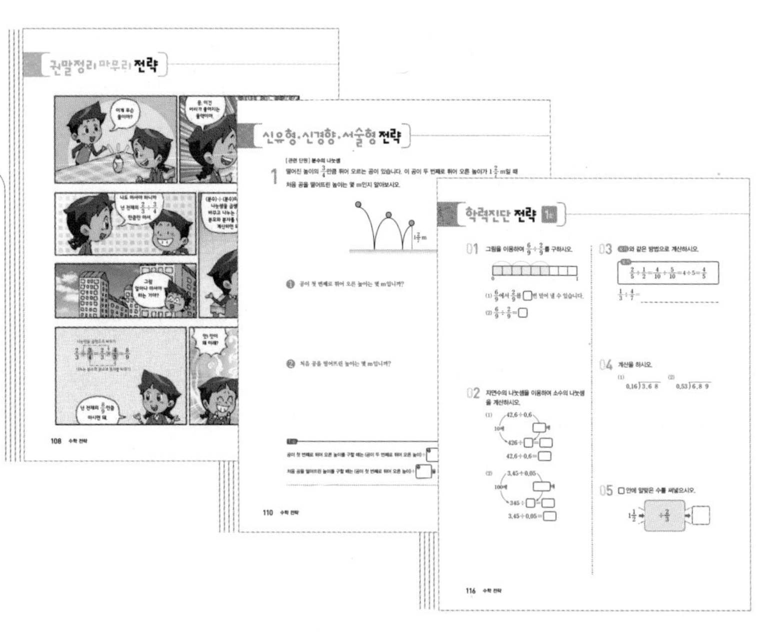
권말정리 마무리 전략
신유형·신경향·서술형 전략
학력진단 전략

이 책의 차례

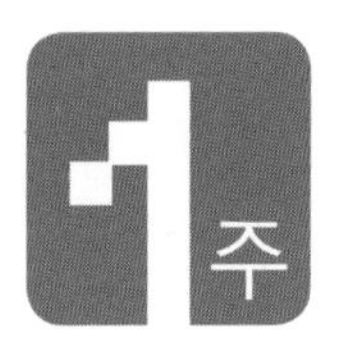

[관련 단원]

공간과 입체 • 원기둥, 원뿔, 구 74쪽

분수의 나눗셈, 소수의 나눗셈

$\frac{6}{7}$은 $\frac{1}{7}$이 6개

$\frac{2}{7}$는 $\frac{1}{7}$이 2개

➡ $\frac{6}{7} \div \frac{2}{7} = 6 \div 2 = 3$

분모가 같은 분수의 나눗셈은 분자끼리의 나눗셈과 같습니다.

계산 결과가 3이라는 거 알겠지?

학습할 내용

❶ (분수)÷(분수), (자연수)÷(분수)
❷ (분수)÷(분수)를 (분수)×(분수)로 나타내기
❸ (소수)÷(소수), (자연수)÷(소수)
❹ 몫을 반올림하여 나타내기

개념 돌파 전략 ❶

개념 1 (분수)÷(분수)

[관련 단원] 분수의 나눗셈

- $\frac{8}{9} \div \frac{4}{9}$의 계산

$\frac{8}{9} \div \frac{4}{9} = 8 \div 4 = 2$

- $\frac{3}{5} \div \frac{3}{10}$의 계산

$\frac{3}{5} \div \frac{3}{10} = \frac{6}{10} \div \frac{3}{10} = 6 \div 3 = 2$

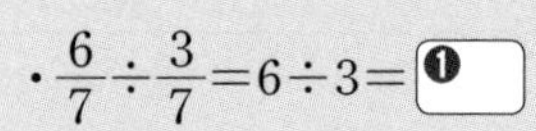

- $\frac{6}{7} \div \frac{3}{7} = 6 \div 3 =$ ❶ $\square$

- $\frac{2}{3} \div \frac{2}{9} = \frac{6}{9} \div \frac{2}{9} = 6 \div 2 =$ ❷ $\square$

답 ❶ 2 ❷ 3

개념 2 (자연수)÷(분수), (분수)÷(분수)를 (분수)×(분수)로 나타내기

[관련 단원] 분수의 나눗셈

- $10 \div \frac{2}{5}$의 계산

$10 \div \frac{2}{5} = (10 \div 2) \times 5 = 5 \times 5 = 25$

- $\frac{2}{3} \div \frac{3}{4}$의 계산

$\frac{2}{3} \div \frac{3}{4} = \frac{2}{3} \times \frac{4}{3} = \frac{8}{9}$

- $6 \div \frac{3}{4} = (6 \div 3) \times 4$
  $= 2 \times 4 =$ ❶ $\square$

- $\frac{4}{7} \div \frac{3}{4} = \frac{4}{7} \times \frac{4}{3} = \frac{❷ \square}{❸ \square}$

답 ❶ 8 ❷ 16 ❸ 21

개념 3 (대분수)÷(분수)

[관련 단원] 분수의 나눗셈

- $2\frac{1}{3} \div \frac{5}{6}$의 계산

방법 1 통분하여 분자끼리 나누기

$2\frac{1}{3} \div \frac{5}{6} = \frac{7}{3} \div \frac{5}{6} = \frac{14}{6} \div \frac{5}{6} = 14 \div 5 = \frac{14}{5} = 2\frac{4}{5}$

방법 2 분수의 곱셈으로 나타내어 계산하기

$2\frac{1}{3} \div \frac{5}{6} = \frac{7}{3} \div \frac{5}{6} = \frac{7}{\cancel{3}_1} \times \frac{\cancel{6}^2}{5} = \frac{14}{5} = 2\frac{4}{5}$

$1\frac{1}{2} \div \frac{2}{3} = \frac{3}{2} \div \frac{2}{3} = \frac{3}{2} \times \frac{❶ \square}{2}$

$= \frac{❷ \square}{4} = ❸ \square \frac{❹ \square}{4}$

답 ❶ 3 ❷ 9 ❸ 2 ❹ 1

개념 기초 확인

▶정답 및 풀이 2쪽

1-1 □ 안에 알맞은 수를 써넣으시오.

$\frac{8}{11}$은 $\frac{1}{11}$이 8개이고 $\frac{2}{11}$는 $\frac{1}{11}$이 □개이므로 $\frac{8}{11} \div \frac{2}{11} = 8 \div □ = □$입니다.

• **풀이** • $\frac{8}{11} \div \frac{2}{11}$는 8개를 ❶□개로 나누는 것과 같으므로 $8 \div$ ❷□ $=$ ❸□입니다.

답 ❶ 2 ❷ 2 ❸ 4

1-2 □ 안에 알맞은 수를 써넣으시오.

$\frac{10}{13}$은 $\frac{1}{13}$이 10개이고 $\frac{5}{13}$는 $\frac{1}{13}$이 □개이므로 $\frac{10}{13} \div \frac{5}{13} = 10 \div □ = □$입니다.

2-1 □ 안에 알맞은 수를 써넣으시오.

$$12 \div \frac{4}{5} = (12 \div 4) \times □$$
$$= □ \times □ = □$$

• **풀이** • 자연수를 분수의 분자로 나눈 결과에 분수의 분모를 곱해야 하므로 12를 ❶□로 나눈 몫에 ❷□를 곱하면 ❸□입니다.

답 ❶ 4 ❷ 5 ❸ 15

2-2 □ 안에 알맞은 수를 써넣으시오.

$$14 \div \frac{7}{9} = (14 \div 7) \times □$$
$$= □ \times □ = □$$

3-1 □ 안에 알맞은 수를 써넣으시오.

$$4\frac{1}{2} \div \frac{6}{7} = \frac{□}{2} \div \frac{6}{7} = \frac{\overset{3}{\cancel{9}}}{2} \times \frac{□}{\underset{2}{\cancel{6}}}$$
$$= \frac{□}{4} = □\frac{□}{4}$$

• **풀이** • 대분수를 가분수로 바꾸고 분수의 곱셈으로 나타내어 계산합니다.

➡ $4\frac{1}{2} = \frac{❶□}{2}$, $\div \frac{6}{7} = \times \frac{❷□}{6}$

답 ❶ 9 ❷ 7

3-2 □ 안에 알맞은 수를 써넣으시오.

$$2\frac{4}{5} \div \frac{7}{9} = \frac{□}{5} \div \frac{7}{9} = \frac{\overset{2}{\cancel{14}}}{5} \times \frac{□}{\underset{1}{\cancel{7}}}$$
$$= \frac{□}{5} = □\frac{□}{5}$$

개념 4 (소수)÷(소수), (자연수)÷(소수)

[관련 단원] 소수의 나눗셈

● $1.5 \div 0.3$의 계산

$0.5\overline{)1.5}$ → 몫 3, $15 - 15 = 0$

나누는 수와 나누어지는 수의 소수점을 각각 오른쪽으로 한 자리씩 옮겨서 계산합니다.

● $1.12 \div 0.28$의 계산

$0.28\overline{)1.12}$ → 몫 4, $112 - 112 = 0$

나누는 수와 나누어지는 수의 소수점을 각각 오른쪽으로 두 자리씩 옮겨서 계산합니다.

● $19.44 \div 3.6$의 계산

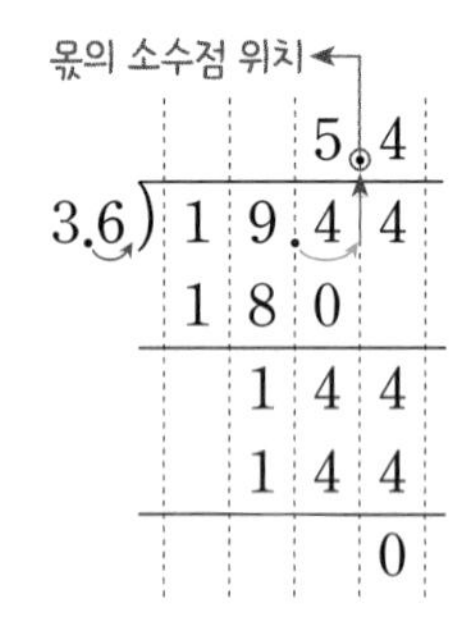

나누는 수와 나누어지는 수의 소수점을 각각 오른쪽으로 똑같이 옮겨서 계산합니다.

● $23 \div 0.92$의 계산

$0.92\overline{)23.00}$ → 몫 25, $2300 - 184 = 460$, $460 - 460 = 0$

나누는 수와 나누어지는 수의 소수점을 각각 오른쪽으로 두 자리씩 옮겨서 계산합니다.

나누어지는 수와 나누는 수에 같은 수를 곱하면 몫은 변하지 않습니다.

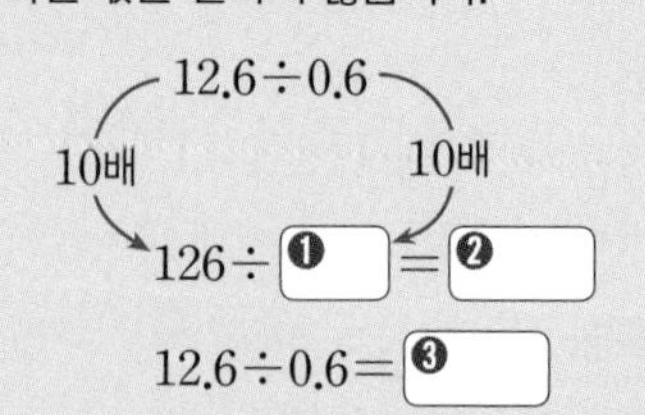

답 ❶ 6 ❷ 21 ❸ 21

개념 5 몫을 반올림하여 나타내기

[관련 단원] 소수의 나눗셈

● $7 \div 6$의 계산

$6\overline{)7}$ ➡ $6\overline{)7.000}$ → 1.166 ……

몫의 소수점은 나누어지는 수의 소수점 위치에 맞추어 찍습니다.

① 몫을 반올림하여 일의 자리까지 나타내기
몫을 소수 첫째 자리에서 반올림하면 1.1 ➡ 1

② 몫을 반올림하여 소수 첫째 자리까지 나타내기
몫을 소수 둘째 자리에서 반올림하면 1.16 ➡ 1.2

③ 몫을 반올림하여 소수 둘째 자리까지 나타내기
몫을 소수 셋째 자리에서 반올림하면 1.166 ➡ 1.17

반올림은 구하려는 자리 바로 아래 자리의 숫자가 0, 1, 2, 3, ❶ 이면 버리고 5, 6, 7, 8, ❷ 이면 올리는 방법입니다.

답 ❶ 4 ❷ 9

개념 기초 확인

▶정답 및 풀이 2쪽

4-1 자연수의 나눗셈을 이용하여 소수의 나눗셈을 계산하시오.

$5.6 \div 0.8 = 56 \div \square = \square$

• **풀이** • 나누어지는 수를 10배 했으므로 나누는 수를 10배 하면 ❶ ☐ 입니다.

➡ $5.6 \div 0.8$의 몫은 $56 \div$ ❷ ☐ = ❸ ☐ 입니다.

답 ❶ 8 ❷ 8 ❸ 7

4-2 자연수의 나눗셈을 이용하여 소수의 나눗셈을 계산하시오.

$4.32 \div 0.27 = 432 \div \square = \square$

5-1 보기와 같은 방법으로 계산하시오.

보기

$6.9 \div 0.3 = \frac{69}{10} \div \frac{3}{10} = 69 \div 3 = 23$

$9.6 \div 0.4 =$ ____________

• **풀이** • 9.6과 0.4를 각각 분모가 ❶ ☐ 인 분수로 바꾸고 ❷ ☐ 끼리 나눕니다.

답 ❶ 10 ❷ 분자

5-2 소수의 나눗셈을 분수의 나눗셈으로 바꾸어 계산하시오.

$7.44 \div 0.62 = \frac{\square}{100} \div \frac{\square}{100}$

$= \square \div \square = \square$

6-1 $4 \div 3$의 몫을 반올림하여 소수 첫째 자리까지 나타내려고 합니다. ☐ 안에 알맞게 써넣으시오.

$4 \div 3 = 1.333\cdots\cdots$

몫을 소수 ☐ 자리에서 반올림하면 ☐ 입니다.

• **풀이** • 소수 둘째 자리 숫자가 ❶ ☐ 이므로 버리면 ❷ ☐ 입니다.

답 ❶ 3 ❷ 1.3

6-2 $10 \div 6$의 몫을 반올림하여 소수 둘째 자리까지 나타내려고 합니다. ☐ 안에 알맞게 써넣으시오.

$10 \div 6 = 1.666\cdots\cdots$

몫을 소수 ☐ 자리에서 반올림하면 ☐ 입니다.

예제 1 분모가 같은 (분수)÷(단위분수)

$\frac{2}{3} \div \frac{1}{3} = 2 \div 1 = 2$

$\frac{▲}{■} \div \frac{1}{■} = ▲ \div 1 = ▲$

$\frac{2}{3}$는 $\frac{1}{3}$이 ❶ ☐ 개이므로 $\frac{2}{3}$에서 $\frac{1}{3}$을 ❷ ☐ 번 덜어 낼 수 있습니다.

[답] ❶ 2 ❷ 2

1 계산을 하시오.

(1) $\frac{3}{4} \div \frac{1}{4}$

(2) $\frac{5}{6} \div \frac{1}{6}$

(3) $\frac{7}{10} \div \frac{1}{10}$

(4) $\frac{10}{13} \div \frac{1}{13}$

예제 2 분자끼리 나누어떨어지지 않는 (분수)÷(분수)

- $\frac{4}{5} \div \frac{3}{5} = 4 \div 3 = \frac{4}{3} = 1\frac{1}{3}$
- $\frac{1}{3} \div \frac{1}{2} = \frac{2}{6} \div \frac{3}{6} = 2 \div 3 = \frac{2}{3}$

분❶ ☐ 끼리 계산한 후 나누어떨어지지 않을 때에는 몫을 분❷ ☐ 로 나타냅니다.

[답] ❶ 자 ❷ 수

2 빈칸에 알맞은 수를 써넣으시오.

÷

$\frac{5}{7}$	$\frac{4}{7}$	
$\frac{2}{5}$	$\frac{3}{4}$	

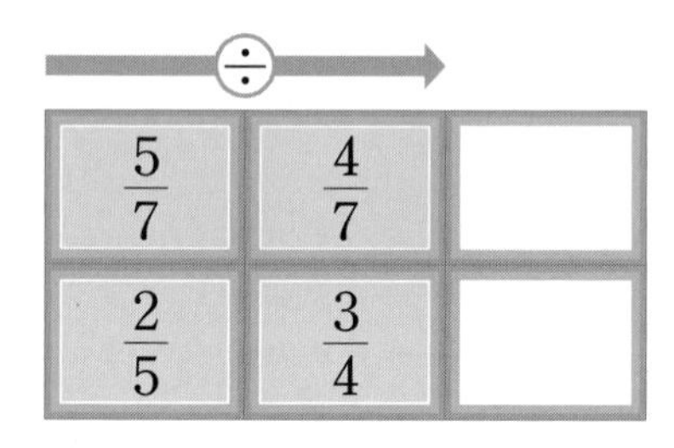

예제 3 (자연수)÷(분수), (가분수)÷(분수)

- $2 \div \frac{3}{5} = 2 \times \frac{5}{3} = \frac{10}{3} = 3\frac{1}{3}$
- $\frac{3}{2} \div \frac{5}{7} = \frac{3}{2} \times \frac{7}{5} = \frac{21}{10} = 2\frac{1}{10}$

나눗셈을 ❶ ☐ 으로 바꾸고 나누는 분수의 분모와 ❷ ☐ 를 바꾸어 계산합니다.

[답] ❶ 곱셈 ❷ 분자

3 관계있는 것끼리 선으로 이으시오.

$3 \div \frac{4}{7}$ •	• $\frac{5}{3} \times \frac{7}{6}$ •	• $5\frac{1}{4}$
$5 \div \frac{2}{3}$ •	• $3 \times \frac{7}{4}$ •	• $7\frac{1}{2}$
$\frac{5}{3} \div \frac{6}{7}$ •	• $5 \times \frac{3}{2}$ •	• $1\frac{17}{18}$

▶정답 및 풀이 2쪽

예제 4 자연수의 나눗셈을 이용하여 (소수)÷(소수) 계산하기

$1.28 \div 0.16$ (100배, 100배)

$128 \div 16 = 8$

$1.28 \div 0.16 = 8$

나눗셈에서 나누어지는 수와 나누는 수에 ❶ 은 수를 ❷ 하면 몫은 변하지 않습니다.

[답] ❶ 같 ❷ 곱

4 자연수의 나눗셈을 이용하여 소수의 나눗셈을 계산하시오.

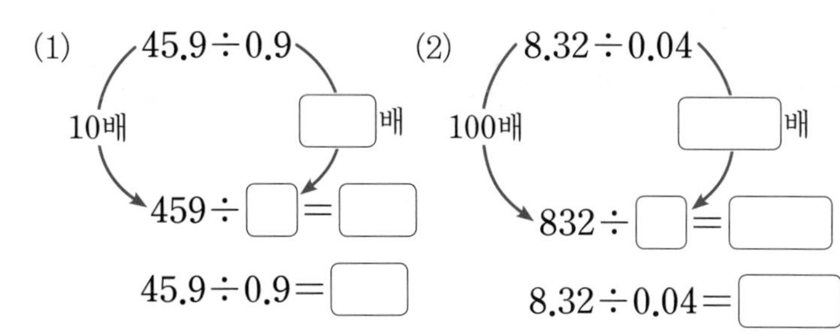

예제 5 나누어 주고 남는 양 알아보기

물 9.6 L를 한 사람에 2 L씩 나누어 주는 경우

$2\overline{)9.6}$ → 몫 4 ← 몫은 자연수까지 구하기

8

1.6 ← 나머지는 나누어지는 수의 소수점 위치에서 소수점 찍기

사람 수는 1명, 2명……과 같이 자연수로 나타내므로 ❶ 명에게 나누어 주고 ❷ L가 남습니다.

[답] ❶ 4 ❷ 1.6

5 귤 25.9 kg을 한 사람에 3 kg씩 나누어 주려고 합니다. 몇 명에게 나누어 줄 수 있고 남는 귤은 몇 kg인지 구하시오.

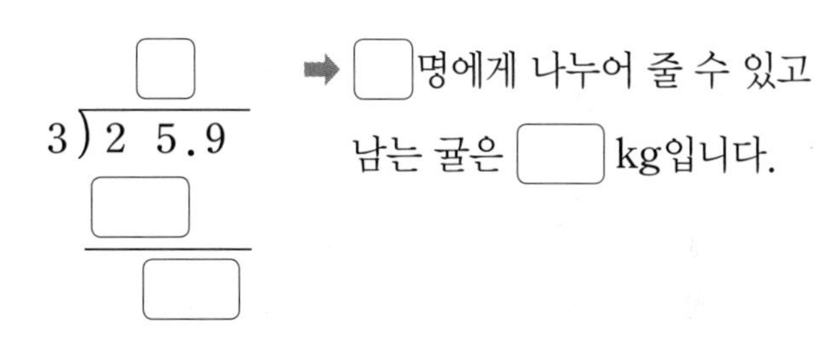

예제 6 몫을 반올림하여 나타내기

$0.6\overline{)1.1}$ ➡ $6\overline{)11.000}$ → 1.833……

몫을 반올림하여
- 일의 자리까지 나타내면 1.8 ➡ 2
- 소수 첫째 자리까지 나타내면 1.83 ➡ 1.8
- 소수 둘째 자리까지 나타내면 1.833 ➡ 1.83

몫을 반올림하여 나타내려면 구하려는 자리보다 한 자리 ❶ 래에서 ❷ 올림해야 합니다.

[답] ❶ 아 ❷ 반

6 몫을 반올림하여 소수 첫째 자리까지 나타내시오.

$0.7\overline{)2.3}$

몫을 반올림하여 소수 첫째 자리까지 나타내려면 몫의 소수 둘째 자리에서 반올림해야 합니다.

(　　　　　　　　)

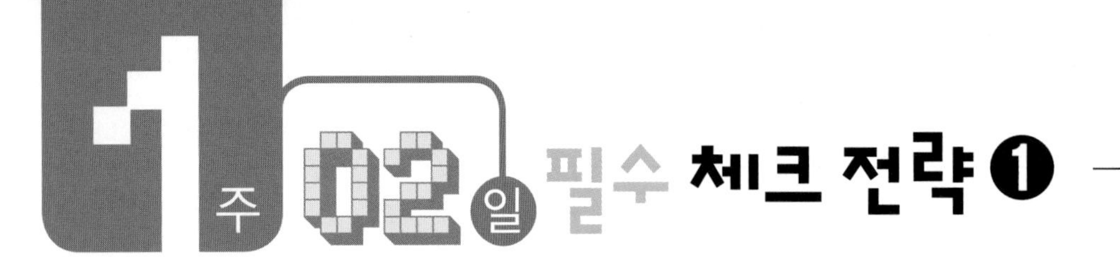

필수 체크 전략 ❶

전략 1 분수의 나눗셈을 하여 몫의 크기 비교하기

[관련 단원] 분수의 나눗셈

예 몫이 더 큰 나눗셈식 찾기

㉠ $\frac{3}{5}\div\frac{3}{10}$	㉡ $\frac{4}{7}\div\frac{3}{21}$

분모가 다를 때에는 먼저 분모를 같게 통분합니다.

(1) 두 나눗셈의 몫 구하기

㉠ $\frac{3}{5}\div\frac{3}{10}=\frac{6}{10}\div\frac{3}{10}=$ ❶☐, ㉡ $\frac{4}{7}\div\frac{3}{21}=\frac{12}{21}\div\frac{3}{21}=$ ❷☐

(2) 몫이 더 큰 나눗셈식 찾기

몫을 비교하면  ❸☐ < ❹☐ 이므로 몫이 더 큰 나눗셈식은  ❺☐ 입니다.

답 ❶2 ❷4 ❸2 ❹4 ❺㉡

필수 예제 01

몫이 더 작은 나눗셈식의 기호를 쓰시오.

㉠ $8\div\frac{2}{5}$	㉡ $9\div\frac{3}{8}$

( )

풀이 | ㉠ $8\div\frac{2}{5}=(8\div2)\times5=4\times5=20$, ㉡ $9\div\frac{3}{8}=(9\div3)\times8=3\times8=24$

➡ 몫을 비교하면 20 < 24이므로 몫이 더 작은 나눗셈식은 ㉠입니다.

확인 1-1

몫을 비교하여 ○ 안에 >, =, <를 알맞게 써넣으시오.

$\frac{11}{6}\div\frac{3}{4}$ ○ $\frac{8}{3}\div\frac{4}{5}$

확인 1-2

몫을 비교하여 ○ 안에 >, =, <를 알맞게 써넣으시오.

$2\frac{1}{6}\div\frac{2}{3}$  $1\frac{3}{4}\div\frac{7}{9}$

전략 2 가장 큰 수를 가장 작은 수로 나눈 몫 구하기

[관련 단원] 분수의 나눗셈

예 가장 큰 수를 가장 작은 수로 나눈 몫 구하기

$2\frac{1}{6}$ $\frac{3}{5}$ $3\frac{1}{3}$

자연수 부분이 클수록 더 큰 분수예요.

(1) 세 수의 크기 비교하기

$3\frac{1}{3} > 2\frac{1}{6} > \frac{3}{5}$이므로 가장 큰 수는 $3\frac{1}{3}$, 가장 작은 수는 ❶ [ ]입니다.

(2) 가장 큰 수를 가장 작은 수로 나눈 몫 구하기

$3\frac{1}{3} \div \frac{3}{5} = \frac{10}{3} \div \frac{3}{5} = \frac{10}{3} \times \frac{5}{3} = \frac{❷}{❸} = ❹$

답 ❶ $\frac{3}{5}$ ❷ 50 ❸ 9 ❹ $5\frac{5}{9}$

필수 예제 02

가장 큰 수를 가장 작은 수로 나눈 몫을 구하시오.

$\frac{3}{7}$ $1\frac{4}{9}$ $2\frac{5}{8}$

( )

풀이 | $2\frac{5}{8} > 1\frac{4}{9} > \frac{3}{7}$이므로 가장 큰 수는 $2\frac{5}{8}$, 가장 작은 수는 $\frac{3}{7}$입니다.

➡ $2\frac{5}{8} \div \frac{3}{7} = \frac{21}{8} \div \frac{3}{7} = \frac{\overset{7}{\cancel{21}}}{8} \times \frac{7}{\underset{1}{\cancel{3}}} = \frac{49}{8} = 6\frac{1}{8}$

확인 2-1

가장 큰 수를 가장 작은 수로 나눈 몫을 구하시오.

$3\frac{5}{6}$ $6\frac{3}{7}$ $1\frac{4}{5}$

( )

확인 2-2

가장 큰 수를 가장 작은 수로 나눈 몫을 구하시오.

$4\frac{1}{6}$ $5\frac{6}{7}$ $7\frac{7}{9}$

( )

1주

전략 3 도형의 넓이를 이용하여 길이 구하기

[관련 단원] 소수의 나눗셈

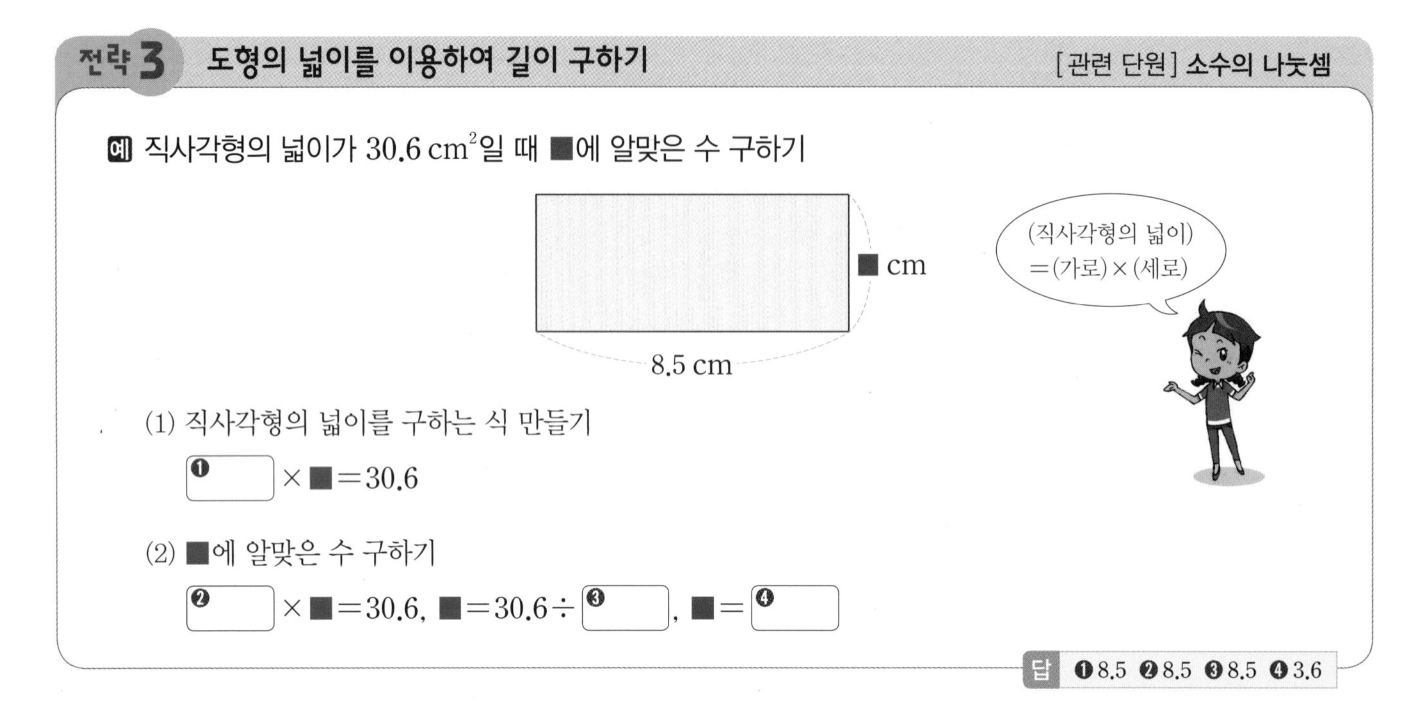

예 직사각형의 넓이가 30.6 cm^2일 때 ■에 알맞은 수 구하기

(1) 직사각형의 넓이를 구하는 식 만들기

❶ □ ×■=30.6

(2) ■에 알맞은 수 구하기

❷ □ ×■=30.6, ■=30.6÷ ❸ □, ■= ❹ □

답 ❶ 8.5 ❷ 8.5 ❸ 8.5 ❹ 3.6

필수 예제 | 03 |

평행사변형의 넓이가 28.8 cm^2일 때 □ 안에 알맞은 수를 써넣으시오.

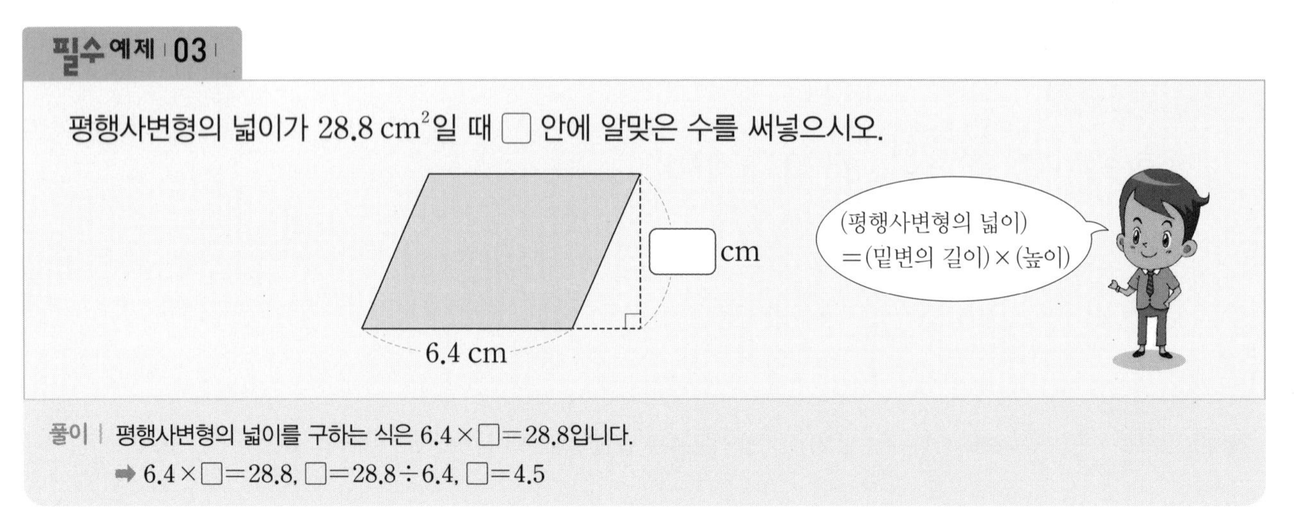

풀이 | 평행사변형의 넓이를 구하는 식은 6.4×□=28.8입니다.

➡ 6.4×□=28.8, □=28.8÷6.4, □=4.5

확인 3-1

직사각형의 넓이가 49.4 cm^2일 때 □ 안에 알맞은 수를 써넣으시오.

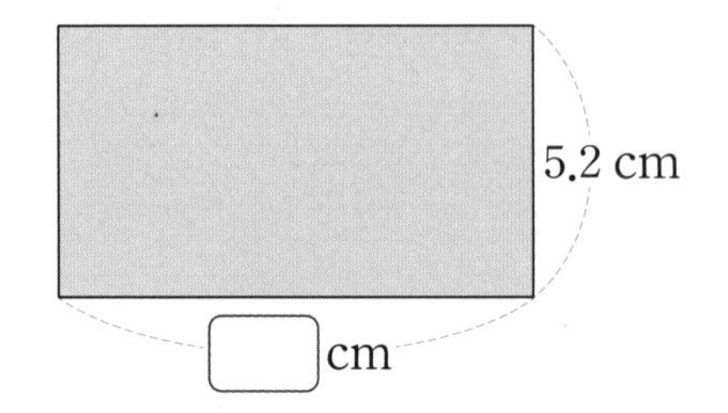

확인 3-2

평행사변형의 넓이가 71.4 cm^2일 때 □ 안에 알맞은 수를 써넣으시오.

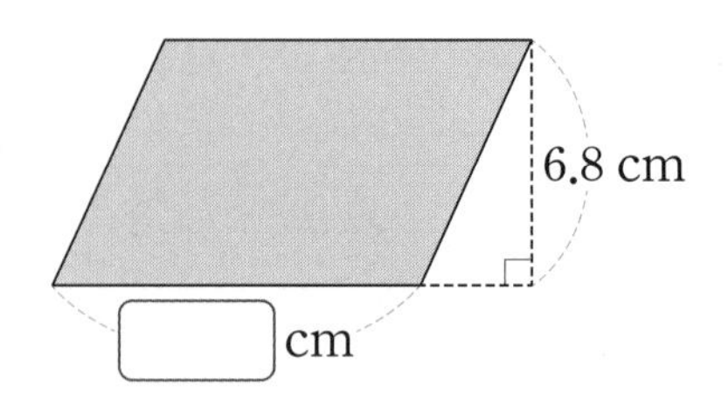

전략 4 수 카드로 나눗셈식 만들기

[관련 단원] 소수의 나눗셈

예 수 카드 중 3장을 골라 한 번씩만 사용하여 가장 작은 소수 두 자리 수를 만들고, 이 수를 0.9로 나누기

(1) 가장 작은 소수 두 자리 수 만들기
작은 수부터 3장을 골라 일의 자리, 소수 첫째 자리, 소수 둘째 자리에 차례로 놓으면 ❶ ☐ 입니다.

(2) 만든 소수 두 자리 수를 0.9로 나누기

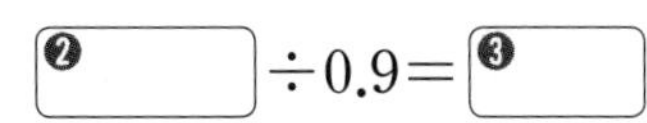

❷ ☐ $\div 0.9=$ ❸ ☐

답 ❶ 0.36 ❷ 0.36 ❸ 0.4

필수 예제 04

수 카드 중 3장을 골라 한 번씩만 사용하여 가장 큰 소수 두 자리 수를 만들고, 이 수를 0.8로 나눈 몫을 구하시오.

☐.☐☐ $\div 0.8=$ ☐

풀이 | 큰 수부터 3장을 골라 일의 자리, 소수 첫째 자리, 소수 둘째 자리에 차례로 놓으면 4.32입니다.
➡ $4.32 \div 0.8 = 5.4$

확인 4-1

수 카드 중 3장을 골라 한 번씩만 사용하여 가장 작은 소수 두 자리 수를 만들고, 이 수를 0.5로 나눈 몫을 구하시오.

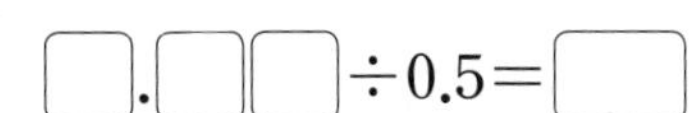

☐.☐☐ $\div 0.5=$ ☐

확인 4-2

수 카드 중 3장을 골라 한 번씩만 사용하여 가장 큰 소수 두 자리 수를 만들고, 이 수를 0.3으로 나눈 몫을 구하시오.

 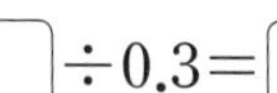

☐.☐☐ $\div 0.3=$ ☐

1주 02일 필수 체크 전략 ❷

[관련 단원] **분수의 나눗셈**

1 큰 수를 작은 수로 나눈 몫을 구하시오.

$\frac{7}{9}$	$\frac{6}{7}$

(　　　　　　　　　　)

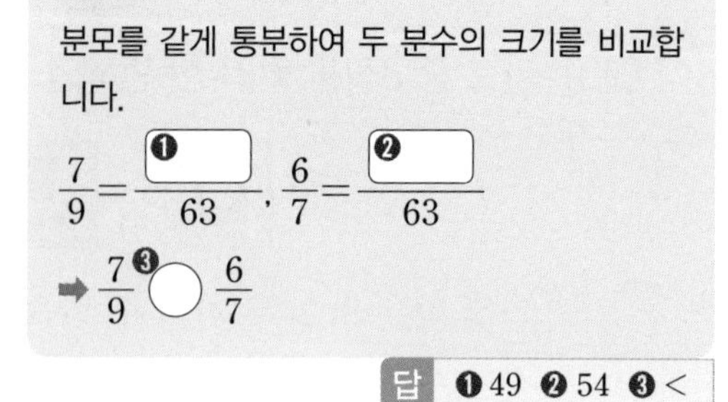

[관련 단원] **분수의 나눗셈**

2 어느 달팽이는 $\frac{8}{9}$ cm를 가는 데 $\frac{5}{12}$분이 걸립니다. 같은 빠르기로 1분 동안 갈 수 있는 거리는 몇 cm입니까?

(　　　　　　　　　　)

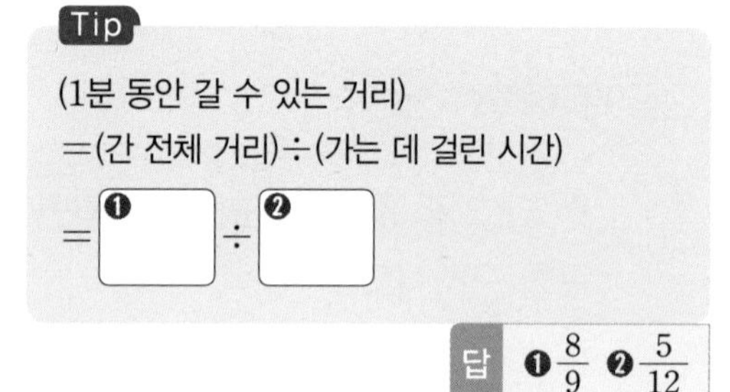

[관련 단원] **분수의 나눗셈**

3 기태가 어제와 오늘 마신 물의 양입니다. ❶어제와 오늘 마신 물의 양은 ❷오늘 마신 물의 양의 몇 배입니까?

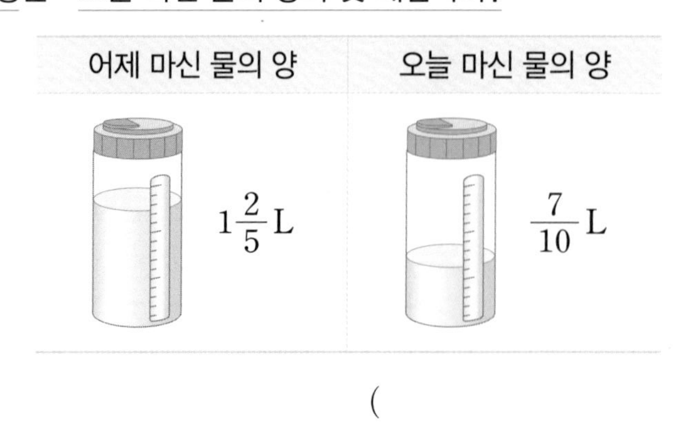

(　　　　　　　　　　)

Tip

❶ (어제와 오늘 마신 물의 양)
=(어제 마신 물의 양)+(오늘 마신 물의 양)
$=1\frac{2}{5}+$ ❶□

❷ ❶에서 구한 값을 오늘 마신 물의 양 ❷□ L로 나눕니다.

답 ❶ $\frac{7}{10}$ ❷ $\frac{7}{10}$

▶정답 및 풀이 4쪽

[관련 단원] **소수의 나눗셈**

4

소수의 나눗셈을 분수의 나눗셈으로 계산한 것입니다.
㉠+㉡+㉢의 값을 구하시오.

$$2.52 \div 0.12 = \frac{252}{100} \div \frac{㉠}{100} = ㉡ \div 12 = ㉢$$

(　　　　　　　　　　)

Tip

- 소수 두 자리 수를 분모가 100인 분수로 바꾸어 계산할 수 있습니다.

$2.52 \div 0.12 = \frac{252}{100} \div \frac{❶\square}{100}$

- 분모가 같은 분수의 나눗셈은 분자끼리의 나눗셈과 같으므로 252÷❷□를 계산합니다.

답 ❶ 12 ❷ 12

[관련 단원] **소수의 나눗셈**

5

❶길이가 340 m인 도로 한쪽에 8.5 m 간격으로 처음부터 끝까지 가로수를 심으려고 합니다. ❷필요한 가로수는 몇 그루입니까?
(단, 가로수의 두께는 생각하지 않습니다.)

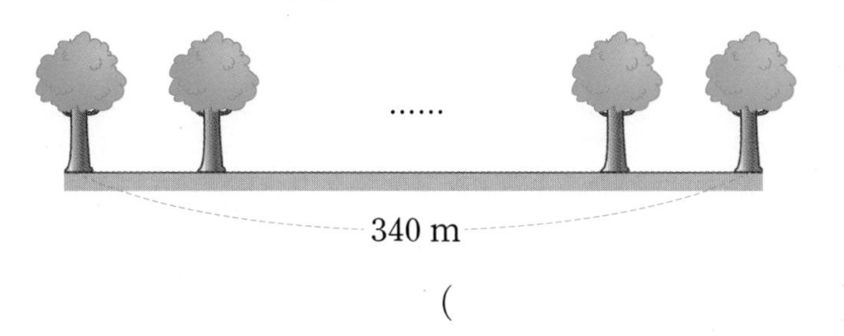

(　　　　　　　　　　)

Tip

❶ (가로수 사이의 간격 수)
=(도로의 길이)÷(가로수 사이의 간격)
=❶□÷❷□

❷ (필요한 가로수 수)
=(가로수 사이의 간격 수)+❸□

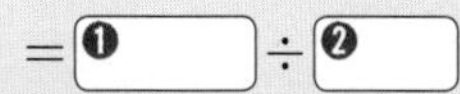

답 ❶ 340 ❷ 8.5 ❸ 1

[관련 단원] **소수의 나눗셈**

6

수 카드를 한 번씩만 사용하여 다음 나눗셈식을 만들려고 합니다. 몫이 가장 클 때의 몫은 얼마입니까?

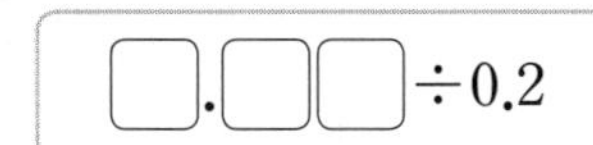

(　　　　　　　　　　)

Tip

- 몫이 가장 크려면 나누어지는 소수 두 자리 수를 가장 ❶□게 해야 합니다.
- 수 카드로 만들 수 있는 가장 큰 소수 두 자리 수는 ❷□입니다.

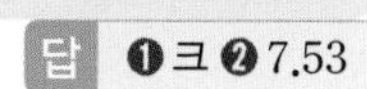

답 ❶ 크 ❷ 7.53

1주

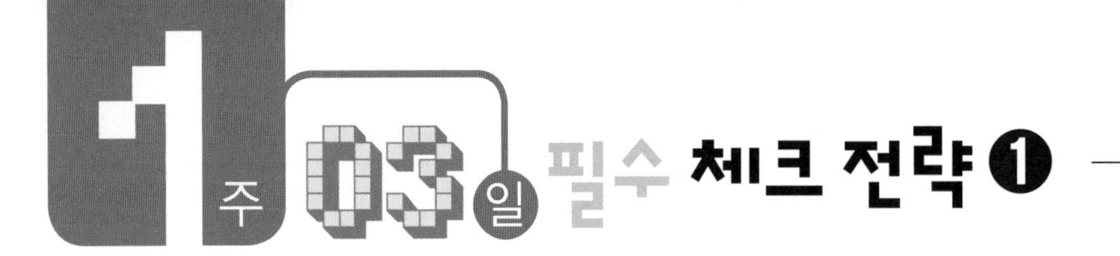

전략 1 조건에 알맞은 자연수 구하기

[관련 단원] 분수의 나눗셈

예 ■가 될 수 있는 자연수 구하기

$1\frac{1}{2}\div\frac{2}{3}>$■

(1) $1\frac{1}{2}\div\frac{2}{3}$를 계산하기

$1\frac{1}{2}\div\frac{2}{3}=\frac{3}{2}\div\frac{2}{3}=\frac{3}{2}\times\frac{3}{2}=\frac{❶}{❷}=$ ❸

(2) ❹ >■이므로 ■가 될 수 있는 자연수는 1, ❺ 입니다.

답 ❶ 9 ❷ 4 ❸ $2\frac{1}{4}$ ❹ $2\frac{1}{4}$ ❺ 2

필수 예제 01

□ 안에 들어갈 수 있는 자연수를 모두 구하시오.

$2\frac{1}{2}\div\frac{3}{5}>$□

(　　　　　　　　　)

풀이 | $2\frac{1}{2}\div\frac{3}{5}=\frac{5}{2}\div\frac{3}{5}=\frac{5}{2}\times\frac{5}{3}=\frac{25}{6}=4\frac{1}{6}$

➡ $4\frac{1}{6}>$□이므로 □ 안에 들어갈 수 있는 자연수는 1, 2, 3, 4입니다.

확인 1-1

□ 안에 들어갈 수 있는 자연수 중 가장 큰 수를 구하시오.

$5\frac{5}{6}\div1\frac{1}{4}>$□

(　　　　　　　　　)

확인 1-2

□ 안에 들어갈 수 있는 자연수 중 가장 작은 수를 구하시오.

$2\frac{1}{4}\div1\frac{1}{5}<$□

(　　　　　　　　　)

전략 2 시간을 분수로 고쳐 계산하기

[관련 단원] 분수의 나눗셈

예 $3\frac{2}{5}$ km를 가는 데 40분이 걸리는 사람이 같은 빠르기로 한 시간 동안 갈 수 있는 거리 구하기

(1) 40분은 몇 시간인지 기약분수로 나타내기

$40분=\frac{40}{60}시간=\frac{❶\square}{3}시간$

(2) 한 시간 동안 갈 수 있는 거리 구하기

$3\frac{2}{5}\div\frac{2}{3}=\frac{17}{5}\div\frac{2}{3}=\frac{17}{5}\times\frac{3}{2}=\frac{❷\square}{❸\square}=❹\square$ (km)

답 ❶ 2 ❷ 51 ❸ 10 ❹ $5\frac{1}{10}$

필수 예제 02

원재는 $4\frac{1}{3}$ km를 가는 데 50분이 걸립니다. 원재가 같은 빠르기로 한 시간 동안 갈 수 있는 거리는 몇 km입니까?

(1) 50분은 몇 시간인지 기약분수로 나타내시오.

( )

(2) 원재가 같은 빠르기로 한 시간 동안 갈 수 있는 거리는 몇 km입니까?

( )

풀이 | (1) $50분=\frac{50}{60}시간=\frac{5}{6}시간$

(2) $4\frac{1}{3}\div\frac{5}{6}=\frac{13}{3}\div\frac{5}{6}=\frac{13}{\cancel{3}_1}\times\frac{\cancel{6}^2}{5}=\frac{26}{5}=5\frac{1}{5}$ (km)

확인 2-1

어느 자동차 공장에서 자동차 한 대를 만드는 데 1시간 15분이 걸립니다. 이 공장에서 같은 빠르기로 $8\frac{3}{4}$ 시간 동안 만들 수 있는 자동차는 몇 대입니까?

( )

확인 2-2

어느 피아노 공장에서 피아노 한 대를 만드는 데 1시간 30분이 걸립니다. 이 공장에서 같은 빠르기로 $7\frac{1}{2}$ 시간 동안 만들 수 있는 피아노는 몇 대입니까?

( )

전략 3 바르게 계산한 값 구하기

[관련 단원] 소수의 나눗셈

예 어떤 수를 0.2로 나누어야 할 것을 잘못하여 곱하였더니 0.96이 되었을 때 바르게 계산한 값 구하기

(1) 어떤 수를 ■라 하고 잘못 계산한 식 세우기

■ × 0.2 = 0.96

(2) 곱셈과 나눗셈의 관계를 이용하여 ■의 값 구하기

■ × 0.2 = 0.96, ■ = 0.96 ÷ ❶[ ], ■ = ❷[ ]

(3) 바르게 계산한 값 구하기

■ ÷ 0.2 = ❸[ ] ÷ 0.2 = ❹[ ]

답 ❶ 0.2 ❷ 4.8 ❸ 4.8 ❹ 24

필수 예제 03

어떤 수를 0.3으로 나누어야 할 것을 잘못하여 곱하였더니 2.07이 되었습니다. 바르게 계산한 값은 얼마입니까?

(1) 어떤 수를 구하시오.

( )

(2) 바르게 계산한 값은 얼마입니까?

( )

풀이 | (1) 어떤 수를 □라 하면 □ × 0.3 = 2.07, □ = 2.07 ÷ 0.3, □ = 6.9입니다.
(2) 6.9 ÷ 0.3 = 23

확인 3-1

어떤 수를 0.6으로 나누어야 할 것을 잘못하여 곱하였더니 6.12가 되었습니다. 바르게 계산한 값은 얼마입니까?

( )

확인 3-2

어떤 수를 0.7로 나누어야 할 것을 잘못하여 곱하였더니 9.31이 되었습니다. 바르게 계산한 값은 얼마입니까?

( )

▶정답 및 풀이 4쪽

전략 4 몫의 소수 ■째 자리 숫자 구하기

[관련 단원] 소수의 나눗셈

예 몫의 소수 15째 자리 숫자 구하기

5÷11

(1) 몫의 소수점 아래에 반복되는 숫자 찾기
5÷11=0.4545……이므로 몫의 소수 첫째 자리부터 두 숫자 4, ❶ [ ]가 반복됩니다.

(2) 몫의 소수 15째 자리 숫자 구하기
15÷2=7…1이므로 소수 15째 자리 숫자는 두 숫자 4, ❷ [ ]가 ❸ [ ]번 반복된 후 첫 번째 숫자이므로 ❹ [ ]입니다.

15÷2=7…1에서 나누는 수 2는 반복되는 숫자의 개수, 몫 7은 반복되는 횟수입니다.

답 ❶5 ❷5 ❸7 ❹4

필수 예제 04

몫의 소수 25째 자리 숫자를 구하시오.

8÷11

(1) 몫의 소수점 아래에 반복되는 숫자를 모두 구하시오.

( )

(2) 몫의 소수 25째 자리 숫자를 구하시오.

( )

풀이 | (1) 8÷11=0.7272……이므로 몫의 소수 첫째 자리부터 두 숫자 7, 2가 반복됩니다.
(2) 25÷2=12…1이므로 소수 25째 자리 숫자는 두 숫자 7, 2가 12번 반복된 후 첫 번째 숫자이므로 7입니다.

확인 4-1

몫의 소수 10째 자리 숫자를 구하시오.

0.8÷2.2

( )

확인 4-2

몫의 소수 20째 자리 숫자를 구하시오.

1.3÷2.7

( )

1주 03일 필수 체크 전략 ❷

[관련 단원] **분수의 나눗셈**

1 민준이와 수빈이가 각자 가지고 있는 수 카드를 한 번씩만 사용하여 진분수를 만들었습니다. 민준이가 만든 분수는 수빈이가 만든 분수의 몇 배입니까?

(　　　　　　　　　　)

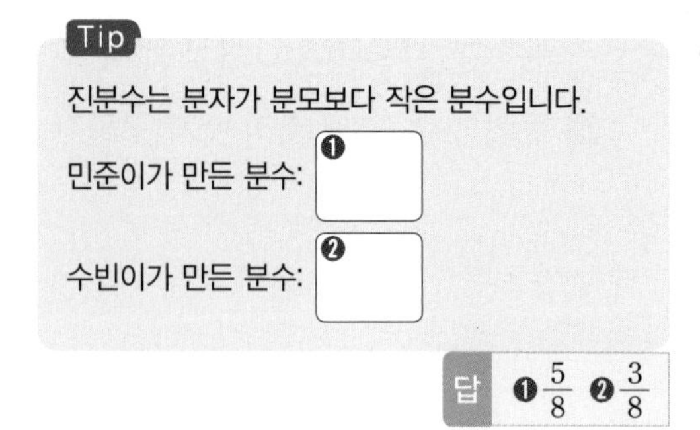

답 ❶ $\frac{5}{8}$ ❷ $\frac{3}{8}$

[관련 단원] **분수의 나눗셈**

2 ㉠이 될 수 있는 자연수를 모두 구하시오.

$$10<3\div\frac{1}{㉠}<20$$

(　　　　　　　　　　)

Tip

$3\div\frac{1}{㉠}=3\times$ ❶ □ 이므로

$10<3\div\frac{1}{㉠}<20$은 $10<3\times$ ❷ □ <20과 같다고 생각합니다.

답 ❶ ㉠ ❷ ㉠

[관련 단원] **분수의 나눗셈**

3 ❶어떤 수를 $\frac{3}{4}$으로 나누어야 할 것을 잘못하여 $\frac{3}{4}$을 곱하였더니 $\frac{2}{3}$가 되었습니다. ❷바르게 계산한 값을 구하시오.

(　　　　　　　　　　)

Tip

❶ (어떤 수)$\times\frac{3}{4}=$ ❶ □

➡ (어떤 수)$=$ ❷ □ $\div\frac{3}{4}$

❷ (바르게 계산한 값)

$=$(어떤 수)$\div$ ❸ □

답 ❶ $\frac{2}{3}$ ❷ $\frac{2}{3}$ ❸ $\frac{3}{4}$

▶정답 및 풀이 5쪽

[관련 단원] **소수의 나눗셈**

4 계산 결과가 큰 것부터 차례로 기호를 쓰시오.

㉠ $0.32 \div 0.2$	㉡ $8.05 \div 3.5$	㉢ $6.12 \div 1.8$

( )

Tip

먼저 각 식의 계산 결과를 구한 후 크기를 비교합니다.

㉠ $0.32 \div 0.2 =$ ❶

㉡ $8.05 \div 3.5 =$ ❷

㉢ $6.12 \div 1.8 =$ ❸

답 ❶ 1.6 ❷ 2.3 ❸ 3.4

1 주

[관련 단원] **소수의 나눗셈**

5 ❶길이가 20 cm인 양초에 불을 붙여서 14 cm가 남을 때까지 태웠습니다. ❷양초는 1분 동안 0.4 cm씩 탄다고 할 때 양초를 몇 분 동안 태운 것인지 구하시오.

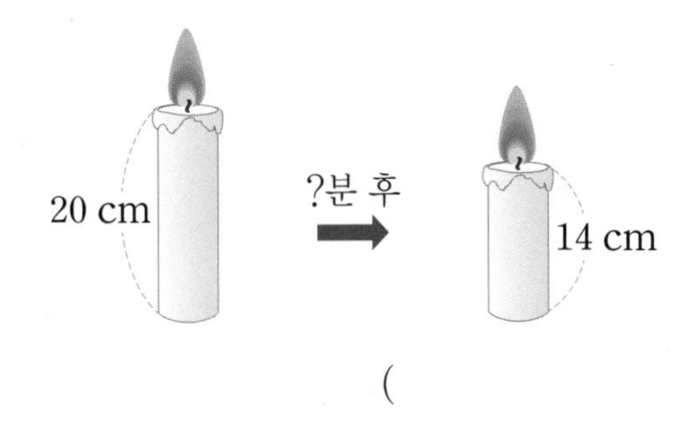

( )

Tip

❶ (태운 양초의 길이)

=(처음 양초의 길이)−(남은 양초의 길이)

$=20-$ ❶

❷ ❶에서 구한 값을 1분 동안 타는 길이인 ❷ cm로 나눕니다.

답 ❶ 14 ❷ 0.4

[관련 단원] **소수의 나눗셈**

6 길이가 1.5 m인 철사를 모두 사용하여 한 변의 길이가 0.25 m인 정다각형을 한 개 만들었습니다. 만든 정다각형의 이름은 무엇입니까?

( )

정다각형은 변의 길이가 모두 같고 각의 크기가 모두 같습니다.

Tip

(변의 수)=(전체 철사의 길이)÷(한 변의 길이)

= ❶ ÷ ❷

변이 ■개인 정다각형의 이름은 정■각형입니다.

답 ❶ 1.5 ❷ 0.25

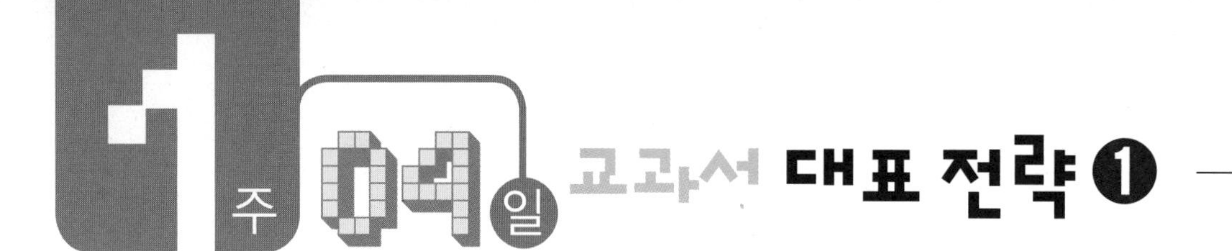

1주 04일 교과서 대표 전략 ❶

대표 예제 01

그림에 알맞은 진분수끼리의 나눗셈식을 만들고 계산하시오.

0 ────────── 1

$\frac{\square}{10} \div \frac{\square}{10} = \square$

개념가이드

색칠한 부분은 $\frac{❶}{10}$이고, $\frac{❷}{10}$에서 $\frac{❸}{10}$씩 ❹ 번 덜어 냈습니다.

[답] ❶ 9 ❷ 9 ❸ 3 ❹ 3

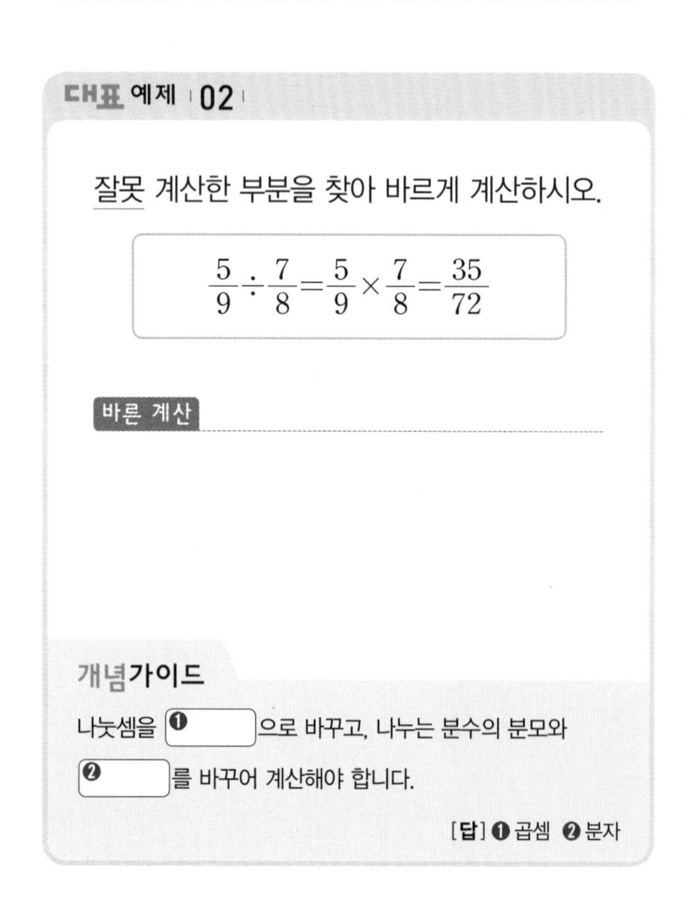

대표 예제 02

잘못 계산한 부분을 찾아 바르게 계산하시오.

$\frac{5}{9} \div \frac{7}{8} = \frac{5}{9} \times \frac{7}{8} = \frac{35}{72}$

바른 계산

개념가이드

나눗셈을 ❶ 으로 바꾸고, 나누는 분수의 분모와 ❷ 를 바꾸어 계산해야 합니다.

[답] ❶ 곱셈 ❷ 분자

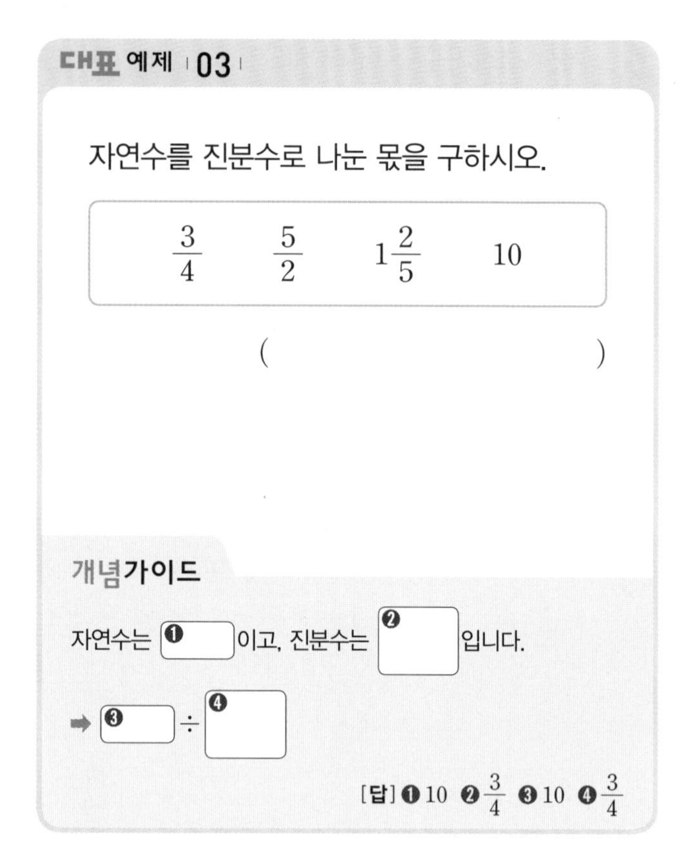

대표 예제 03

자연수를 진분수로 나눈 몫을 구하시오.

$\frac{3}{4}$ $\frac{5}{2}$ $1\frac{2}{5}$ 10

( )

개념가이드

자연수는 ❶ 이고, 진분수는 ❷ 입니다.

➡ ❸ ÷ ❹

[답] ❶ 10 ❷ $\frac{3}{4}$ ❸ 10 ❹ $\frac{3}{4}$

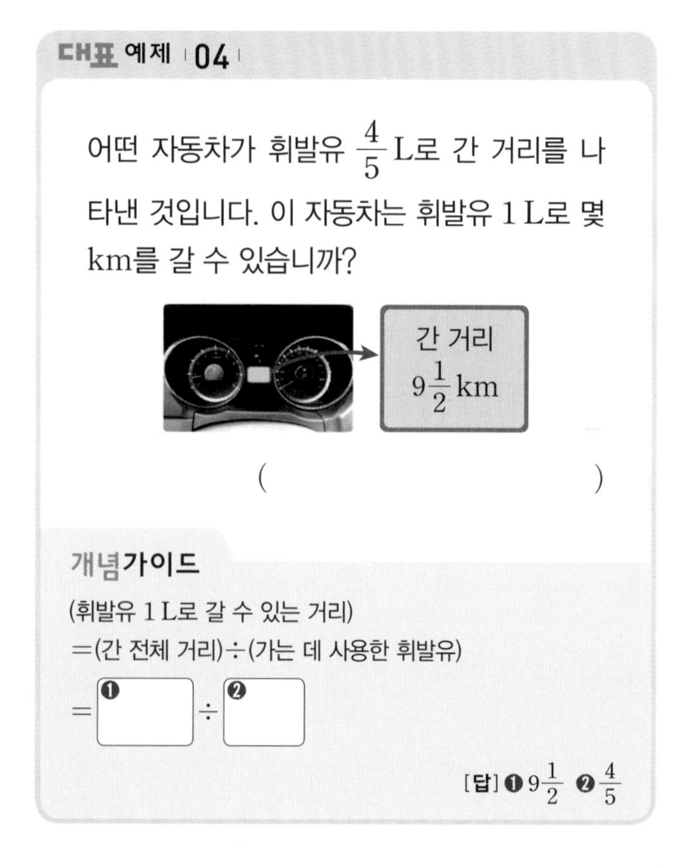

대표 예제 04

어떤 자동차가 휘발유 $\frac{4}{5}$ L로 간 거리를 나타낸 것입니다. 이 자동차는 휘발유 1 L로 몇 km를 갈 수 있습니까?

( )

개념가이드

(휘발유 1 L로 갈 수 있는 거리)
=(간 전체 거리)÷(가는 데 사용한 휘발유)
= ❶ ÷ ❷

[답] ❶ $9\frac{1}{2}$ ❷ $\frac{4}{5}$

▶정답 및 풀이 6쪽

대표 예제 05

어떤 수에 $\frac{2}{3}$를 곱했더니 $\frac{4}{5}$가 되었습니다. 어떤 수는 얼마입니까?

(   )

개념가이드

(어떤 수)× ❶ $=\frac{4}{5}$

➡ (어떤 수)$=\frac{4}{5}\div$ ❷

[답] ❶ $\frac{2}{3}$ ❷ $\frac{2}{3}$

대표 예제 06

가장 큰 수를 가장 작은 수로 나눈 몫을 구하시오.

$1\frac{1}{4}$ $3\frac{8}{9}$ $4\frac{1}{2}$

(   )

개념가이드

대분수는 자연수 부분이 클수록 큰 수입니다.

가장 큰 수는 $4\frac{1}{2}$, 가장 작은 수는 ❶ 이므로

❷ ÷ ❸ 을 계산합니다.

[답] ❶ $1\frac{1}{4}$ ❷ $4\frac{1}{2}$ ❸ $1\frac{1}{4}$

대표 예제 07

냉장고에 2 L짜리 우유가 4개 있습니다. 한 사람이 $\frac{4}{7}$ L씩 마신다면 몇 명이 마실 수 있습니까?

(   )

개념가이드

(전체 우유의 양)$=2\times$ ❶

➡ (마실 수 있는 사람 수)

=(전체 우유의 양) ❷ (한 사람이 마시는 우유의 양)

[답] ❶ 4 ❷ ÷

대표 예제 08

어느 컴퓨터 공장에서 컴퓨터 한 대를 만드는 데 36분이 걸립니다. 이 컴퓨터 공장에서 같은 빠르기로 $5\frac{2}{5}$시간 동안 만들 수 있는 컴퓨터는 몇 대입니까?

(   )

개념가이드

36분$=\frac{❶}{60}$시간$=\frac{❷}{5}$시간

(만들 수 있는 컴퓨터 수)$=5\frac{2}{5}\div\frac{❸}{5}$

[답] ❶ 36 ❷ 3 ❸ 3

1주

대표 예제 09

□ 안에 알맞은 수를 써넣으시오.

$26 \div 2 = \square$

$26 \div 0.2 = \square$

$26 \div 0.02 = \square$

개념가이드

나누어지는 수가 같고 나누는 수가 $\frac{1}{10}$배, $\frac{1}{100}$배가 되면 몫은 ❶ □배, ❷ □배가 됩니다.

[답] ❶ 10 ❷ 100

대표 예제 10

몫을 반올림하여 일의 자리까지 나타내시오.

$0.6\overline{)5.3}$

(　　　　　　　　)

개념가이드

몫을 소수 첫째 자리까지 구한 후 소수 ❶ □째 자리에서 ❷ □올림합니다.

[답] ❶ 첫 ❷ 반

대표 예제 11

넓이가 $52.2\ \text{cm}^2$인 직사각형이 있습니다. 세로가 5.8 cm일 때 가로는 몇 cm입니까?

5.8 cm

(　　　　　　　　)

개념가이드

직사각형의 넓이 ❶ □ cm^2를 세로 ❷ □ cm로 나눕니다.

[답] ❶ 52.2 ❷ 5.8

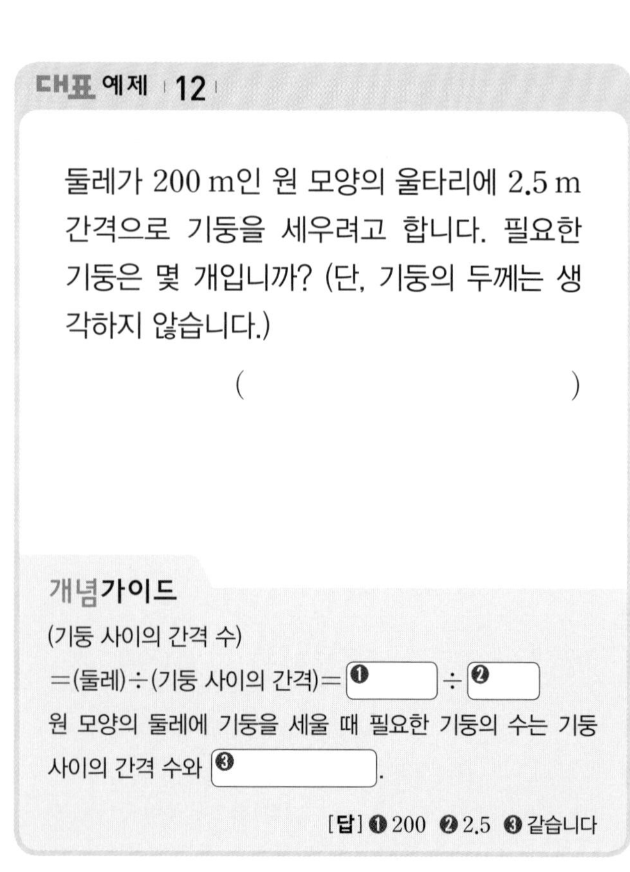

대표 예제 12

둘레가 200 m인 원 모양의 울타리에 2.5 m 간격으로 기둥을 세우려고 합니다. 필요한 기둥은 몇 개입니까? (단, 기둥의 두께는 생각하지 않습니다.)

(　　　　　　　　)

개념가이드

(기둥 사이의 간격 수)

=(둘레)÷(기둥 사이의 간격)= ❶ □ ÷ ❷ □

원 모양의 둘레에 기둥을 세울 때 필요한 기둥의 수는 기둥 사이의 간격 수와 ❸ □.

[답] ❶ 200 ❷ 2.5 ❸ 같습니다

▶정답 및 풀이 6쪽

대표 예제 13

□ 안에 들어갈 수 있는 자연수 중 가장 큰 수를 구하시오.

$9.52 \div 1.4 > \square$

(　　　　　　　　　　)

개념가이드

$9.52 \div 1.4 =$ ❶ 이므로 ❷ 보다 작은 자연수 중 가장 큰 수를 알아봅니다.

[답] ❶ 6.8 ❷ 6.8

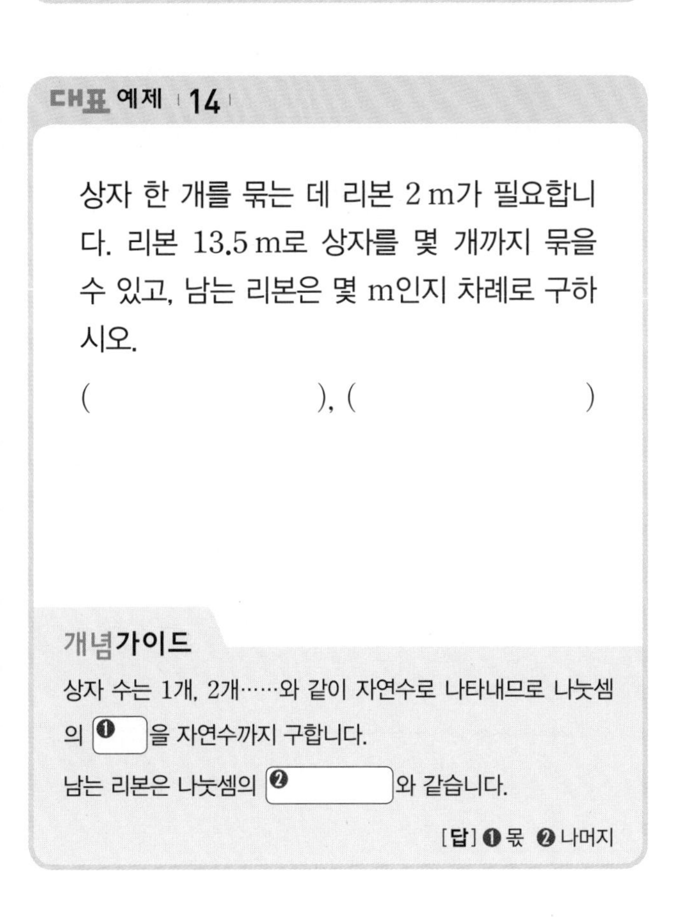

대표 예제 14

상자 한 개를 묶는 데 리본 2 m가 필요합니다. 리본 13.5 m로 상자를 몇 개까지 묶을 수 있고, 남는 리본은 몇 m인지 차례로 구하시오.

(　　　　　　　), (　　　　　　　)

개념가이드

상자 수는 1개, 2개……와 같이 자연수로 나타내므로 나눗셈의 ❶ 을 자연수까지 구합니다.

남는 리본은 나눗셈의 ❷ 와 같습니다.

[답] ❶ 몫 ❷ 나머지

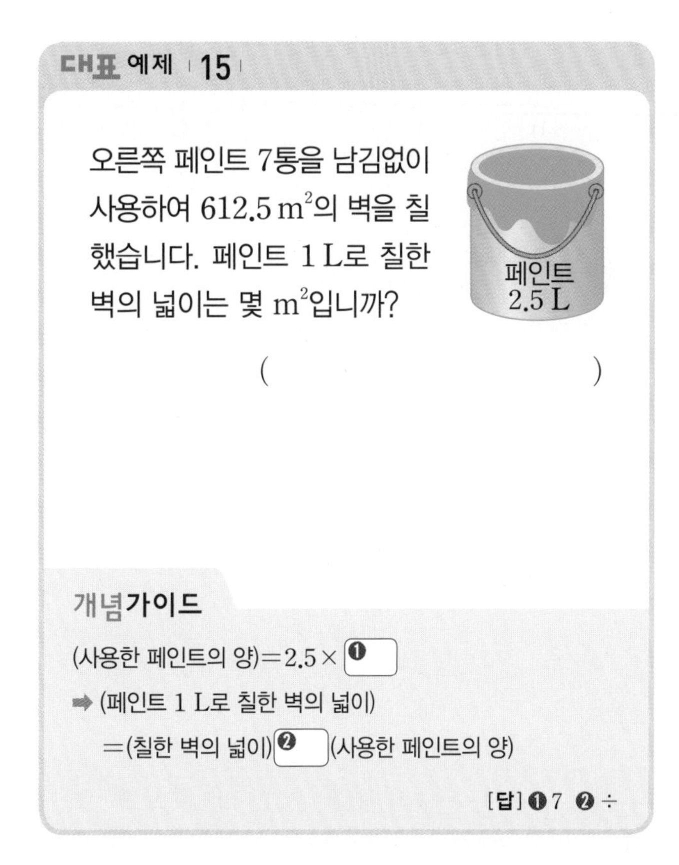

대표 예제 15

오른쪽 페인트 7통을 남김없이 사용하여 612.5 m^2의 벽을 칠했습니다. 페인트 1 L로 칠한 벽의 넓이는 몇 m^2입니까?

(　　　　　　　　　　)

개념가이드

(사용한 페인트의 양)$=2.5\times$ ❶

➡ (페인트 1 L로 칠한 벽의 넓이)

$=$(칠한 벽의 넓이) ❷ (사용한 페인트의 양)

[답] ❶ 7 ❷ ÷

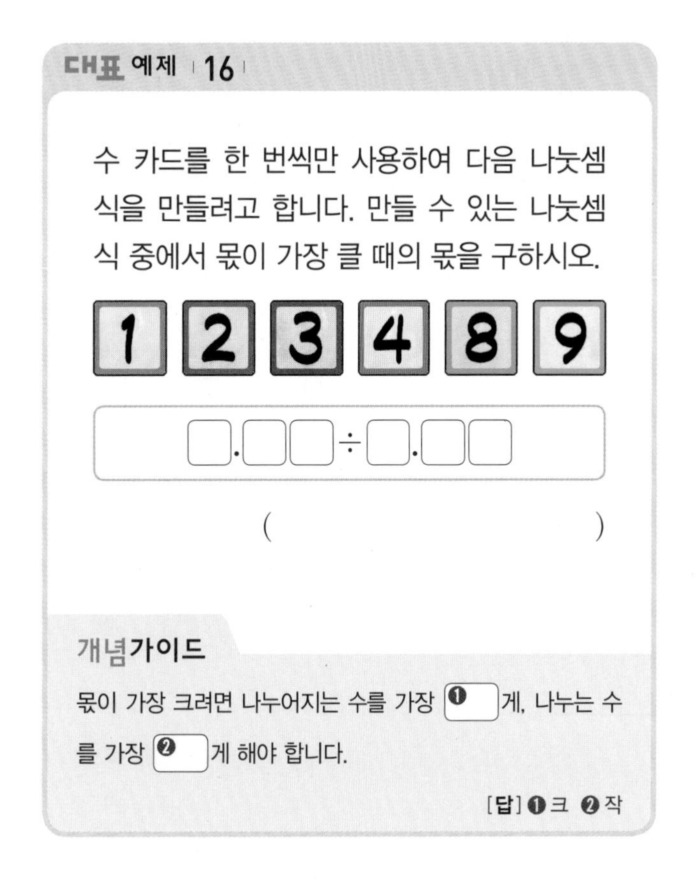

대표 예제 16

수 카드를 한 번씩만 사용하여 다음 나눗셈식을 만들려고 합니다. 만들 수 있는 나눗셈식 중에서 몫이 가장 클 때의 몫을 구하시오.

$\square.\square\square \div \square.\square\square$

(　　　　　　　　　　)

개념가이드

몫이 가장 크려면 나누어지는 수를 가장 ❶ 게, 나누는 수를 가장 ❷ 게 해야 합니다.

[답] ❶ 크 ❷ 작

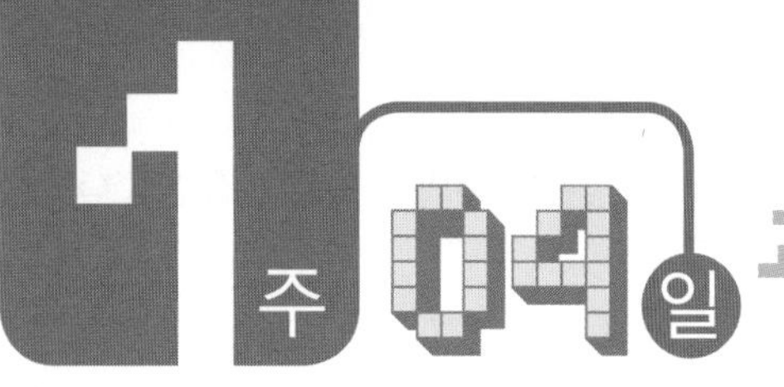

교과서 대표 전략 ❷

1 수직선을 보고 ㉡÷㉠을 구하시오.

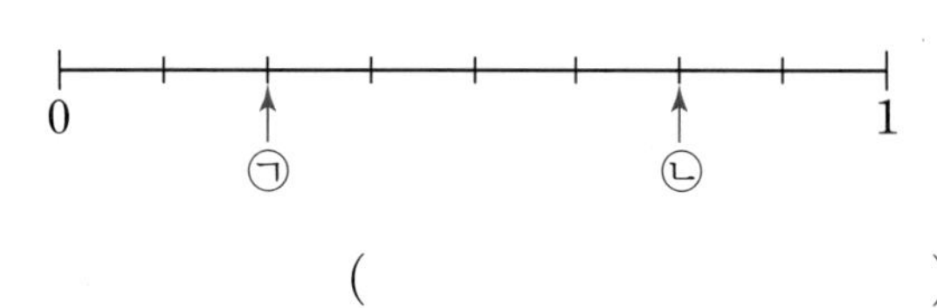

(   )

Tip

똑같이 8칸으로 나누었으므로 한 칸은 $\frac{1}{8}$을 나타냅니다.

➡ ㉠은 0에서 2칸 갔으므로 $\frac{❶\square}{8}$,

㉡은 0에서 6칸 갔으므로 $\frac{❷\square}{8}$입니다.

답 ❶ 2 ❷ 6

2 다음 조건을 만족하는 분수의 나눗셈식을 만들어 계산하려고 합니다. □ 안에 알맞은 수를 써넣으시오.

조건
- 분모가 10보다 작은 진분수의 나눗셈입니다.
- 두 분수의 분모는 같습니다.

$$\frac{8}{\square} \div \frac{7}{\square} = \frac{\square}{\square} = \square\frac{\square}{\square}$$

Tip

진분수는 분자가 ❶□보다 작은 분수입니다.

분모가 같은 분수의 나눗셈은 ❷□끼리의 나눗셈과 같습니다.

답 ❶ 분모 ❷ 분자

3 □ 안에 들어갈 수 있는 자연수 중 가장 큰 수를 구하시오.

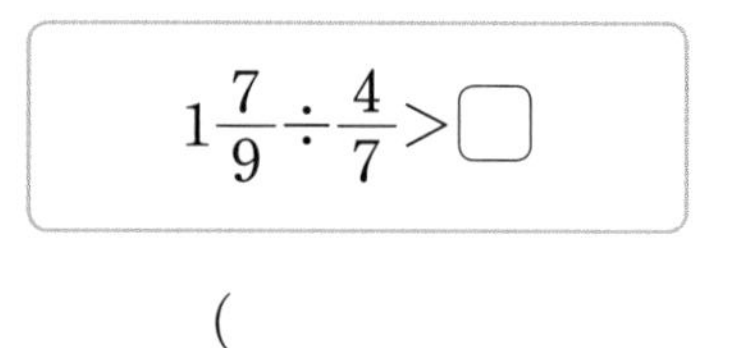

$$1\frac{7}{9} \div \frac{4}{7} > \square$$

(   )

Tip

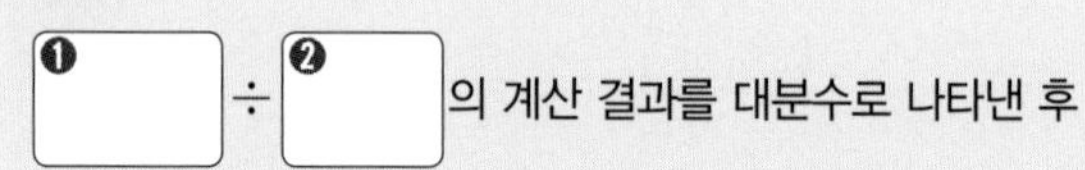

❶□ ÷ ❷□의 계산 결과를 대분수로 나타낸 후

이 대분수보다 작은 자연수 중 가장 큰 수를 알아봅니다.

답 ❶ $1\frac{7}{9}$ ❷ $\frac{4}{7}$

4 경주가 읽고 있는 동화책의 전체 쪽수는 몇 쪽입니까?

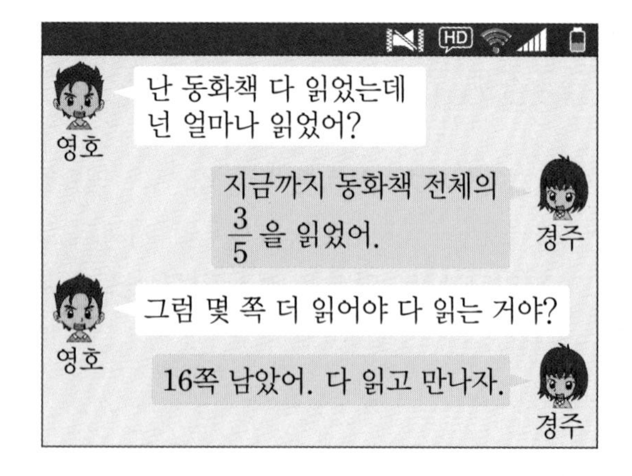

(   )

Tip

남은 쪽수는 전체의 $1-\frac{3}{5}=\frac{❶\square}{5}$입니다.

(전체 쪽수)$=16\div\frac{❷\square}{5}$

답 ❶ 2 ❷ 2

▶정답 및 풀이 7쪽

5 ㉠과 ㉡ 사이에 있는 자연수는 모두 몇 개입니까?

㉠ $8.55 \div 4.5$	㉡ $11.7 \div 1.8$

(　　　　　　　　)

Tip

㉠ $8.55 \div 4.5 =$ ❶

㉡ $11.7 \div 1.8 =$ ❷

➡ ㉠과 ㉡ 사이에 있는 자연수는 ❸ 보다 크고 ❹ 보다 작은 수입니다.

답 ❶ 1.9 ❷ 6.5 ❸ 1.9 ❹ 6.5

7 어떤 수를 0.8로 나누어야 할 것을 잘못하여 8로 나누었더니 몫이 3, 나머지가 4.8이 되었습니다. 바르게 계산한 값을 구하시오.

(　　　　　　　　)

Tip

(어떤 수) $\div 8 = 3 \cdots 4.8$

➡ (어떤 수) $=$ ❶ $\times 3 +$ ❷

바른 계산: (어떤 수) $\div 0.8$

답 ❶ 8 ❷ 4.8

6 영주네 가족은 집에서 94.95 km 떨어진 놀이공원까지 가는 데 1시간 30분이 걸렸습니다. 영주네 가족은 한 시간에 몇 km를 간 셈입니까?

(　　　　　　　　)

Tip

1시간 30분 $= 1\frac{30}{60}$ 시간 $= 1.$ ❶ 시간

(한 시간 동안 간 거리) $= 94.95 \div 1.$ ❷

답 ❶ 5 ❷ 5

30분 $= \frac{30}{60}$ 시간 $= (30 \div 60)$ 시간이므로
30분 $= 0.5$ 시간입니다.

8 길이가 450 m인 도로 양쪽에 7.5 m 간격으로 처음부터 끝까지 가로등을 세우려고 합니다. 필요한 가로등은 몇 개입니까? (단, 가로등의 두께는 생각하지 않습니다.)

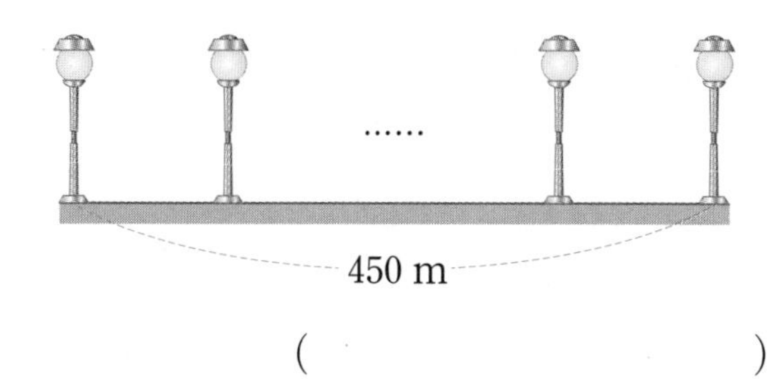

(　　　　　　　　)

Tip

(도로 한쪽에 세우는 가로등 수)
$=$ (가로등 사이의 간격 수) $+$ ❶

(도로 양쪽에 세우는 가로등 수)
$=$ (도로 한쪽에 세우는 가로등 수) $\times$ ❷

답 ❶ 1 ❷ 2

1 주

1주 누구나 만점 전략

맞은 개수 개

01 계산을 하시오.

(1) $\frac{3}{4} \div \frac{2}{5}$

(2) $4 \div \frac{5}{6}$

02 몫을 비교하여 ◯ 안에 $>$, $=$, $<$를 알맞게 써넣으시오.

$\frac{3}{2} \div \frac{4}{9}$  $\frac{7}{5} \div \frac{2}{3}$

03 케이크 한 개를 만드는 데 밀가루 $1\frac{3}{4}$컵이 필요합니다. 밀가루 $3\frac{1}{2}$컵으로 만들 수 있는 케이크는 몇 개입니까?

( )

04 경주 불국사 삼층석탑의 높이는 $\frac{5}{8}$ m짜리 우산 길이의 몇 배입니까?

▲ 경주 불국사 삼층석탑 높이: $10\frac{3}{4}$ m

( )

05 안나는 자전거를 타고 $\frac{5}{9}$ km를 가는 데 $\frac{2}{3}$분이 걸립니다. 같은 빠르기로 1 km를 가는 데 걸리는 시간은 몇 분입니까?

식

답

06 계산을 하시오.

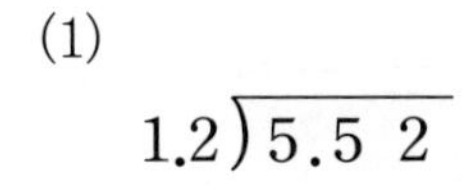

(1) $1.2\overline{)5.52}$　　(2) $2.25\overline{)27}$

07 빈칸에 알맞은 수를 써넣으시오.

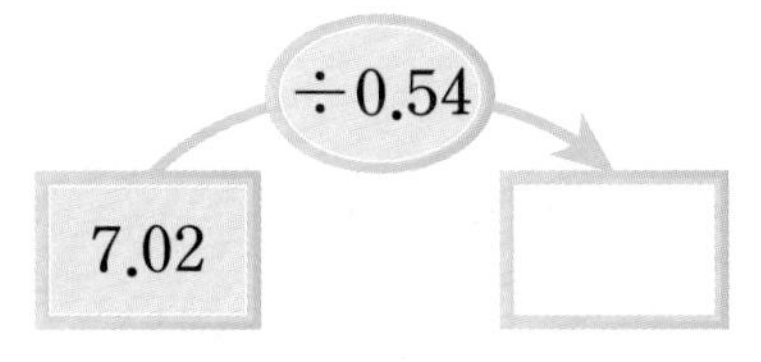

08 몫이 다른 하나를 찾아 기호를 쓰시오.

㉠ 17.6÷0.8
㉡ 32.3÷1.7
㉢ 57.2÷2.6

(　　　　　　　　　　)

09 오늘 수확한 소금을 한 사람에 3 kg씩 나누어 주려고 합니다. 몇 명까지 나누어 줄 수 있고, 남는 소금은 몇 kg인지 차례로 구하시오.

(　　　　　　), (　　　　　　)

몫은 자연수까지 구하고, 나머지는 나누어지는 수의 소수점 위치에서 소수점을 찍으면 됩니다.

10 계산 결과를 비교하여 ◯ 안에 >, =, <를 알맞게 써넣으시오.

2.9÷6의 몫을 반올림하여 소수 첫째 자리까지 나타낸 수 ◯ 2.9÷6

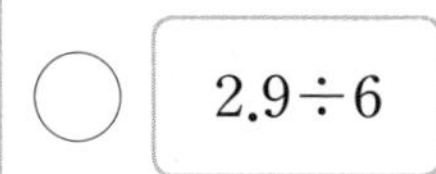

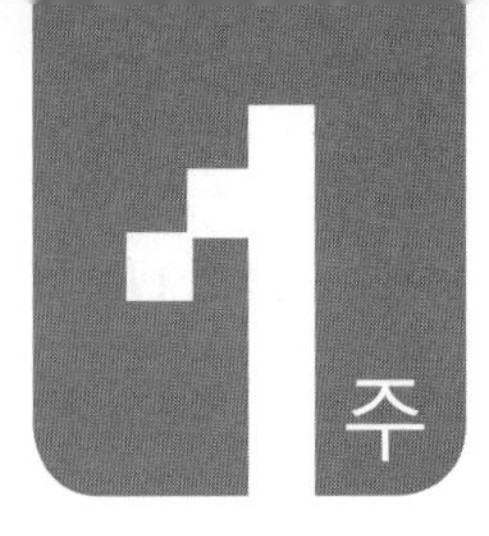

1주 창의·융합·코딩 전략 ❶

1 수빈이가 올리브오일을 나누어 담을 때 필요한 통은 몇 개인지 구하시오.

( )

▶정답 및 풀이 9쪽

1주

창의 융합

2 민준이 몸무게는 수빈이 몸무게의 몇 배인지 구하시오.

(　　　　　　　　　　　　　　　　　)

창의·융합·코딩 전략 ❷

창의 융합

1 달의 중력은 지구의 $\frac{1}{6}$입니다. 달에서 무게가 5 kg인 물건의 지구에서의 무게는 $5 \div \frac{1}{6}$로 구해야 합니다. 다음을 보고 지구에서의 민준이의 몸무게는 몇 kg인지 구하시오.

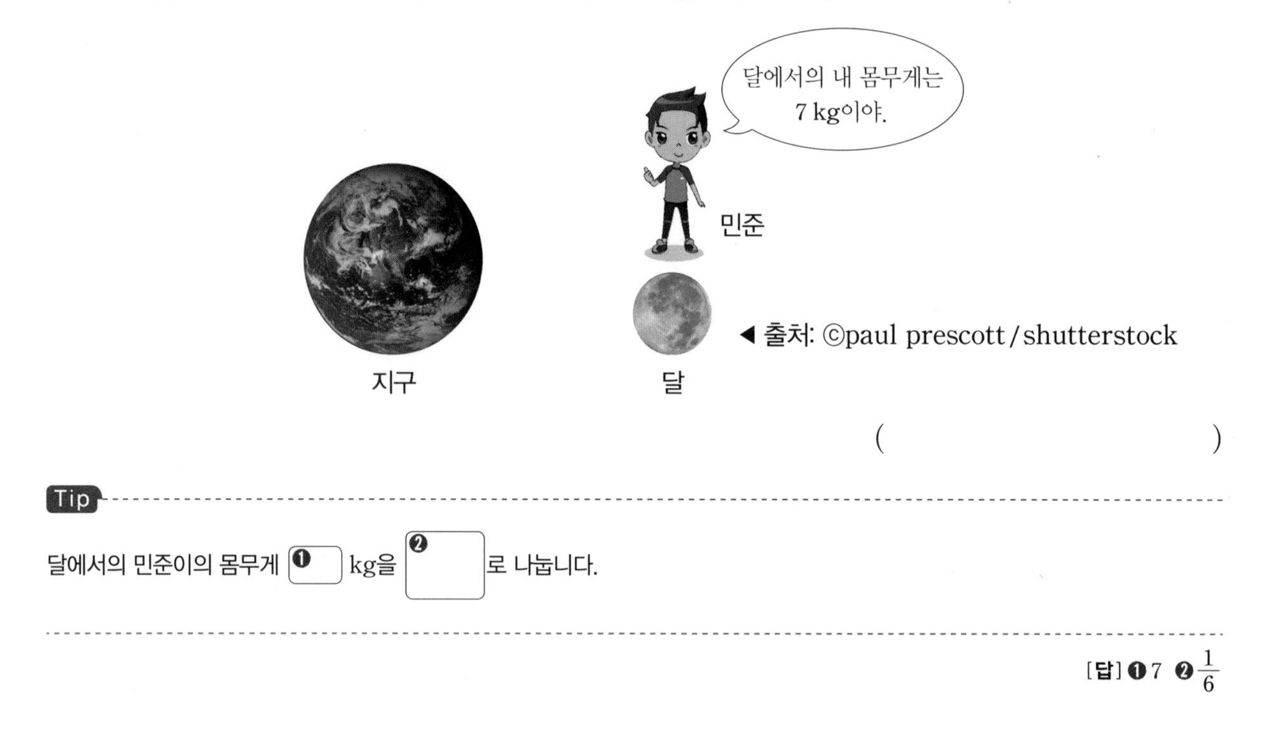

(　　　　　　　　)

Tip

달에서의 민준이의 몸무게 ❶ kg을 ❷ 로 나눕니다.

[답] ❶ 7 ❷ $\frac{1}{6}$

창의 융합

2 음표에 따른 박자를 나타낸 것입니다. 𝅘𝅥. 의 박자는 𝅘𝅥𝅮 의 박자의 몇 배입니까?

음표	𝅘𝅥𝅯	𝅘𝅥𝅮	𝅘𝅥𝅮.	𝅘𝅥	𝅘𝅥.	𝅗𝅥
박자	$\frac{1}{4}$박자	$\frac{1}{2}$박자	$\frac{3}{4}$박자	1박자	$1\frac{1}{2}$박자	2박자

(　　　　　　　　)

Tip

𝅘𝅥. 의 박자인 ❶ 박자를 𝅘𝅥𝅮 의 박자인 ❷ 박자로 나눕니다.

[답] ❶ $1\frac{1}{2}$ ❷ $\frac{1}{2}$

▶정답 및 풀이 9쪽

코딩

3 순서도에 따라 계산했을 때 ☐에 계산한 몫을 써넣으시오.

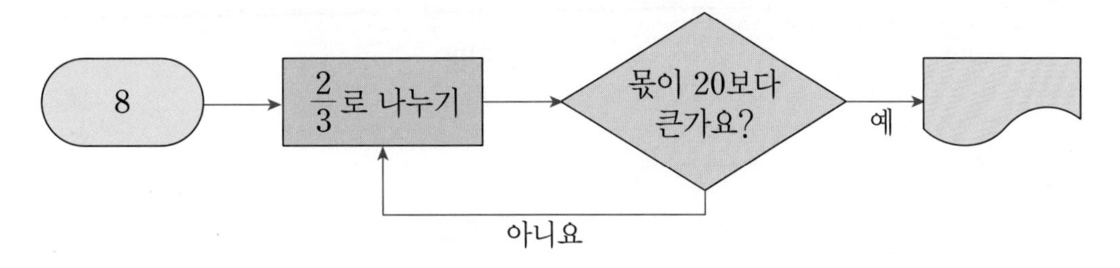

Tip

8을 ❶ ☐로 여러 번 나누어서 몫이 ❷ ☐보다 크면 답으로 씁니다.

[답] ❶ $\frac{2}{3}$ ❷ 20

추론

4 ○ 안에 있는 자연수를 이용하여 일정한 규칙에 따라 대분수를 만들어 △ 안에 써넣고 있습니다. 빈 곳에 알맞은 수를 써넣고 △ 안에 있는 분수 중 가장 큰 수를 가장 작은 수로 나눈 몫을 구하시오.

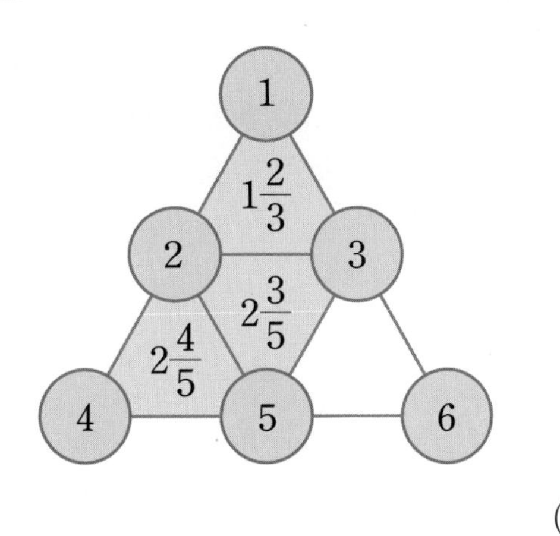

(　　　　　　　　　　)

Tip

삼각형의 꼭짓점에 있는 세 수를 한 번씩만 사용하여 가장 ❶ ☐ 대분수를 만드는 규칙입니다.

3, 5, 6을 한 번씩만 사용하여 만들 수 있는 가장 ❷ ☐ 대분수는 ❸ ☐입니다.

[답] ❶ 작은 ❷ 작은 ❸ $3\frac{5}{6}$

창의·융합·코딩 전략 ❷

창의 융합

5 조의를 표하는 날에는 그림과 같이 태극기를 깃봉에서부터 태극기의 세로 길이만큼 내려서 게양합니다. 태극기의 가로는 세로의 몇 배입니까?

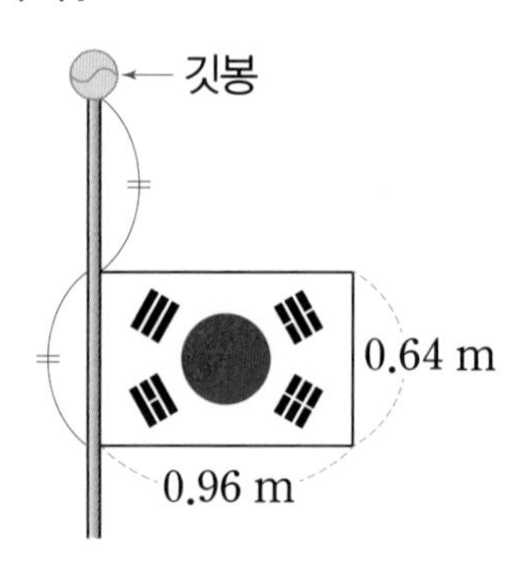

( )

Tip

태극기의 가로 길이 ❶ m를, 세로 길이 ❷ m로 나눕니다.

[답] ❶ 0.96 ❷ 0.64

창의 융합

6 네덜란드의 수학자 스테빈은 소수점은 ◎, 소수 첫째 자리는 ①, 소수 둘째 자리는 ②로 나타내었습니다. 스테빈의 방법으로 나타낸 두 소수 중 큰 수를 작은 수로 나눈 몫을 구하시오.

7◎9①8②
0◎5①7②

( )

Tip

현재의 소수로 나타내면 7◎9①8②= ❶ , 0◎5①7②= ❷ 입니다.
두 수 중 큰 수를 작은 수로 나눈 몫을 구합니다.

[답] ❶ 7.98 ❷ 0.57

▶정답 및 풀이 9쪽

코딩

7 코드를 실행하여 소수의 나눗셈을 하려고 합니다. 1을 넣고 코드를 실행했을 때 화면에 보이는 수를 구하시오.

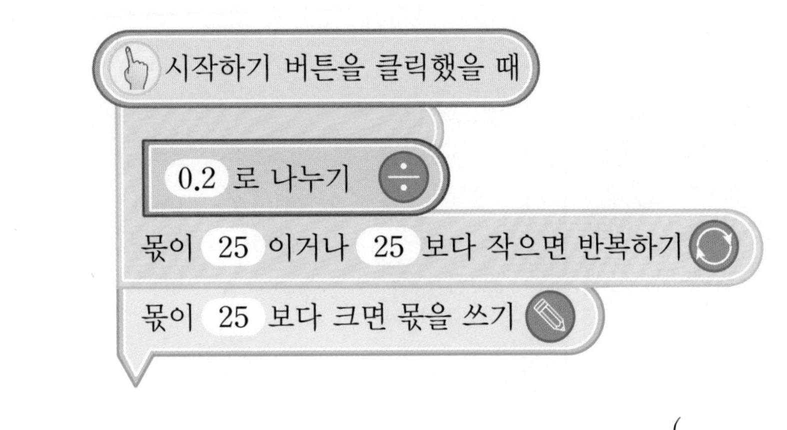

(　　　　　　　　　　)

Tip

1을 ❶ [　　] 로 여러 번 나누어서 몫이 ❷ [　　] 보다 클 때 화면에 보입니다.

[답] ❶ 0.2 ❷ 25

문제 해결

8 두 원의 수의 곱을 두 원이 겹치는 부분에 써놓았습니다. ㉠+㉡의 값을 구하시오.

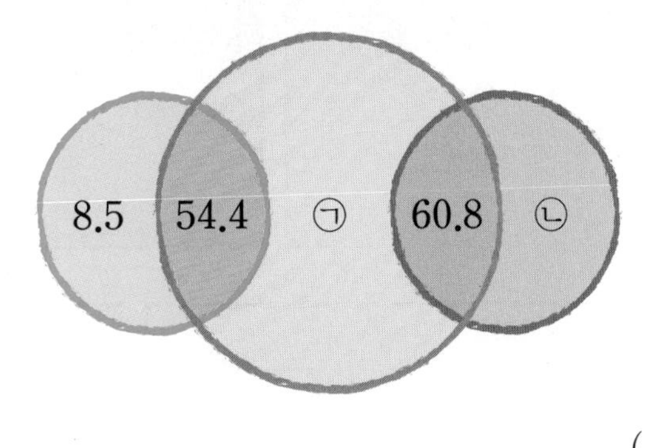

(　　　　　　　　　　)

Tip

8.5×㉠= ❶ [　　] 이고, ㉠×㉡= ❷ [　　] 입니다.

곱셈과 나눗셈의 관계를 이용하여 ㉠과 ㉡에 알맞은 수를 구합니다.

[답] ❶ 54.4 ❷ 60.8

1 주

비례식과 비례배분, 원의 넓이

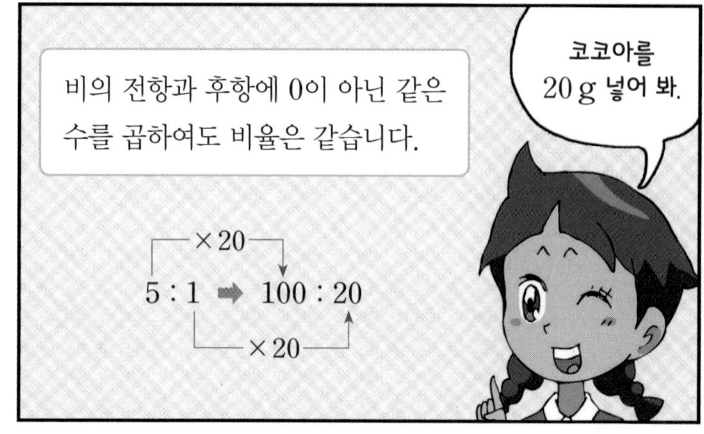

학습할 내용

❶ 비의 성질, 간단한 자연수의 비
❷ 비례식, 비례배분
❸ 원주, 원주율
❹ 원주, 지름, 반지름, 원의 넓이 구하기

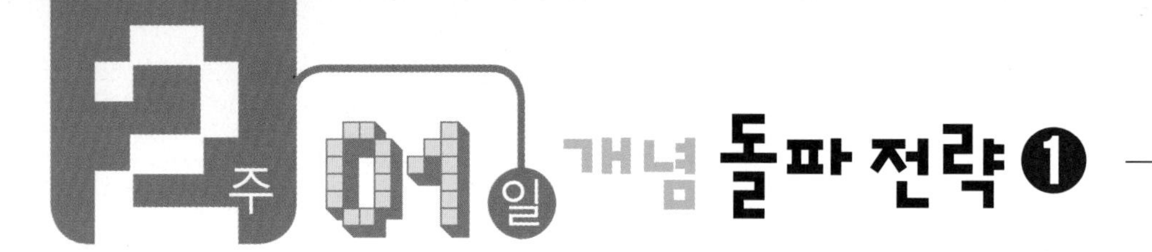

개념 돌파 전략 ❶

개념 1 비의 성질 알아보기

[관련 단원] 비례식과 비례배분

- 비 2 : 3에서 기호 ' : ' 앞에 있는 2를 전항, 뒤에 있는 3을 후항이라고 합니다.
- 비의 전항과 후항에 0이 아닌 같은 수를 곱하여도 비율은 같습니다.

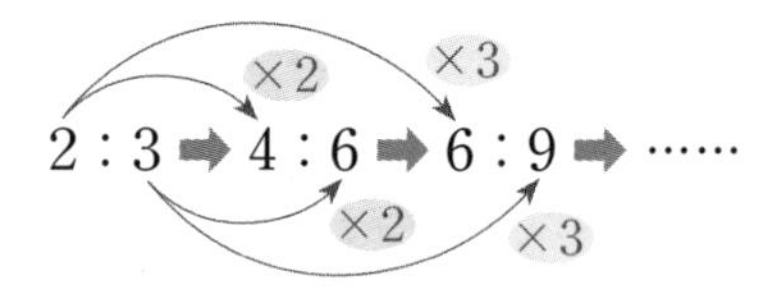

0을 곱하면 0 : 0이 되므로 비율이 같은 비를 만들 때 0을 곱할 수 없어요.

- 비의 전항과 후항을 0이 아닌 같은 수로 나누어도 비율은 같습니다.

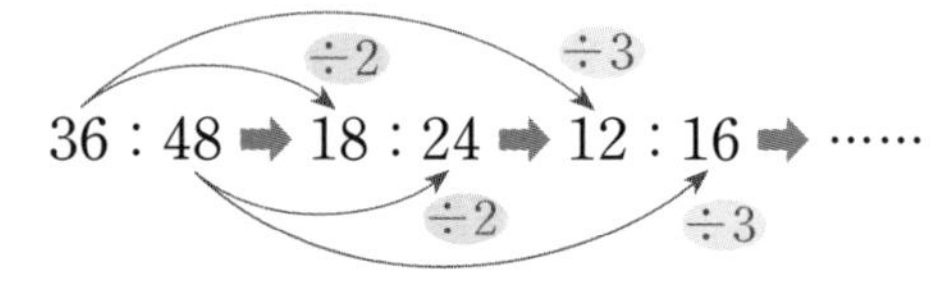

어떤 수를 0으로 나눌 수 없으므로 비율이 같은 비를 만들 때 0으로 나눌 수 없어요.

- 비 5 : 6에서 전항은 ❶ ☐, 후항은 ❷ ☐입니다.
- 2 : 3의 전항과 후항에 4를 곱하여도 비율은 ❸ ☐.
- 36 : 48의 전항과 후항을 4로 나누어도 비율은 ❹ ☐.

답 ❶ 5 ❷ 6 ❸ 같습니다 ❹ 같습니다

개념 2 비례식과 비례배분 알아보기

[관련 단원] 비례식과 비례배분

- **비례식**: 비율이 같은 두 비를 기호 '='를 사용하여 나타낸 식

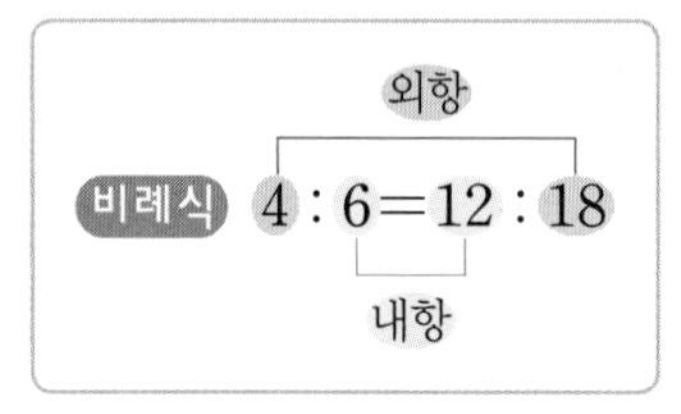

외항: 비례식에서 바깥쪽에 있는 4와 18
내항: 비례식에서 안쪽에 있는 6과 12

- 비례식에서 외항의 곱과 내항의 곱은 같습니다.

$2\times6=12$

$2 : 3=4 : 6$

$3\times4=12$

(외항의 곱)$=2\times6=12$
(내항의 곱)$=3\times4=12$
(외항의 곱)=(내항의 곱)

- **비례배분**: 전체를 주어진 비로 배분하는 것

전체를 가 : 나=■ : ▲로 비례배분하기

가: (전체)$\times\frac{■}{■+▲}$, 나: (전체)$\times\frac{▲}{■+▲}$

- 비율이 같은 두 비를 기호 '='를 사용하여 나타낸 식을 ❶ ☐이라고 합니다.
- 비례식 2 : 3=4 : 6에서 외항은 2와 ❷ ☐, 내항은 3과 ❸ ☐입니다.
- 전체를 주어진 ❹ ☐로 배분하는 것을 비례배분이라고 합니다.

답 ❶ 비례식 ❷ 6 ❸ 4 ❹ 비

개념 기초 확인

▶정답 및 풀이 10쪽

1-1 비의 성질을 이용하여 비율이 같은 비를 만들려고 합니다. □ 안에 알맞은 수를 써넣으시오.

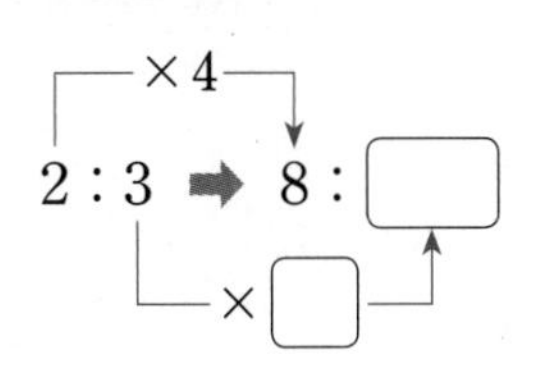

• **풀이** • 비의 전항과 후항에 0이 아닌 같은 수를 곱하여도 비율은 같습니다.
전항 2에 4를 곱했으므로 후항 3에도 ❶□를 곱해야 비율이 같습니다. ➡ 3×❷□=❸□

답 ❶ 4 ❷ 4 ❸ 12

1-2 비의 성질을 이용하여 비율이 같은 비를 만들려고 합니다. □ 안에 알맞은 수를 써넣으시오.

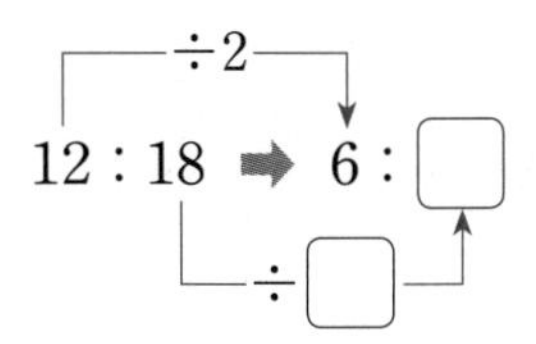

2-1 외항에 △표, 내항에 ○표 하시오.

4 : 5=8 : 10

• **풀이** • 외항: 비례식에서 바깥쪽에 있는 4와 ❶□
내항: 비례식에서 안쪽에 있는 5와 ❷□

답 ❶ 10 ❷ 8

2-2 □ 안에 알맞은 수를 써넣으시오.

11 : 15=22 : 30

외항 ➡ □, □

내항 ➡ □, □

3-1 사탕을 민주와 근우가 3 : 2로 나누어 가지기로 했습니다. 민주가 가지는 사탕은 전체의 몇 분의 몇인지 알맞은 것에 ○표 하시오.

$\frac{3}{3+2}$	$\frac{2}{3+2}$	$\frac{3}{3-2}$
(　　)	(　　)	(　　)

• **풀이** • (민주) : (근우)=❶□ : 2
➡ 민주가 가지는 사탕은 전체의 $\frac{❷□}{3+2}$ 입니다.

답 ❶ 3 ❷ 3

3-2 연필을 정희와 민수가 6 : 7로 나누어 가지기로 했습니다. 민수가 가지는 연필은 전체의 몇 분의 몇인지 알맞은 것에 ○표 하시오.

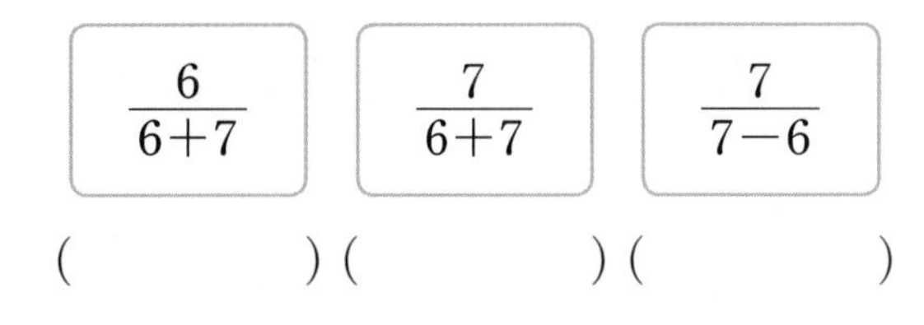

$\frac{6}{6+7}$	$\frac{7}{6+7}$	$\frac{7}{7-6}$
(　　)	(　　)	(　　)

2 주

개념 3 원주와 지름의 관계 알아보기

[관련 단원] 원의 넓이

- **원주**: 원의 둘레

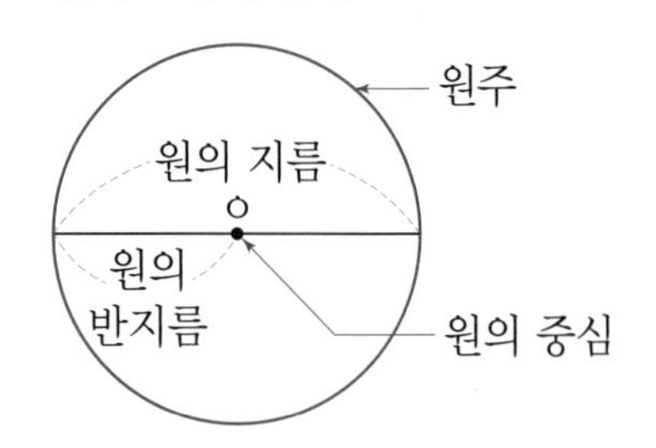

- 원의 지름이 길어지면 원주도 길어집니다.
- 원주가 길어지면 원의 지름도 길어집니다.

- **원주율**: 원의 지름에 대한 원주의 비율

(원주율)=(원주)÷(지름)

- 원의 둘레를 ❶ ______ 라고 합니다.
- 원의 지름에 대한 원주의 비율을 ❷ ______ 이라고 합니다.

답 ❶ 원주 ❷ 원주율

개념 4 원주, 지름, 반지름 구하기

[관련 단원] 원의 넓이

- **지름 또는 반지름을 알 때 원주 구하기**

(원주율)=(원주)÷(지름) ➡ (원주)=(지름)×(원주율)
=(반지름)×2×(원주율)

- **원주를 알 때 지름 또는 반지름 구하기**

(원주율)=(원주)÷(지름) ➡ (지름)=(원주)÷(원주율)
➡ (반지름)=(원주)÷(원주율)÷2

- 원주는 지름에 ❶ ______ 을 곱합니다.
- 지름은 ❷ ______ 를 원주율로 나눕니다.

답 ❶ 원주율 ❷ 원주

개념 5 원의 넓이 구하기

[관련 단원] 원의 넓이

- **원의 넓이 구하는 방법**

➡ (원주)$\times\frac{1}{2}$ / 원의 반지름

원을 한없이 잘라서 이어 붙이면 직사각형에 가까워집니다.

(원의 넓이)=(원주)$\times\frac{1}{2}\times$(반지름)
=(원주율)×(지름)$\times\frac{1}{2}\times$(반지름)
=(반지름)×(반지름)×(원주율)

- 직사각형의 가로는 (❶ ______)$\times\frac{1}{2}$과 같습니다.
- 직사각형의 세로는 원의 ❷ ______ 과 같습니다.

답 ❶ 원주 ❷ 반지름

개념 기초 확인

▶정답 및 풀이 10쪽

4-1 원의 지름과 원주를 나타내시오.

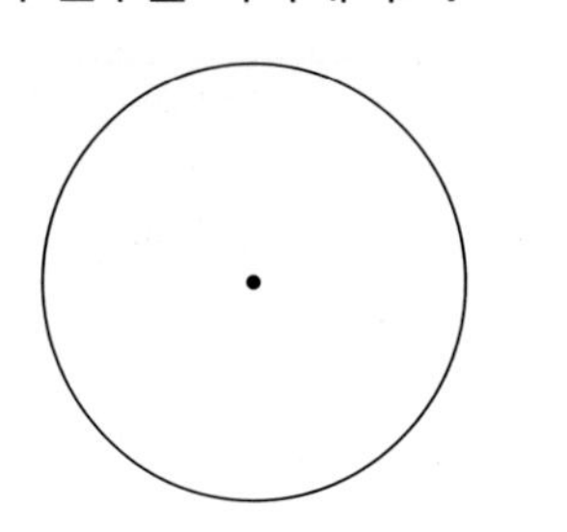

• **풀이** • 원 위의 두 점을 이은 선분 중에서 원의 중심을 지나는 선분이 원의 ❶ ☐ 이고, 원의 둘레가 ❷ ☐ 입니다.

답 ❶ 지름 ❷ 원주

4-2 ☐ 안에 알맞은 말을 써넣으시오.

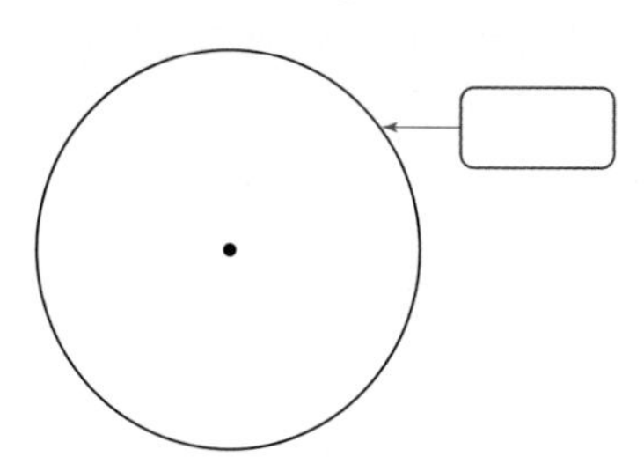

5-1 ☐ 안에 알맞은 수를 써넣으시오.

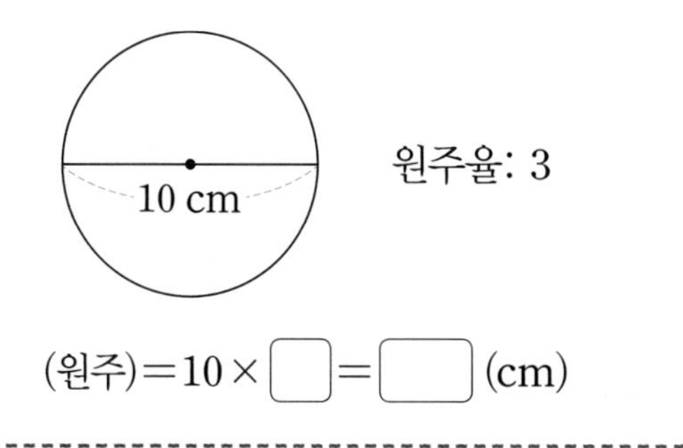

(원주)$=10\times$ ☐ $=$ ☐ (cm)

• **풀이** • (원주)=(지름)×(원주율)

➡ $10\times$ ❶ ☐ $=$ ❷ ☐ (cm)

답 ❶ 3 ❷ 30

5-2 ☐ 안에 알맞은 수를 써넣으시오.

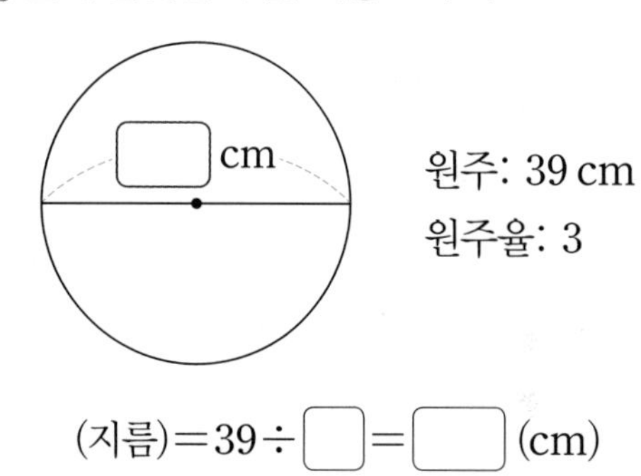

(지름)$=39\div$ ☐ $=$ ☐ (cm)

6-1 ☐ 안에 알맞은 수를 써넣으시오.

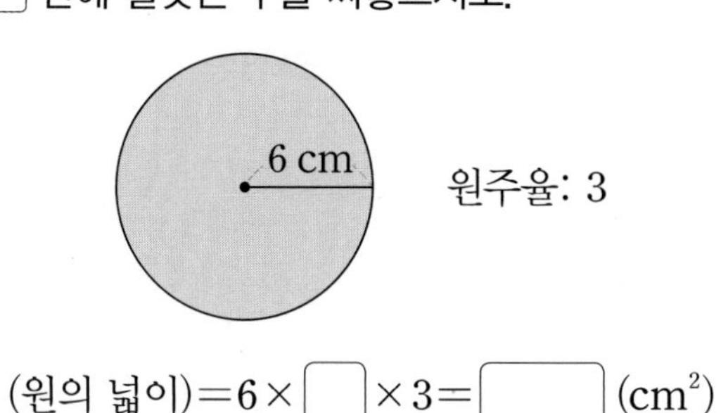

(원의 넓이)$=6\times$ ☐ $\times 3=$ ☐ (cm^2)

• **풀이** • (원의 넓이)=(반지름)×(반지름)×(원주율)

➡ $6\times$ ❶ ☐ $\times 3=$ ❷ ☐ (cm^2)

답 ❶ 6 ❷ 108

6-2 ☐ 안에 알맞은 수를 써넣으시오.

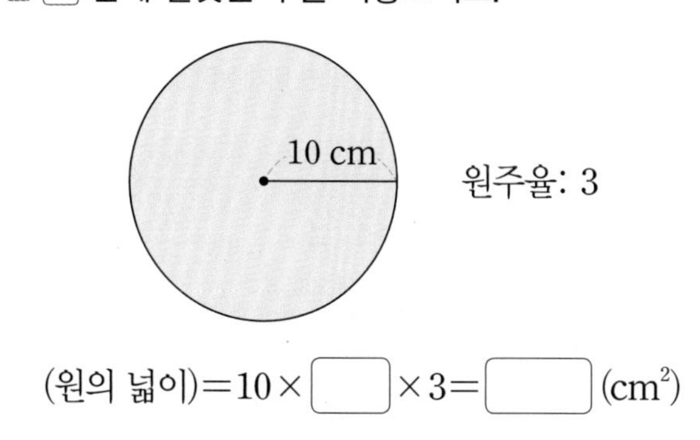

(원의 넓이)$=10\times$ ☐ $\times 3=$ ☐ (cm^2)

예제 1 소수의 비를 간단한 자연수의 비로 나타내기

소수점 아래 자릿수에 따라 전항과 후항에 10, 100, ...을 곱합니다.

$0.2 : 0.3 \Rightarrow (0.2\times10) : (0.3\times10)$
$\Rightarrow 2 : 3$

전항과 후항이 소수 한 자리 수이면 ❶ ☐을 곱하고, 소수 두 자리 수이면 ❷ ☐을 곱합니다.

[답] ❶ 10 ❷ 100

1 간단한 자연수의 비로 나타내시오.

(1) $1.9 : 0.5$

( )

(2) $0.67 : 1.13$

( )

예제 2 분수의 비를 간단한 자연수의 비로 나타내기

전항과 후항에 두 분모의 공배수를 곱합니다.

$\frac{1}{3} : \frac{1}{4} \Rightarrow \left(\frac{1}{3}\times\overset{4}{12}\right) : \left(\frac{1}{4}\times\overset{3}{12}\right)$
$\Rightarrow 4 : 3$

두 분모의 ❶ ☐ 중에서 가장 작은 ❷ ☐ 공배수를 곱하면 편리합니다.

[답] ❶ 공배수 ❷ 최소

2 간단한 자연수의 비로 나타낸 것을 찾아 이으시오.

$\frac{1}{5} : \frac{1}{7}$ • • $3 : 8$

$\frac{1}{8} : \frac{1}{3}$ • • $7 : 5$

예제 3 비례식이 옳은지 판단하기

외항의 곱과 내항의 곱이 같으면 비례식이고, 다르면 비례식이 아닙니다.

$1\times12=12$
$1 : 4=3 : 12$
$4\times3=12$

$2 : 3=4 : 9$에서 외항의 곱은 ❶ ☐이고 내항의 곱은 ❷ ☐이므로 비례식이 아닙니다.

[답] ❶ 18 ❷ 12

3 옳은 비례식을 찾아 기호를 쓰시오.

㉠ $3 : 7=6 : 21$
㉡ $5 : 2=20 : 8$

외항의 곱과 내항의 곱을 비교해 봅니다.

( )

▶정답 및 풀이 10쪽

예제 4 원주율 알아보기

원주(cm)	지름(cm)	원주율
6.28	2	3.14
9.42	3	3.14
12.56	4	3.14

(원주율)=(원주)÷(❶)

원의 크기와 상관없이 ❷ 주율은 일정합니다.

[답] ❶ 지름 ❷ 원

예제 5 원의 크기 비교하기

- 원의 지름을 이용하여 원주를 구한 다음 원주를 비교합니다.
- 원주를 이용하여 원의 지름을 구한 다음 원의 지름을 비교합니다.

(원주)=(지름)×(❶)

(지름)=(원주)÷(❷)

[답] ❶ 원주율 ❷ 원주율

예제 6 원의 넓이 어림하기

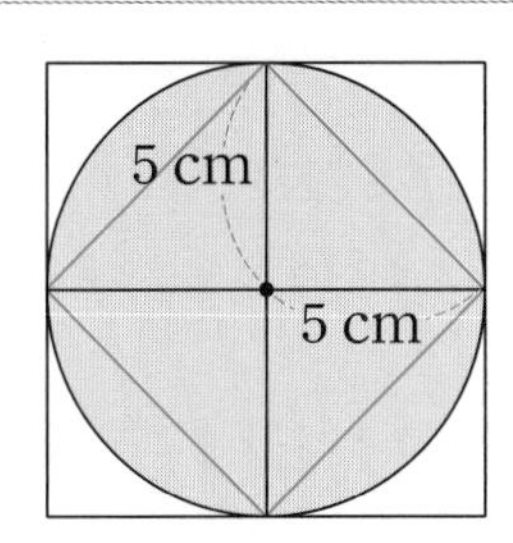

(원 안에 있는 정사각형의 넓이)

$=10\times10\div2=50\ (\text{cm}^2)$

(원 밖에 있는 정사각형의 넓이)

$=10\times10=100\ (\text{cm}^2)$

➡ $50\ \text{cm}^2<$(반지름이 5 cm인 원의 넓이) $<100\ \text{cm}^2$

원의 넓이는 원 ❶ 의 정사각형의 넓이보다 넓고 원 ❷ 의 정사각형의 넓이보다 좁습니다.

[답] ❶ 안 ❷ 밖

4 표를 완성하고 옳으면 ○표, 틀리면 ×표 하시오.

원주(cm)	지름(cm)	(원주)÷(지름)
15.7	5	
31.4	10	
157	50	

원의 크기와 상관없이 (원주)÷(지름)은 일정합니다.

( )

5 지름이 6 cm인 원 가와 원주가 21 cm인 원 나가 있습니다. 가와 나 중에서 더 큰 원의 기호를 쓰시오. (원주율: 3)

( )

원 가의 원주를 구하여 비교하거나 원 나의 지름을 구하여 비교합니다.

6 반지름이 10 cm인 원의 넓이는 얼마인지 어림해 보려고 합니다. □ 안에 알맞은 수를 써넣으시오.

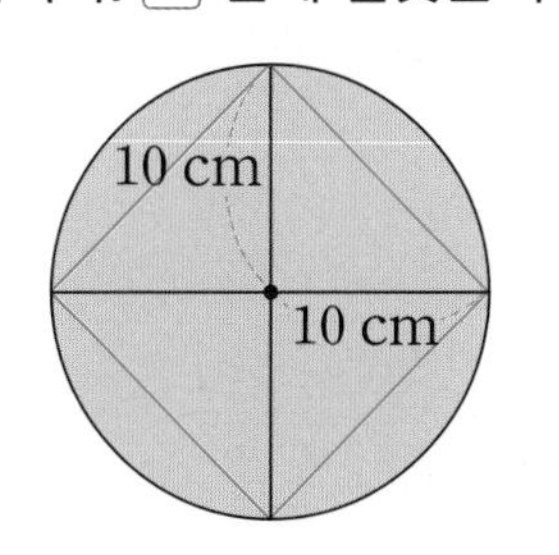

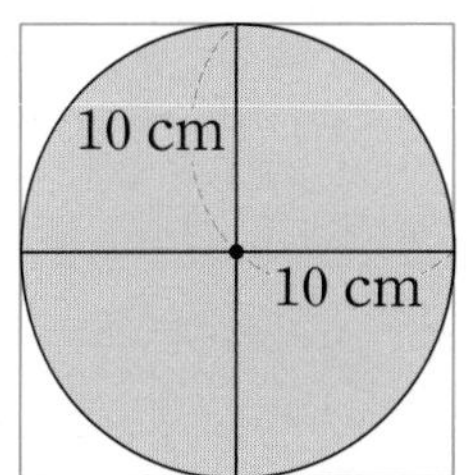

(원 안에 있는 정사각형의 넓이)

$=20\times\square\div2=\square\ (\text{cm}^2)$

(원 밖에 있는 정사각형의 넓이)

$=20\times\square=\square\ (\text{cm}^2)$

➡ $\square\ \text{cm}^2<$(반지름이 10 cm인 원의 넓이) $<\square\ \text{cm}^2$

2 주

전략 1 간단한 자연수의 비로 나타내기

[관련 단원] 비례식과 비례배분

예 소수와 분수의 비를 간단한 자연수의 비로 나타내기

$0.7 : \frac{2}{3}$

소수와 분수 중 통일하기 쉬운 쪽으로 통일합니다.

(1) 0.7을 분수로 나타내기

소수 한 자리 수는 분모가 10인 분수로 나타낼 수 있으므로 $0.7 = \frac{❶\square}{10}$입니다.

(2) (1)을 이용하여 간단한 자연수의 비로 나타내기

$0.7 : \frac{2}{3} \Rightarrow \frac{❷\square}{10} : \frac{2}{3} \Rightarrow \left(\frac{❸\square}{\cancel{10}_{1}} \times \cancel{30}^{3}\right) : \left(\frac{2}{\cancel{3}_{1}} \times \cancel{30}^{10}\right) \Rightarrow ❹\square : ❺\square$

답 ❶ 7 ❷ 7 ❸ 7 ❹ 21 ❺ 20

필수 예제 01

간단한 자연수의 비로 나타내시오.

$\frac{1}{2} : 0.8$

( )

풀이 | $\frac{1}{2}$을 분모가 10인 분수로 바꾸면 $\frac{5}{10}$이고 $\frac{5}{10} = 0.5$입니다.

$\frac{1}{2} : 0.8 \Rightarrow 0.5 : 0.8 \Rightarrow (0.5 \times 10) : (0.8 \times 10) \Rightarrow 5 : 8$

확인 1-1

간단한 자연수의 비로 나타내시오.

$0.9 : \frac{4}{7}$

( )

확인 1-2

간단한 자연수의 비로 나타내시오.

$\frac{3}{4} : 0.52$

( )

▶정답 및 풀이 11쪽

전략 2 비례식의 성질을 이용하여 모르는 수 구하기

[관련 단원] 비례식과 비례배분

예 비례식에서 ■에 알맞은 수 구하기

■ : 6=10 : 12

비례식에서 외항의 곱과 내항의 곱은 같습니다.

(1) 외항의 곱과 내항의 곱을 각각 곱셈식으로 나타내기

(외항의 곱)=■×12, (내항의 곱)=❶☐×10

(2) 외항의 곱과 내항의 곱이 같음을 이용하여 ■에 알맞은 수 구하기

■×12=6×10, ■×12=❷☐, ■=❸☐÷12, ■=❹☐

답 ❶6 ❷60 ❸60 ❹5

2 주

필수 예제 02

비례식에서 ☐ 안에 알맞은 수를 구하시오.

7 : ☐=28 : 36

(1) 외항의 곱과 내항의 곱을 각각 곱셈식으로 나타내시오.

외항의 곱 (　　　　　　　　), 내항의 곱 (　　　　　　　　)

(2) 외항의 곱과 내항의 곱이 같음을 이용하여 ☐ 안에 알맞은 수를 구하시오.

(　　　　　　　　)

풀이 | (1) (외항의 곱)=7×36, (내항의 곱)=☐×28

(2) 7×36=☐×28, 252=☐×28, ☐=252÷28, ☐=9

확인 2-1

비례식에서 ☐ 안에 알맞은 수를 구하시오.

4 : 5=☐ : 40

(　　　　　　　　)

확인 2-2

비례식에서 ☐ 안에 알맞은 수를 구하시오.

9 : 8=54 : ☐

(　　　　　　　　)

전략 3 원주를 이용하여 원의 넓이 구하기

[관련 단원] 원의 넓이

예 원의 넓이 구하기 (원주율: 3)

원주:
42 cm

(원주율)=(원주)÷(지름)
➡ (지름)=(원주)÷(원주율),
➡ (반지름)=(원주)÷(원주율)÷2

(1) 원의 반지름 구하기

(원의 반지름)$=42\div3\div2=$ ❶☐ (cm)

(2) 원의 넓이 구하기

(원의 넓이)$=$ ❷☐ $\times$ ❸☐ $\times3=$ ❹☐ (cm^2)

답 ❶ 7 ❷ 7 ❸ 7 ❹ 147

필수 예제 | 03 |

원의 넓이는 몇 cm^2입니까? (원주율: 3.14)

원주:
50.24 cm

(1) 원의 반지름은 몇 cm입니까?

( )

(2) 원의 넓이는 몇 cm^2입니까?

( )

풀이 | (1) (원의 반지름)$=50.24\div3.14\div2=8$ (cm)

(2) (원의 넓이)$=8\times8\times3.14=200.96$ (cm^2)

확인 3-1

원의 넓이는 몇 cm^2입니까? (원주율: 3)

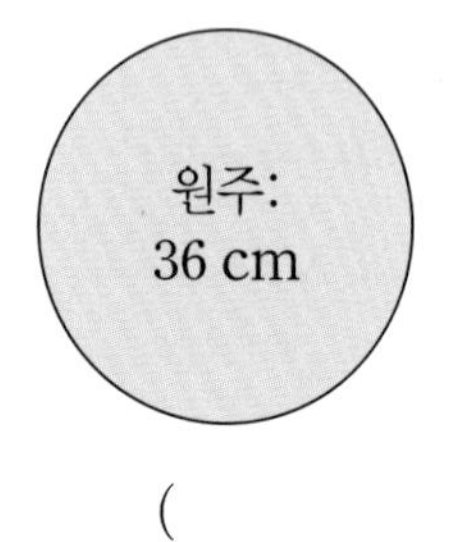

( )

확인 3-2

원의 넓이는 몇 cm^2입니까? (원주율: 3.1)

원주:
31 cm

( )

▶정답 및 풀이 11쪽

전략 4 원의 둘레 활용하기

[관련 단원] 원의 넓이

예 색칠한 부분의 둘레 구하기 (원주율: 3)

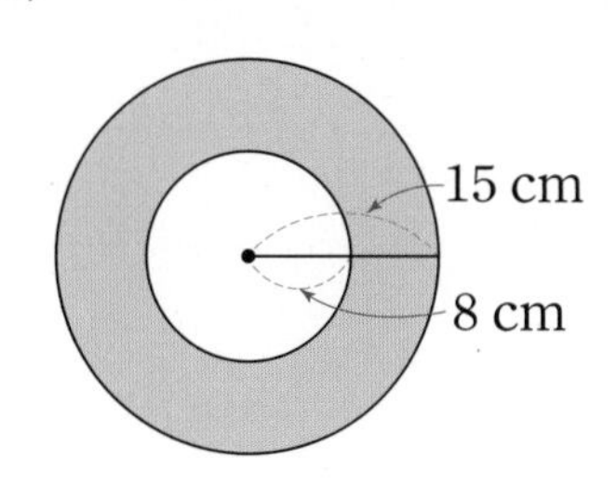

(색칠한 부분의 둘레)
=(큰 원의 원주)
+(작은 원의 원주)

(1) 큰 원의 원주와 작은 원의 원주 구하기

(큰 원의 원주)$=15\times2\times3=$ ❶ ☐ (cm), (작은 원의 원주)$=8\times2\times3=$ ❷ ☐ (cm)

(2) 색칠한 부분의 둘레 구하기

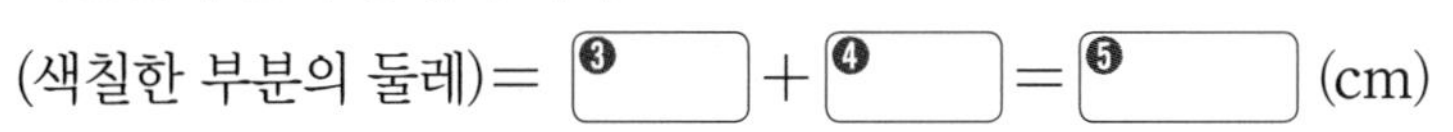

(색칠한 부분의 둘레)$=$ ❸ ☐ $+$ ❹ ☐ $=$ ❺ ☐ (cm)

답 ❶ 90 ❷ 48 ❸ 90 ❹ 48 ❺ 138

필수 예제 04

색칠한 부분의 둘레는 몇 cm입니까? (원주율: 3.14)

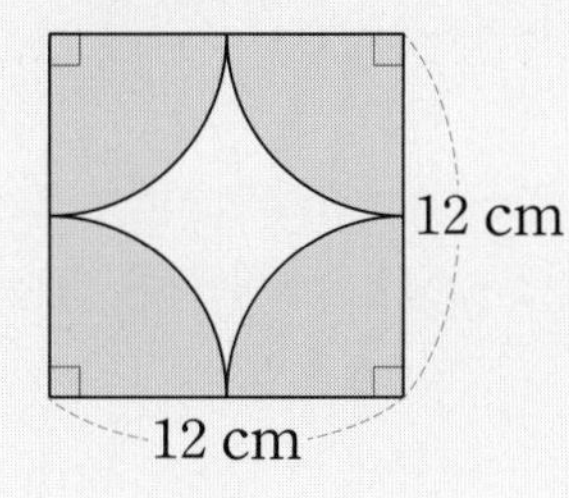

곡선 부분은 지름이
12 cm인 원의 원주와
같습니다.

(　　　　　　　　)

풀이 | (직선 부분)$=12\times4=48$ (cm), (곡선 부분)$=12\times3.14=37.68$ (cm)

➡ (색칠한 부분의 둘레)$=48+37.68=85.68$ (cm)

확인 4-1

색칠한 부분의 둘레는 몇 cm입니까? (원주율: 3)

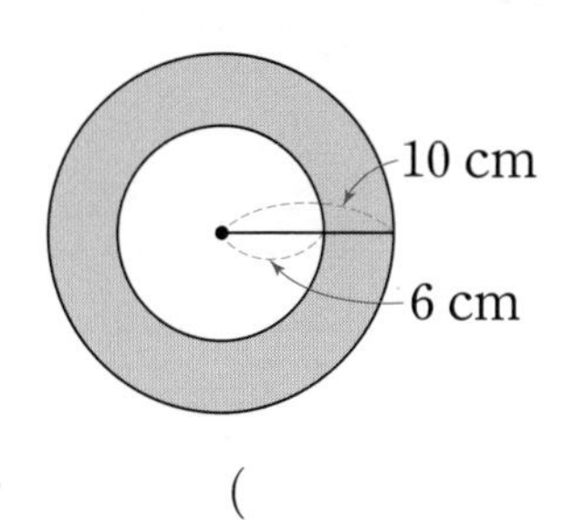

(　　　　　　　　)

확인 4-2

색칠한 부분의 둘레는 몇 cm입니까? (원주율: 3.1)

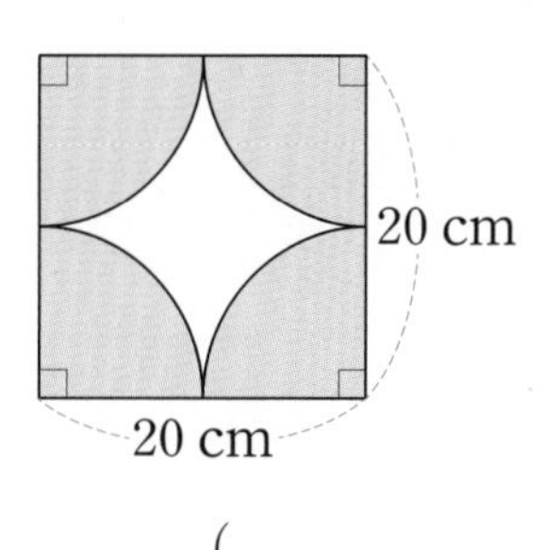

(　　　　　　　　)

[관련 단원] **비례식과 비례배분**

1 비율이 같은 두 비를 찾아 비례식으로 나타내시오.

4 : 5	8 : 15	12 : 20	24 : 30

(　　　　　　　　　　　　　　　　　　　　)

Tip

각 비의 비율을 알아봅니다.

$4:5 \Rightarrow \frac{❶\square}{5}$,

$8:15 \Rightarrow \frac{❷\square}{15}$,

$12:20 \Rightarrow \frac{12}{20}=\frac{❸\square}{5}$,

$24:30 \Rightarrow \frac{24}{30}=\frac{❹\square}{5}$

답 ❶4 ❷8 ❸3 ❹4

[관련 단원] **비례식과 비례배분**

2 동호네 가족은 3명, 예지네 가족은 5명입니다. 감자 56 kg을 가족 수의 비로 나누어 가진다면 더 많이 가지는 가족은 누구네 가족이고, 몇 kg을 가지게 됩니까?

(　　　　　　　　　　), (　　　　　　　　　　)

Tip

- 가족 수의 비는 (동호) : (예지)=3 : ❶☐입니다.
- 비에서 항의 수가 크면 비례배분한 수도 ❷☐.

답 ❶5 ❷큽니다

[관련 단원] **비례식과 비례배분**

3 ❶직사각형의 가로가 20 cm이고 가로와 세로의 비가 5 : 2일 때 ❷세로는 몇 cm입니까?

20 cm

(　　　　　　　　　　)

Tip

❶ 직사각형의 세로를 ☐cm라 하고 비례식을 세우면 20 : ☐=5 : ❶☐입니다.

❷ 외항의 곱과 내항의 곱이 같으므로 20×❷☐=☐×5임을 이용하여 ☐의 값을 구합니다.

답 ❶2 ❷2

▶정답 및 풀이 12쪽

[관련 단원] **원의 넓이**

4 큰 원의 원주는 몇 cm입니까? (원주율: 3.1)

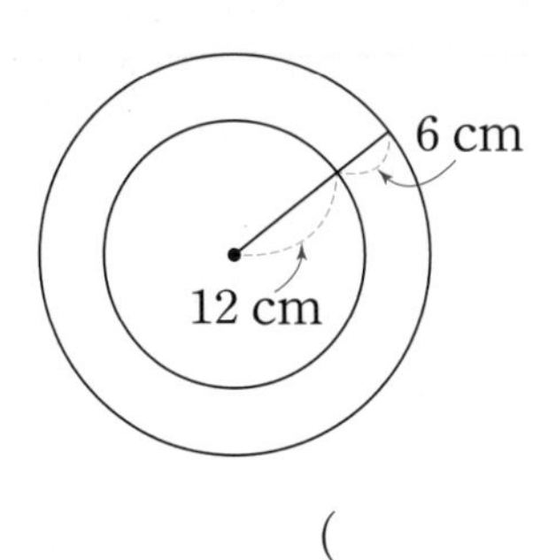

(   )

Tip
- (큰 원의 반지름)
  $=12+6=$ ❶ (cm)
- (큰 원의 지름)
  $=$ ❷ $\times 2=$ ❸ (cm)

답 ❶ 18 ❷ 18 ❸ 36

[관련 단원] **원의 넓이**

5 ❶두 굴렁쇠 ㉠, ㉡을 같은 지점에서 같은 방향으로 10바퀴씩 굴렸습니다. ❷굴렁쇠 ㉠과 ㉡이 굴러간 거리의 차는 몇 cm입니까? (원주율: 3.14)

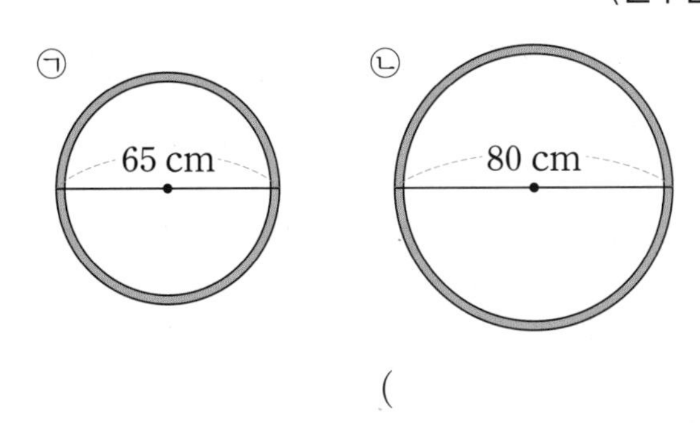

(   )

Tip
❶ (굴렁쇠 ㉠이 굴러간 거리)
$=$ ❶ $\times 3.14\times 10$,
(굴렁쇠 ㉡이 굴러간 거리)
$=$ ❷ $\times 3.14\times 10$
❷ ❶에서 구한 거리의 차를 구합니다.

답 ❶ 65 ❷ 80

(굴렁쇠가 굴러간 거리)
=(굴렁쇠의 원주)
×(굴렁쇠의 회전수)

[관련 단원] **원의 넓이**

6 가장 큰 원의 기호를 쓰고, 그 원의 넓이를 구하시오. (원주율: 3)

㉠ 반지름이 6 cm인 원
㉡ 지름이 10 cm인 원
㉢ 원주가 42 cm인 원

(   ), (   )

Tip
반지름이 길수록 원의 크기가 크므로 반지름이 가장 긴 원을 찾습니다.
㉡ (반지름)$=$ ❶ $\div 2$
㉢ (반지름)$=$ ❷ $\div 3\div 2$

답 ❶ 10 ❷ 42

2 주

전략 1 조건에 맞게 비례식 완성하기

[관련 단원] 비례식과 비례배분

예 조건에 맞게 비례식 2 : ㉠=㉡ : ㉢을 완성하기

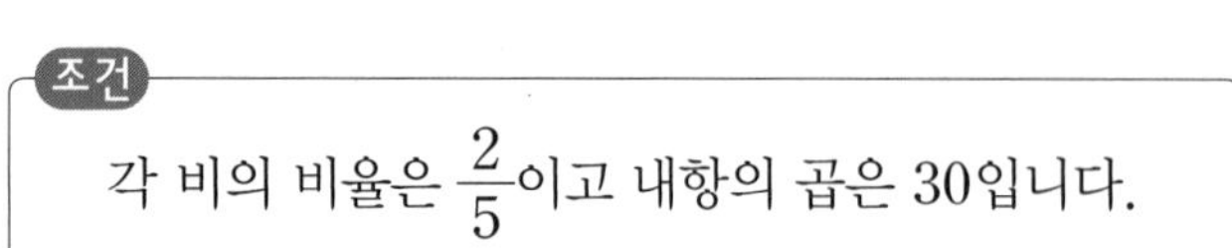

(1) ㉠에 알맞은 수 구하기 ➡ 2 : ㉠의 비율이 $\frac{2}{5}$이므로 $\frac{❶\square}{㉠}=\frac{2}{5}$에서 ㉠=❷☐입니다.

(2) ㉡에 알맞은 수 구하기 ➡ 내항의 곱이 30이므로 5×㉡=30에서 ㉡=❸☐입니다.

(3) ㉢에 알맞은 수 구하기 ➡ 6 : ㉢의 비율이 $\frac{2}{5}$이므로 $\frac{❹\square}{㉢}=\frac{2}{5}=\frac{6}{15}$에서 ㉢=❺☐입니다.

(4) 비례식 완성하기 ➡ 2 : ❻☐=❼☐ : ❽☐

답 ❶2 ❷5 ❸6 ❹6 ❺15 ❻5 ❼6 ❽15

필수 예제 01

조건에 맞게 비례식 ㉠ : 7=㉡ : ㉢을 완성하시오.

조건
각 비의 비율은 $\frac{3}{7}$이고 외항의 곱은 42입니다.

( )

풀이 | ㉠ : 7의 비율이 $\frac{3}{7}$이므로 $\frac{㉠}{7}=\frac{3}{7}$에서 ㉠=3입니다.
외항의 곱이 42이므로 3×㉢=42에서 ㉢=14입니다.
㉡ : 14의 비율이 $\frac{3}{7}$이므로 $\frac{㉡}{14}=\frac{3}{7}=\frac{6}{14}$에서 ㉡=6입니다.

확인 1-1

조건에 맞게 비례식 4 : ㉠=㉡ : ㉢을 완성하시오.

조건
각 비의 비율은 $\frac{4}{9}$이고 내항의 곱은 72입니다.

( )

확인 1-2

조건에 맞게 비례식 ㉠ : 8=㉡ : ㉢을 완성하시오.

조건
각 비의 비율은 $\frac{5}{8}$이고 외항의 곱은 120입니다.

( )

▶정답 및 풀이 12쪽

전략 2 비례배분한 양으로 전체의 양 구하기

[관련 단원] 비례식과 비례배분

예 어떤 수를 다음을 이용하여 비례배분하면 ㉠이 10일 때 어떤 수 구하기

㉠ : ㉡=2 : 5

(1) 어떤 수를 ■라 하고 ㉠을 구하는 식 세우기

$■\times\frac{❶\square}{2+5}=■\times\frac{❷\square}{7}=10$

(2) 곱셈과 나눗셈의 관계를 이용하여 ■의 값 구하기

$■\times\frac{2}{7}=10$, $■=10\div\frac{2}{7}$, $■=\overset{5}{\cancel{10}}\times\frac{❸\square}{\underset{1}{\cancel{2}}}$, $■=❹\square$

답 ❶2 ❷2 ❸7 ❹35

필수 예제 02

어떤 수를 다음을 이용하여 비례배분하면 ㉡이 12일 때 어떤 수는 얼마인지 구하시오.

㉠ : ㉡=7 : 3

( )

풀이 | 어떤 수를 □라 하면 ㉡: $\square\times\frac{3}{7+3}=\square\times\frac{3}{10}=12$이다.

➡ $\square\times\frac{3}{10}=12$, $\square=12\div\frac{3}{10}$, $\square=\overset{4}{\cancel{12}}\times\frac{10}{\underset{1}{\cancel{3}}}$, $\square=40$

확인 2-1

어떤 수를 다음을 이용하여 비례배분하면 ㉠이 20일 때 어떤 수는 얼마인지 구하시오.

㉠ : ㉡=4 : 9

( )

확인 2-2

어떤 수를 다음을 이용하여 비례배분하면 ㉡이 30일 때 어떤 수는 얼마인지 구하시오.

㉠ : ㉡=11 : 5

( )

전략 3 원의 넓이를 이용하여 원주 구하기

[관련 단원] 원의 넓이

예 원주 구하기 (원주율: 3.1)

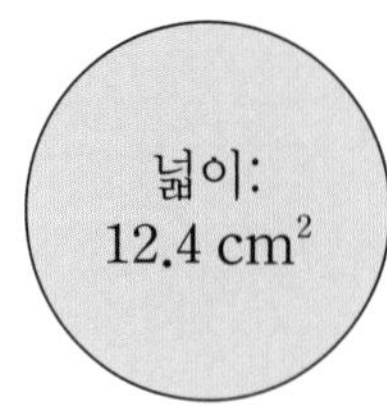

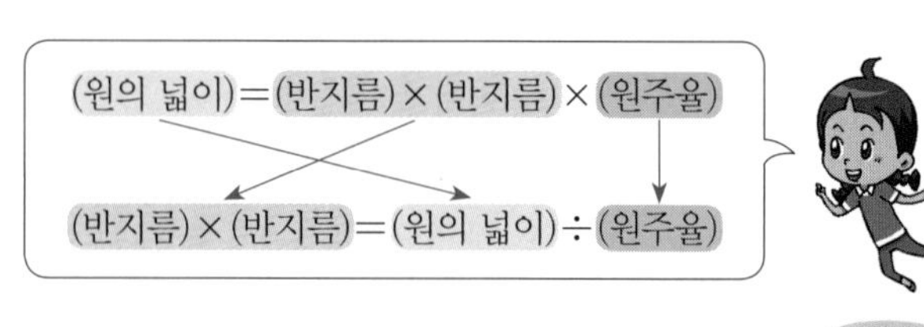

(1) 원의 반지름 구하기

(반지름)×(반지름)$=12.4\div3.1=$ ❶ [ ], $2\times2=$ ❷ [ ]이므로 반지름은 ❸ [ ] cm입니다.

(2) 원주 구하기

(원주)= ❹ [ ] $\times2\times3.1=$ ❺ [ ] (cm)

답 ❶ 4 ❷ 4 ❸ 2 ❹ 2 ❺ 12.4

필수 예제 03

원주는 몇 cm입니까? (원주율: 3.14)

넓이:
78.5 cm²

(1) 원의 반지름은 몇 cm입니까?

( )

(2) 원주는 몇 cm입니까?

( )

풀이 | (1) (반지름)×(반지름)$=78.5\div3.14=25$, $5\times5=25$이므로 반지름은 5 cm입니다.
(2) (원주)$=5\times2\times3.14=31.4$ (cm)

확인 3-1

원주는 몇 cm입니까? (원주율: 3)

( )

확인 3-2

원주는 몇 cm입니까? (원주율: 3.14)

넓이:
314 cm²

( )

▶정답 및 풀이 12쪽

전략 4 원의 넓이 활용하기

[관련 단원] 원의 넓이

예 색칠한 부분의 넓이 구하기 (원주율: 3.1)

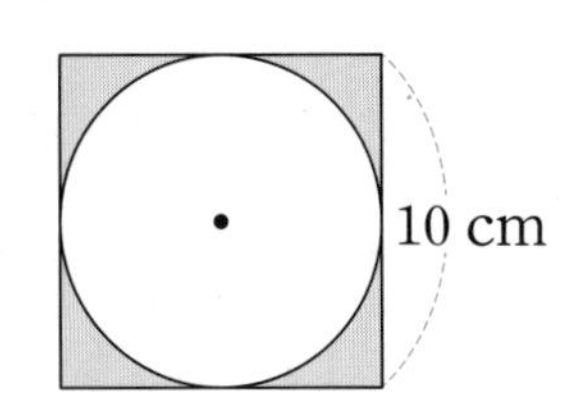

(1) 정사각형의 넓이와 원의 넓이 구하기

(정사각형의 넓이)$=10\times10=$ ❶ ☐ (cm^2), (원의 넓이)$=5\times5\times3.1=$ ❷ ☐ (cm^2)

(2) 색칠한 부분의 넓이 구하기

(색칠한 부분의 넓이)$=$ ❸ ☐ $-$ ❹ ☐ $=$ ❺ ☐ (cm^2)

답 ❶ 100 ❷ 77.5 ❸ 100 ❹ 77.5 ❺ 22.5

필수 예제 04

색칠한 부분의 넓이는 몇 cm^2입니까? (원주율: 3)

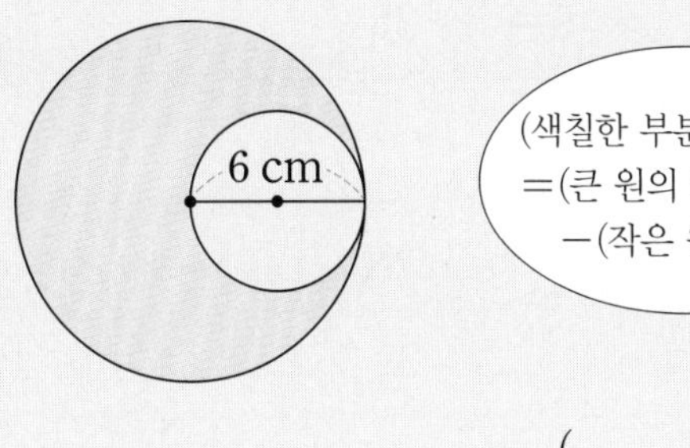

(　　　　　　　　)

풀이 | (큰 원의 넓이)$=6\times6\times3=108\ (cm^2)$, (작은 원의 넓이)$=3\times3\times3=27\ (cm^2)$

➡ (색칠한 부분의 넓이)$=108-27=81\ (cm^2)$

확인 4-1

색칠한 부분의 넓이는 몇 cm^2입니까? (원주율: 3.14)

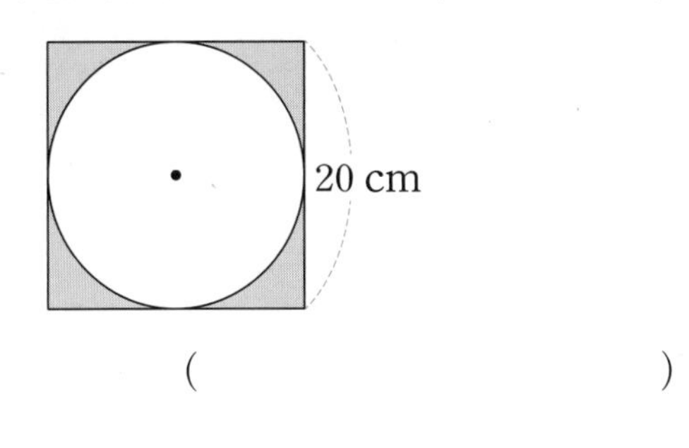

(　　　　　　　　)

확인 4-2

색칠한 부분의 넓이는 몇 cm^2입니까? (원주율: 3)

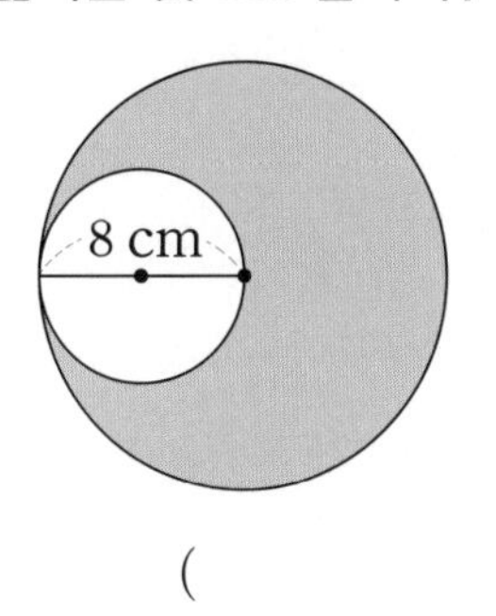

(　　　　　　　　)

2 주

[관련 단원] **비례식과 비례배분**

1 가로와 세로의 비가 7 : 4와 비율이 같은 직사각형을 찾아 기호를 쓰시오.

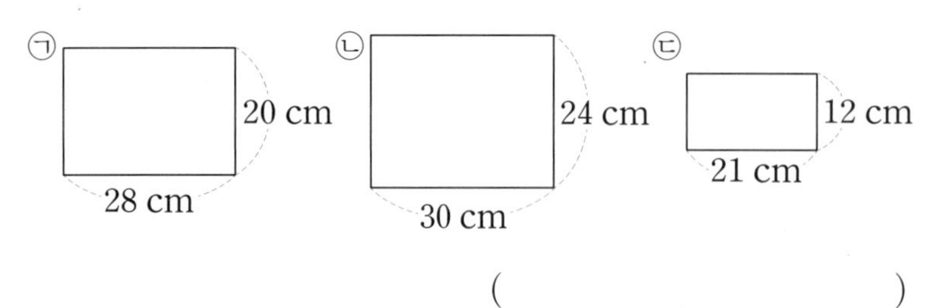

(　　　　　　　　　　)

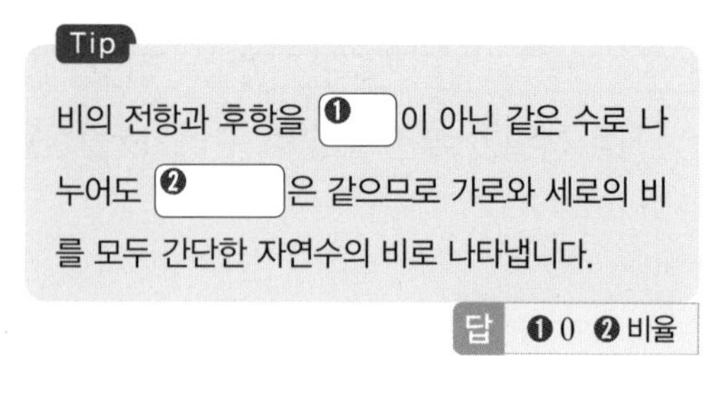

[관련 단원] **비례식과 비례배분**

2 다음 비례식의 외항의 곱이 75일 때 ㉠과 ㉡에 알맞은 수를 각각 구하시오.

㉠ : 5=㉡ : 25

㉠ (　　　　　　　　　　)

㉡ (　　　　　　　　　　)

Tip

- (외항의 곱)=㉠×❶ =75
- (내항의 곱)=5×㉡=❷

답 ❶25 ❷75

[관련 단원] **비례식과 비례배분**

3 ❶연필 350자루를 1반과 2반이 0.2 : 0.5의 비로 나누어 가지려고 합니다. ❷1반은 연필을 몇 자루 가지면 됩니까?

(　　　　　　　　　　)

Tip

❶ 0.2 : 0.5를 간단한 자연수의 비로 나타냅니다.

0.2 : 0.5 ➡ 2 : ❶

❷ ❶에서 나타낸 비를 이용하여 비례배분합니다.

1반의 연필 수: $350\times\frac{❷}{2+❸}$

답 ❶5 ❷2 ❸5

▶정답 및 풀이 13쪽

[관련 단원] **원의 넓이**

4 다음 도형의 둘레는 몇 cm입니까? (원주율: 3)

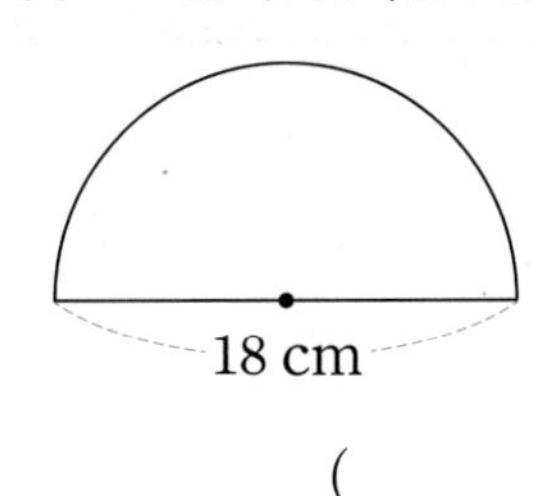

( )

Tip

• (곡선 부분)=(원주)÷❶

• (직선 부분)=(원의 ❷)

답 ❶ 2 ❷ 지름

[관련 단원] **원의 넓이**

5 ❶다음 정사각형 안에 들어가는 가장 큰 원이 있습니다. ❷이 원의 넓이는 몇 cm^2입니까? (원주율: 3.14)

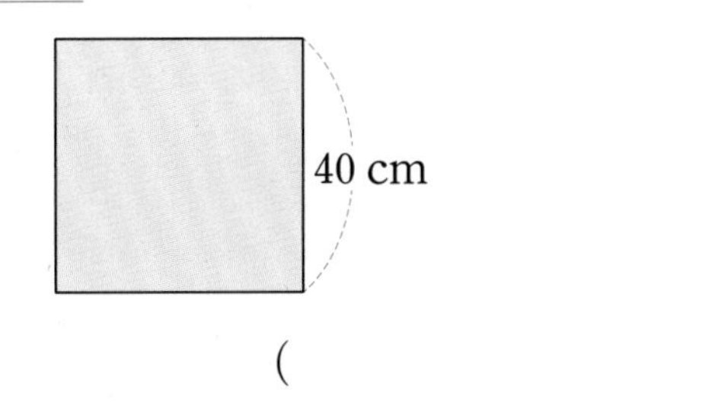

( )

Tip

❶ (원의 반지름)
=(정사각형의 한 변의 길이)÷❶
=40÷❷

❷ ❶에서 구한 원의 반지름을 이용하여 원의 넓이를 구합니다.

답 ❶ 2 ❷ 2

[관련 단원] **원의 넓이**

6 원의 일부분입니다. 도형의 넓이는 몇 cm^2입니까? (원주율: 3)

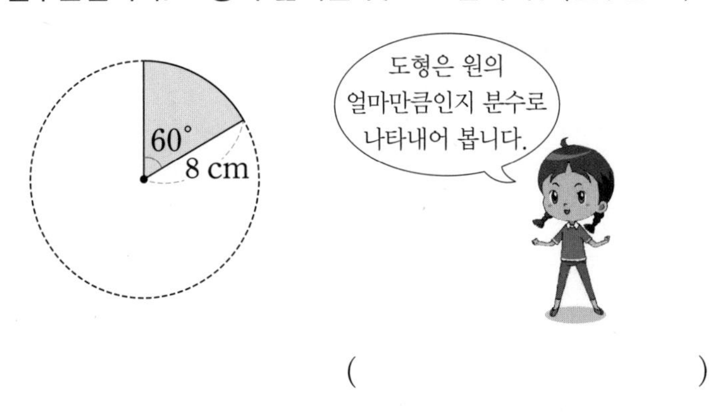

( )

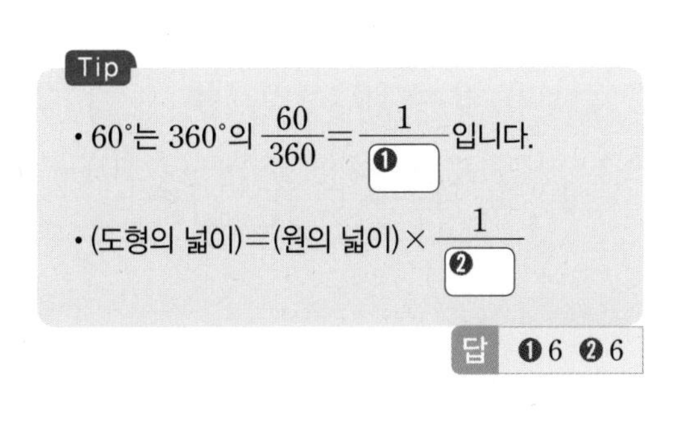

Tip

• 60°는 360°의 $\frac{60}{360}=\frac{1}{❶}$입니다.

• (도형의 넓이)=(원의 넓이)×$\frac{1}{❷}$

답 ❶ 6 ❷ 6

교과서 대표 전략 ❶

대표 예제 01

다음 중 후항이 가장 큰 비는 어느 것입니까? ·········· (　　　)

① 3 : 4　　② 9 : 5
③ 2 : 7　　④ 6 : 1
⑤ 8 : 3

개념가이드

비 2 : 3에서 기호 ' : ' 앞에 있는 2를 [❶　　], 뒤에 있는 3을 [❷　　]이라고 합니다.

[답] ❶ 전항 ❷ 후항

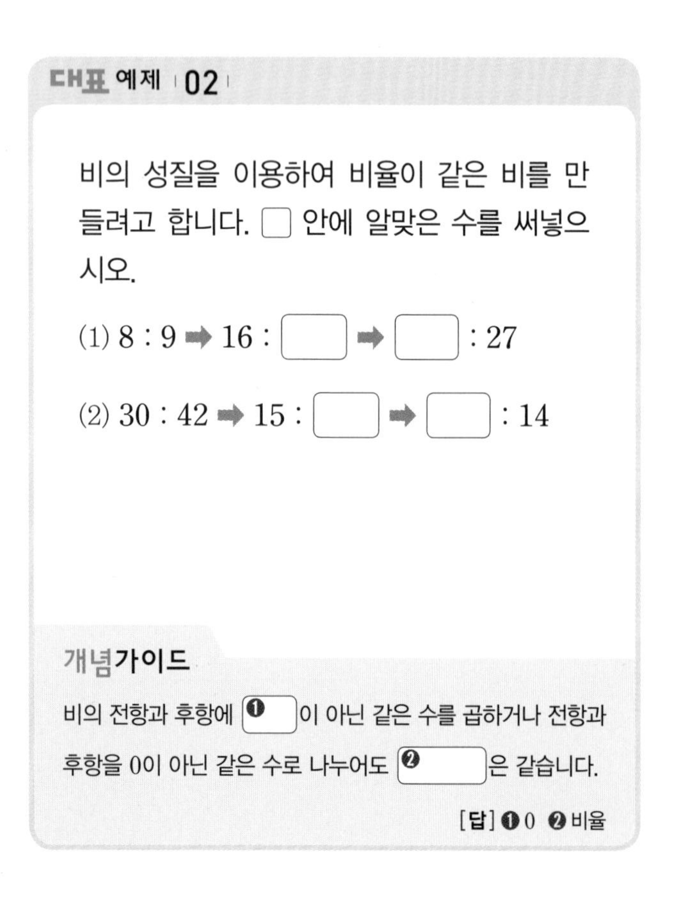

대표 예제 02

비의 성질을 이용하여 비율이 같은 비를 만들려고 합니다. □ 안에 알맞은 수를 써넣으시오.

(1) 8 : 9 ➡ 16 : □ ➡ □ : 27

(2) 30 : 42 ➡ 15 : □ ➡ □ : 14

개념가이드

비의 전항과 후항에 [❶　　]이 아닌 같은 수를 곱하거나 전항과 후항을 0이 아닌 같은 수로 나누어도 [❷　　]은 같습니다.

[답] ❶ 0 ❷ 비율

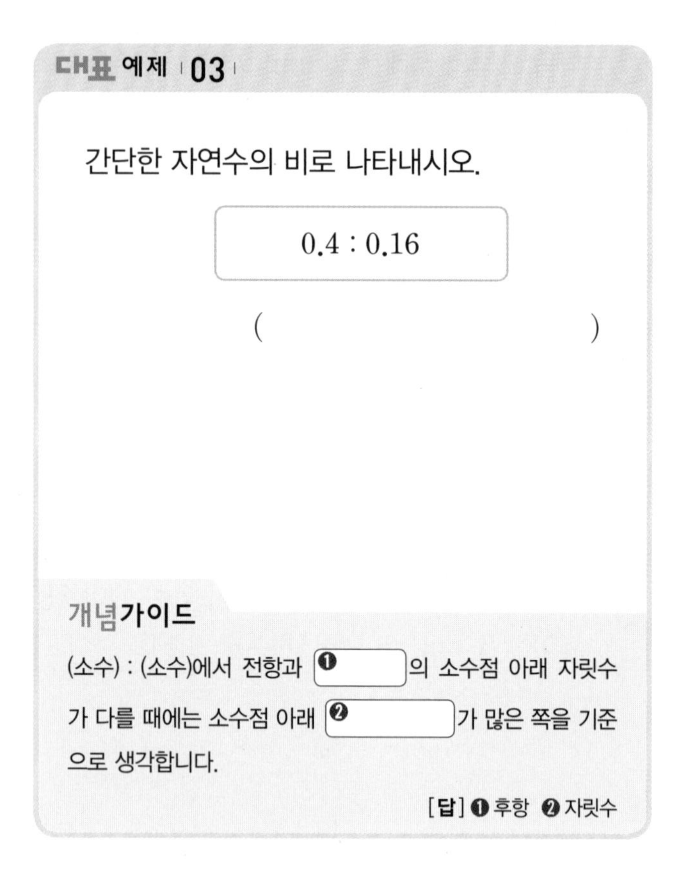

대표 예제 03

간단한 자연수의 비로 나타내시오.

0.4 : 0.16

(　　　　　　　)

개념가이드

(소수) : (소수)에서 전항과 [❶　　]의 소수점 아래 자릿수가 다를 때에는 소수점 아래 [❷　　]가 많은 쪽을 기준으로 생각합니다.

[답] ❶ 후항 ❷ 자릿수

대표 예제 04

성준이 책가방의 무게는 $1\frac{3}{5}$ kg이고 미영이 책가방의 무게는 $1\frac{1}{4}$ kg입니다. 성준이 책가방의 무게와 미영이 책가방의 무게의 비를 간단한 자연수의 비로 나타내시오.

(　　　　　　　)

개념가이드

대분수를 [❶　　]로 나타낸 후 두 [❷　　]의 공배수를 전항과 후항에 곱합니다.

[답] ❶ 가분수 ❷ 분모

▶정답 및 풀이 14쪽

넌 최고로 잘하고 있어.

대표 예제 05

다음 비례식에서 외항의 곱이 140일 때 ▲는 얼마입니까?

■ : 7 = ▲ : ●

( )

개념가이드

비례식에서 외항의 곱과 ❶ ☐ 의 곱은 같습니다.

➡ 외항의 곱이 140이므로 내항의 곱도 ❷ ☐ 입니다.

[답] ❶ 내항 ❷ 140

대표 예제 06

초콜릿 65개를 원재와 안나가 6 : 7로 나누어 가지려고 합니다. 원재와 안나는 각각 초콜릿을 몇 개씩 가지면 됩니까?

원재 ( )

안나 ( )

개념가이드

전체를 ㉠ : ㉡ = ■ : ▲로 비례배분하면

㉠: (전체) × $\frac{❶☐}{■+▲}$, ㉡: (전체) × $\frac{❷☐}{■+▲}$입니다.

[답] ❶ ■ ❷ ▲

대표 예제 07

호준이는 편의점에서 3일 동안 일하고 15만 원을 받았습니다. 호준이가 편의점에서 5일 동안 일하면 몇 만 원을 받을 수 있습니까?

( )

개념가이드

5일 동안 일하고 받을 돈을 □원이라 하고 비례식을 세우면

❶ ☐ : ❷ ☐ = 15만 : □입니다.

[답] ❶ 3 ❷ 5

대표 예제 08

구슬을 영호와 유리가 5 : 3으로 나누어 가졌더니 영호가 가진 구슬이 25개였습니다. 처음에 있던 구슬은 몇 개입니까?

( )

개념가이드

처음에 있던 구슬 수를 □개라 하면

영호: □ × $\frac{❶☐}{5+3}$ = □ × $\frac{❷☐}{8}$ = 25(개)입니다.

➡ 25 ÷ $\frac{❸☐}{8}$의 값을 구합니다.

[답] ❶ 5 ❷ 5 ❸ 5

2 주

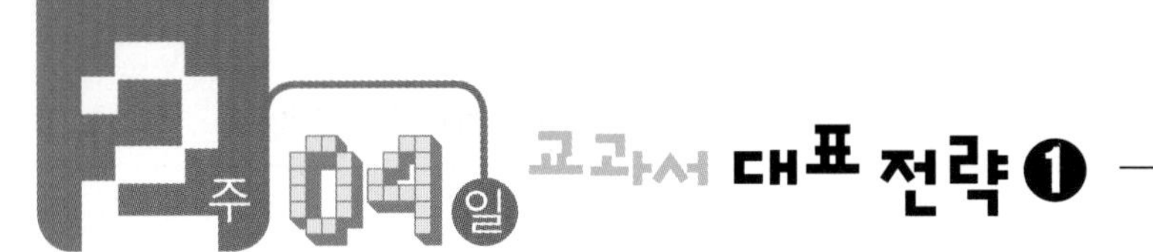

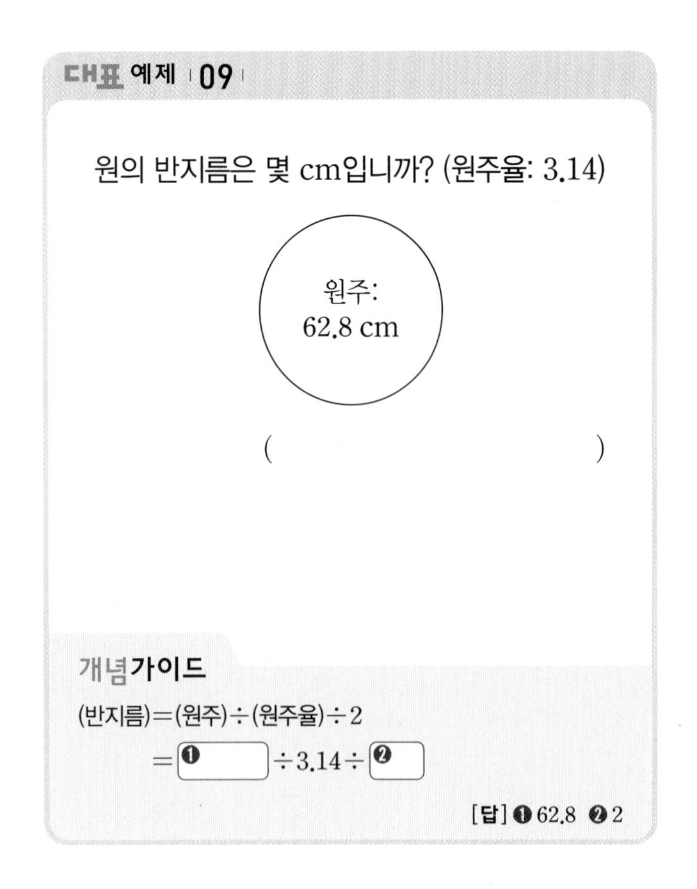

대표 예제 09

원의 반지름은 몇 cm입니까? (원주율: 3.14)

(　　　　　　　　　　)

개념가이드

(반지름)=(원주)÷(원주율)÷2

=❶[　　]÷3.14÷❷[　　]

[답] ❶ 62.8 ❷ 2

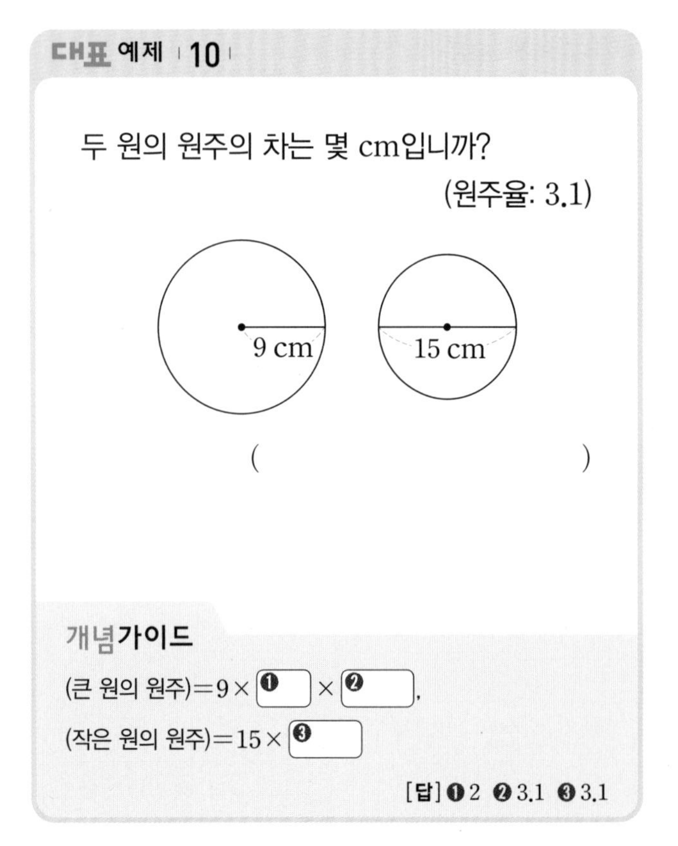

대표 예제 10

두 원의 원주의 차는 몇 cm입니까? (원주율: 3.1)

(　　　　　　　　　　)

개념가이드

(큰 원의 원주)=9×❶[　　]×❷[　　],

(작은 원의 원주)=15×❸[　　]

[답] ❶ 2 ❷ 3.1 ❸ 3.1

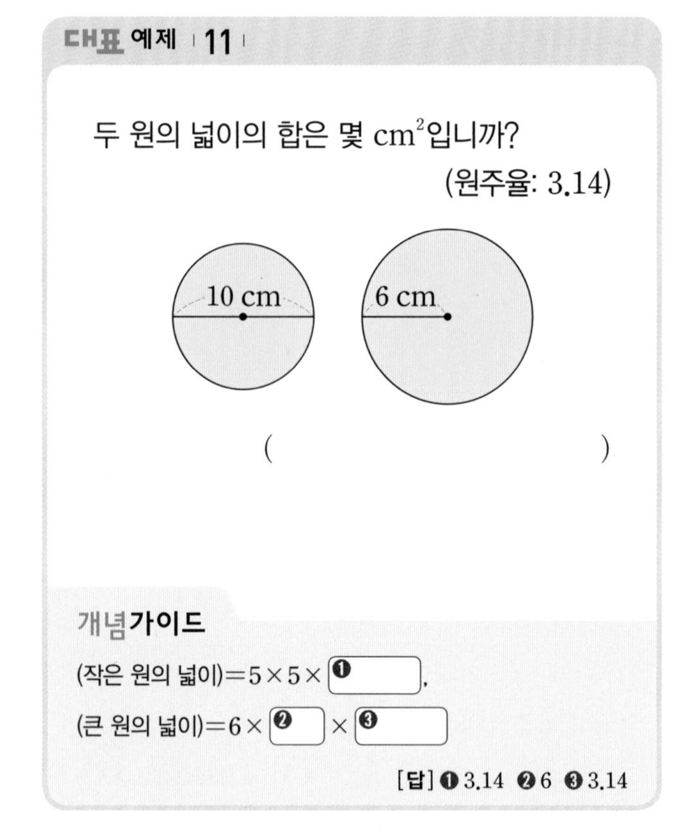

대표 예제 11

두 원의 넓이의 합은 몇 cm^2입니까? (원주율: 3.14)

(　　　　　　　　　　)

개념가이드

(작은 원의 넓이)=5×5×❶[　　],

(큰 원의 넓이)=6×❷[　　]×❸[　　]

[답] ❶ 3.14 ❷ 6 ❸ 3.14

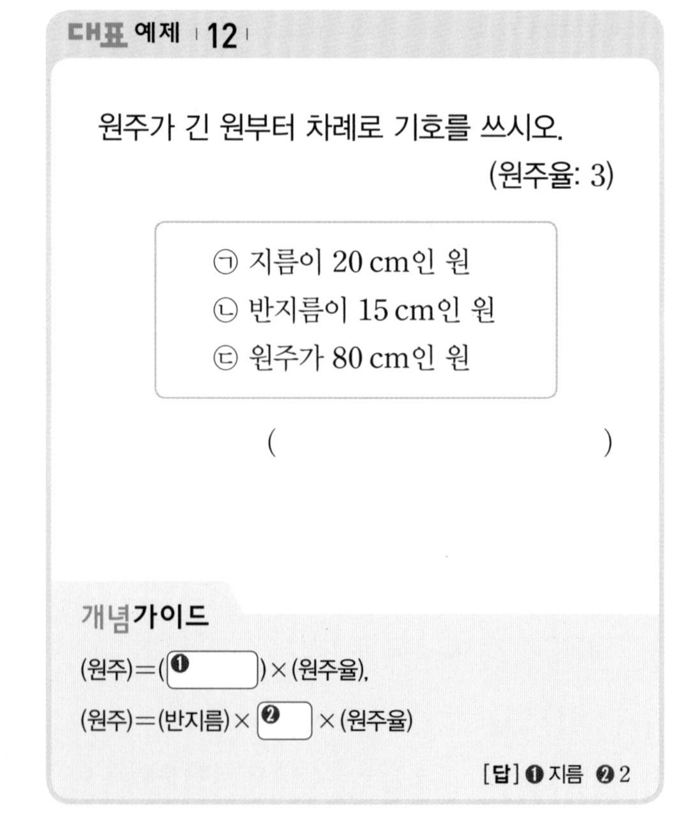

대표 예제 12

원주가 긴 원부터 차례로 기호를 쓰시오. (원주율: 3)

㉠ 지름이 20 cm인 원
㉡ 반지름이 15 cm인 원
㉢ 원주가 80 cm인 원

(　　　　　　　　　　)

개념가이드

(원주)=(❶[　　])×(원주율),

(원주)=(반지름)×❷[　　]×(원주율)

[답] ❶ 지름 ❷ 2

▶정답 및 풀이 14쪽

대표 예제 | 13 |

직사각형 모양의 종이를 잘라 만들 수 있는 가장 큰 원의 넓이는 몇 cm^2입니까?

(원주율: 3.1)

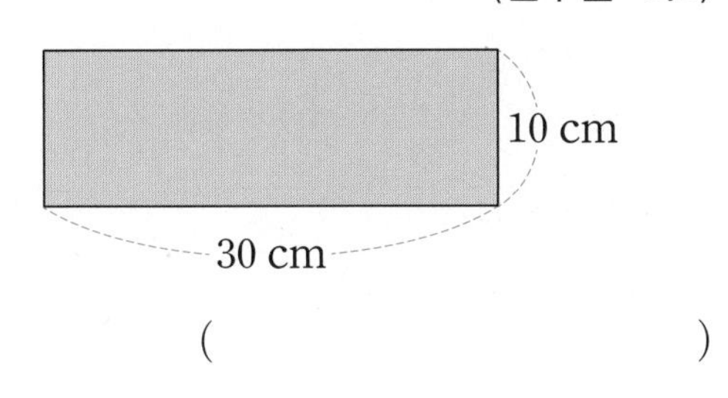

(　　　　　　　　　　)

개념가이드

만들 수 있는 가장 큰 원의 ❶ [　　] 은 직사각형의 가로와 세로 중 더 짧은 것과 길이가 같습니다.

➡ (가장 큰 원의 지름)= ❷ [　　] cm

[답] ❶ 지름 ❷ 10

대표 예제 | 14 |

바깥쪽 지름이 70 cm인 굴렁쇠를 굴린 거리가 1050 cm입니다. 굴렁쇠를 몇 바퀴 굴린 것입니까? (원주율: 3)

(　　　　　　　　　　)

개념가이드

(굴렁쇠를 한 바퀴 굴린 거리)

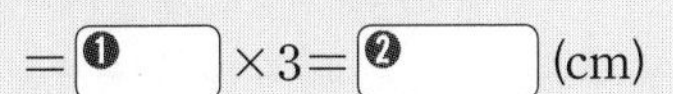
= ❶ [　　] × 3 = ❷ [　　] (cm)

➡ (굴렁쇠를 굴린 횟수)=1050 ÷ ❸ [　　]

[답] ❶ 70 ❷ 210 ❸ 210

대표 예제 | 15 |

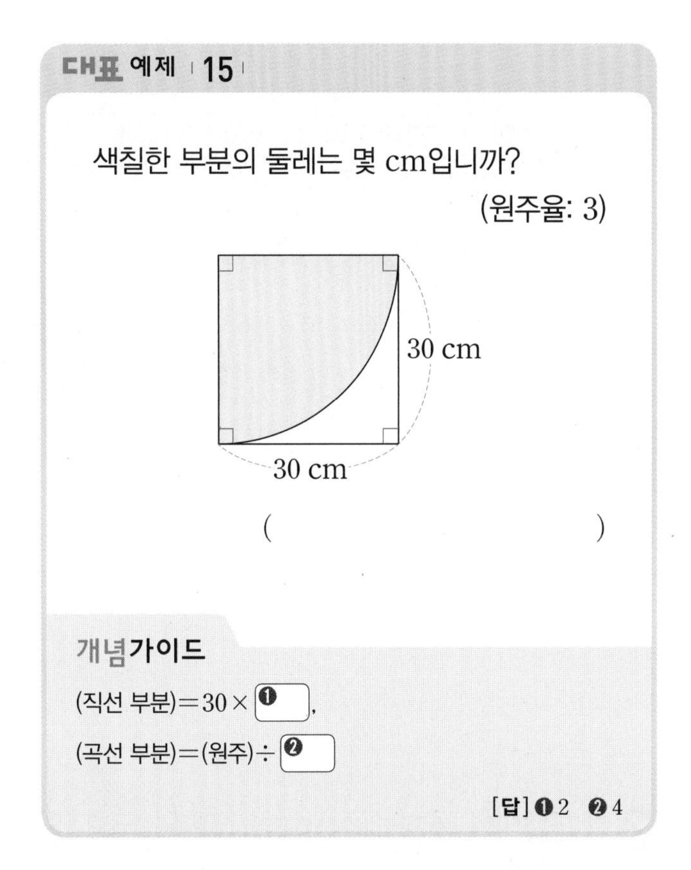

색칠한 부분의 둘레는 몇 cm입니까?

(원주율: 3)

(　　　　　　　　　　)

개념가이드

(직선 부분)=30 × ❶ [　　],

(곡선 부분)=(원주) ÷ ❷ [　　]

[답] ❶ 2 ❷ 4

대표 예제 | 16 |

색칠한 부분의 넓이는 몇 cm^2입니까?

(원주율: 3)

12 cm

(　　　　　　　　　　)

개념가이드

(큰 원의 반지름)= ❶ [　　] ÷ 2,

(작은 원의 반지름)= ❷ [　　] ÷ 2

[답] ❶ 12 ❷ 6

2 주

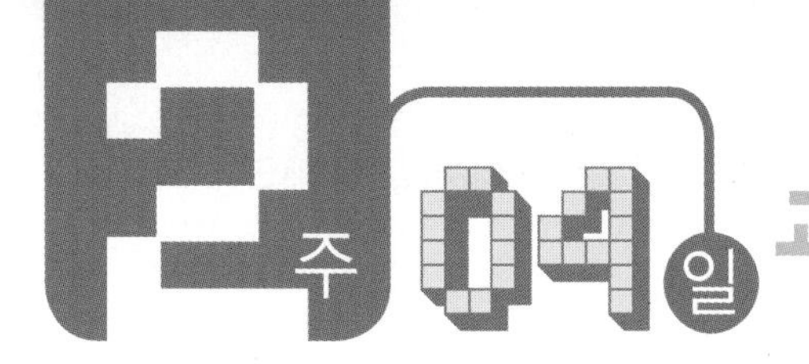

교과서 대표 전략 ❷

1 옳은 비례식을 모두 찾아 기호를 쓰시오.

㉠ $5:6=10:12$　　㉡ $7:2=14:6$
㉢ $4:9=12:18$　　㉣ $8:3=24:9$

(　　　　　　　　)

Tip

외항의 곱과 내항의 곱이 ❶[　　]으면 비례식이고 ❷[　　]르면 비례식이 아닙니다.

답 ❶같 ❷다

2 도연이와 율희는 직사각형 모양의 도화지를 넓이의 비가 $4:11$이 되도록 나누어 가지려고 합니다. 도연이가 가지게 되는 도화지의 넓이는 몇 cm^2입니까?

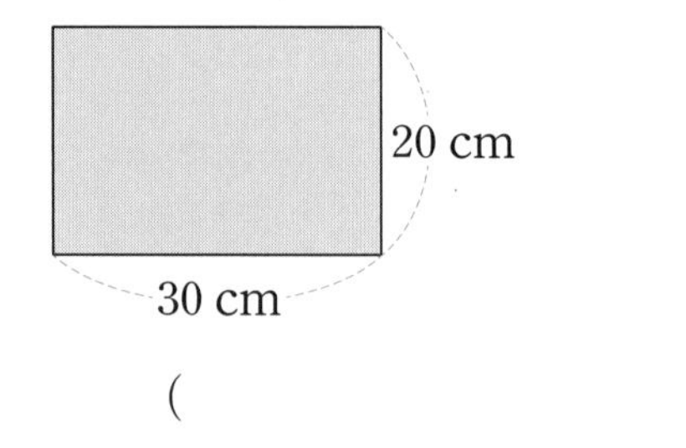

(　　　　　　　　)

Tip

도화지의 넓이: $(30\times$ ❶[　　]$)\ cm^2$

계산한 값을 ❷[　　] : 11의 비로 비례배분합니다.

답 ❶20 ❷4

3 똑같은 일을 하는 데 윤석이는 3시간, 수정이는 2시간 걸렸습니다. 윤석이와 수정이가 한 시간 동안 한 일의 양의 비를 간단한 자연수의 비로 나타내시오.

(　　　　　　　　)

Tip

윤석이와 수정이가 한 시간 동안 한 일의 양을 알아봅니다.

윤석: 전체의 $\frac{1}{❶[\quad]}$, 수정: 전체의 $\frac{1}{❷[\quad]}$

답 ❶3 ❷2

일을 하는 데 ■시간 걸렸다면 한 시간 동안 한 일의 양은 전체의 $\frac{1}{■}$입니다.

4 하루에 6분씩 빨라지는 시계가 있습니다. 오늘 오후 1시에 정확한 시각으로 맞추어 놓았습니다. 이 시계가 내일 오후 5시까지 빨라지는 시간은 몇 분입니까?

(　　　　　　　　)

Tip

하루는 ❶[　　]시간이므로 오늘 오후 1시부터 내일 오후 5시까지는 ❷[　　]시간입니다.

답 ❶24 ❷28

▶정답 및 풀이 15쪽

5 길이가 93 cm인 종이띠를 겹치지 않게 붙여서 원을 만들었습니다. 만들어진 원의 반지름은 몇 cm입니까? (원주율 : 3.1)

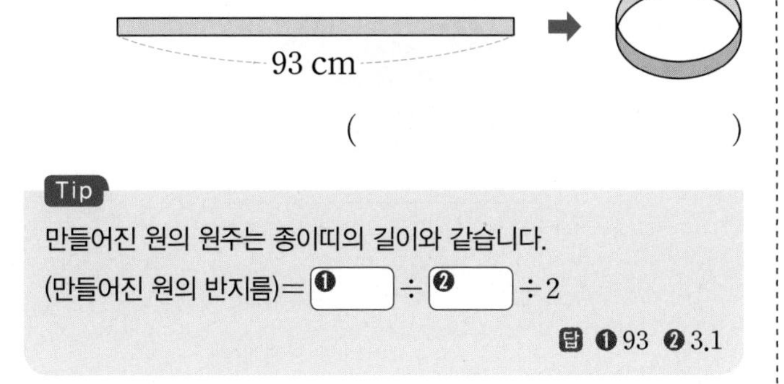

(　　　　　　　　)

Tip

만들어진 원의 원주는 종이띠의 길이와 같습니다.

(만들어진 원의 반지름)=❶ ☐ ÷ ❷ ☐ ÷2

답 ❶ 93 ❷ 3.1

6 원 모양의 색종이를 완전히 겹치도록 한 번 접었더니 다음과 같았습니다. 접기 전 색종이의 넓이는 몇 cm^2입니까? (원주율: 3.14)

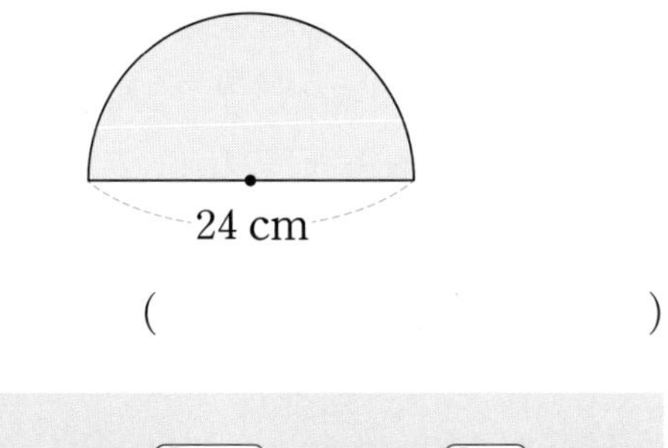

(　　　　　　　　)

Tip

접기 전 색종이는 반지름이 (❶ ☐ ÷2) cm인 ❷ ☐ 모양입니다.

답 ❶ 24 ❷ 원

7 ㉠과 ㉡ 중 더 큰 원의 기호를 쓰시오. (원주율: 3)

㉠ 원주가 36 cm인 원

㉡ 넓이가 300 cm^2인 원

(　　　　　　　　)

Tip

반지름이 길수록 원의 크기가 크므로 반지름이 더 긴 원을 찾습니다.

㉠ (반지름)=❶ ☐ ÷3÷2

㉡ (반지름)×(반지름)=❷ ☐ ÷3

답 ❶ 36 ❷ 300

8 원 모양의 호수의 둘레에 20 m 간격으로 의자가 15개 놓여 있습니다. 이 호수의 넓이는 몇 m^2입니까? (단, 의자의 길이는 생각하지 않고 원주율은 3으로 생각합니다.)

(　　　　　　　　)

Tip

(호수의 둘레)=20×❶ ☐ =❷ ☐ (m)

(호수의 반지름)=❸ ☐ ÷3÷2=❹ ☐ (m)

답 ❶ 15 ❷ 300 ❸ 300 ❹ 50

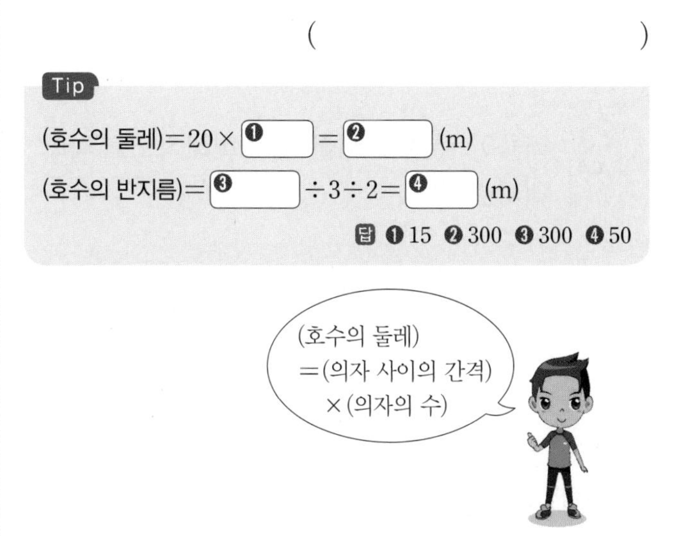

2 주

누구나 만점 전략

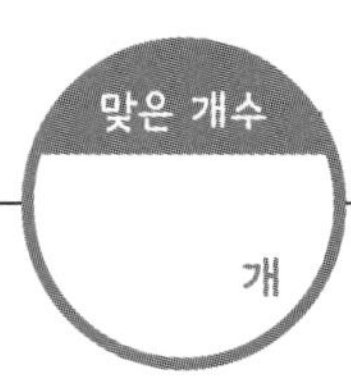

01 다음 비와 비율이 같은 비를 2개 쓰시오.

4 : 6

(　　　　　　　　　　)

02 간단한 자연수의 비로 나타내시오.

(1) 1.7 : 3.8

(　　　　　　　　　　)

(2) $\frac{1}{4} : \frac{1}{5}$

(　　　　　　　　　　)

03 비율이 같은 두 비를 찾아 비례식으로 나타내시오.

2 : 3　　3 : 5　　6 : 8　　9 : 15

(　　　　　　　　　　)

04 태극기는 가로와 세로의 비가 3 : 2가 되도록 그려야 합니다. 세로를 48 cm로 하면 가로는 몇 cm로 해야 합니까?

(　　　　　　　　　　)

05 연필 1타는 연필 12자루입니다. 연필 6타를 태희와 선주가 5 : 7로 나누어 가졌습니다. 태희와 선주는 연필을 각각 몇 자루씩 가졌습니까?

태희 (　　　　　　　　　　)
선주 (　　　　　　　　　　)

▶정답 및 풀이 16쪽

06 원주는 몇 cm입니까? (원주율: 3.14)

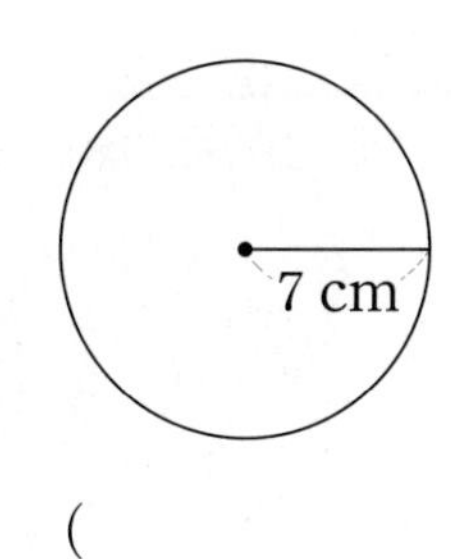

(   )

07 원주율에 대한 설명으로 잘못된 것을 찾아 기호를 쓰시오.

> ㉠ (원주율)=(원주)÷(지름)
> ㉡ 원주율은 지름에 따라 달라집니다.
> ㉢ 원주율은 원의 지름에 대한 원주의 비율입니다.

(   )

08 □ 안에 알맞은 수를 써넣으시오. (원주율: 3)

(1)

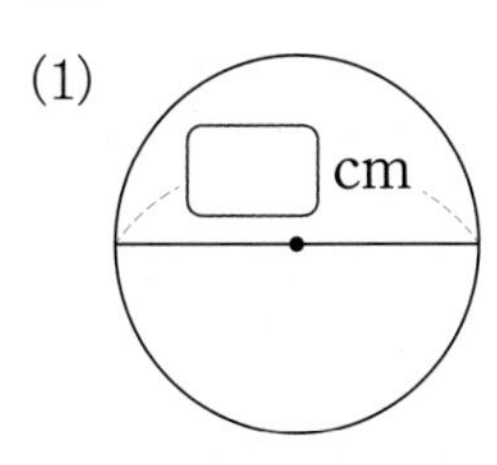

원주: 51 cm

(2)

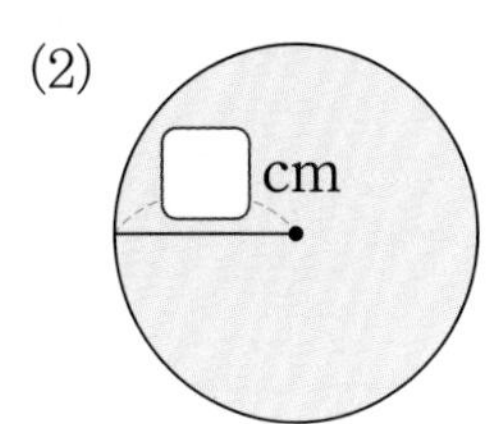

넓이: 192 cm^2

09 다음과 같이 컴퍼스를 벌려 원을 그렸습니다. 이 원의 넓이는 몇 cm^2입니까? (원주율: 3.14)

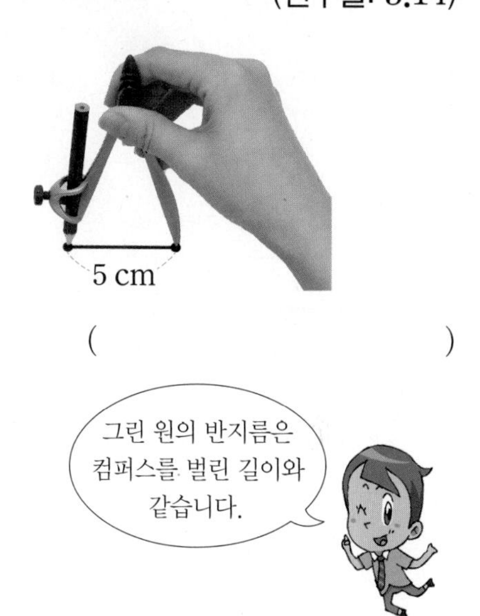

(   )

그린 원의 반지름은 컴퍼스를 벌린 길이와 같습니다.

10 색칠한 부분의 넓이는 몇 cm^2입니까? (원주율: 3.1)

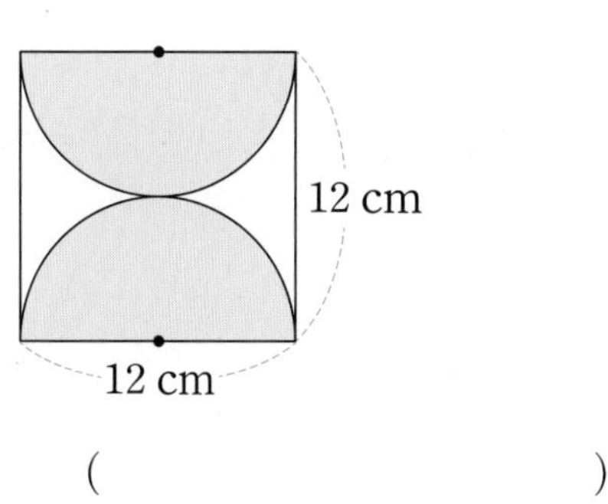

(   )

창의·융합·코딩 전략 ①

창의 융합

1 수빈이가 원래 가져야 할 쿠키는 몇 개인지 구하시오.

( )

▶정답 및 풀이 17쪽

2주

창의 융합

2 민준이 훌라후프의 바깥쪽 원주는 몇 cm인지 구하시오. (원주율: 3)

( )

창의·융합·코딩 전략 ❷

창의 융합

1 다음은 태양에서 지구까지의 거리를 1로 보았을 때 태양에서 각 행성까지의 거리를 나타낸 것입니다. 태양에서 수성까지의 거리와 태양에서 토성까지의 거리의 비를 간단한 자연수의 비로 나타내시오.

행성	상대적인 거리	행성	상대적인 거리
수성	0.4	목성	5.2
금성	0.7	토성	9.5
지구	1	천왕성	19.2
화성	1.5	해왕성	30

( )

Tip

(태양～수성) : (태양～토성)=0.4 : ❶ 입니다.

전항과 후항이 소수 한 자리 수이면 전항과 후항에 ❷ 을 곱합니다.

[답] ❶ 9.5 ❷ 10

창의 융합

2 환율은 자기 나라 돈과 다른 나라 돈의 교환 비율을 말합니다. 어느 날 환율이 다음과 같을 때 50달러는 우리나라 돈으로 얼마인지 비례식으로 구하시오.

=

1달러 1200원

( )

Tip

50달러와 같은 우리나라 돈을 □원이라 하고 비례식을 세우면 ❶ : ❷ =50 : □입니다.

[답] ❶ 1 ❷ 1200

▶정답 및 풀이 17쪽

문제 해결

3 다음 그림과 같이 원 ㉮와 원 ㉯가 겹쳐져 있습니다. 겹쳐진 부분의 넓이는 ㉮의 넓이의 $\frac{1}{2}$이고, ㉯의 넓이의 $\frac{2}{5}$입니다. 원 ㉮와 원 ㉯의 넓이의 비를 간단한 자연수의 비로 나타내시오.

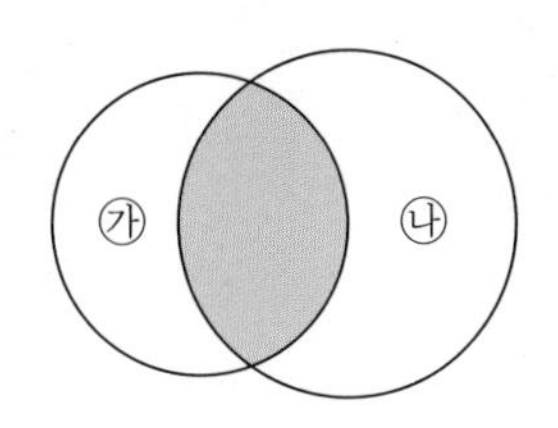

외항의 곱과 내항이 곱이 같다는 비례식의 성질을 거꾸로 생각하면 곱셈식을 비례식으로 나타낼 수 있습니다.

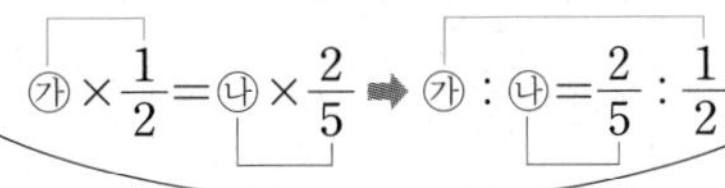

(　　　　　　　　　　)

Tip

겹쳐진 부분의 넓이는 같으므로 ㉮ × ❶ [　　] = ㉯ × ❷ [　　] 입니다.

[답] ❶ $\frac{1}{2}$ ❷ $\frac{2}{5}$

2주

추론

4 다음과 같이 높이가 40 cm인 수조에 50 L의 물을 더 부으면 넘치지 않고 가득 차게 됩니다. 수조에 담겨 있는 물의 높이가 30 cm일 때 수조에 담겨 있는 물의 양은 몇 L인지 구하시오.

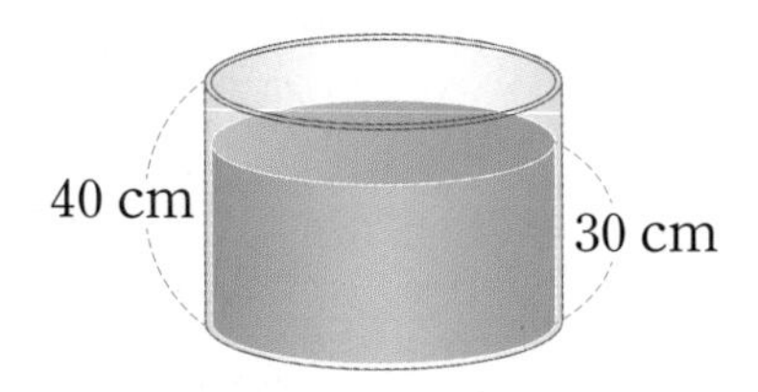

올라간 물의 높이만큼의 물의 양이 50 L임을 이용하여 비례식을 세웁니다.

(　　　　　　　　　　)

Tip

50 L의 물을 더 부으면 물의 높이는 40 − ❶ [　　] = ❷ [　　] (cm) 높아집니다.

[답] ❶ 30 ❷ 10

창의 융합

5 반지름이 20 cm인 원 모양의 피자를 똑같이 나누어 먹었습니다. 남은 피자의 넓이는 몇 cm^2입니까? (원주율: 3)

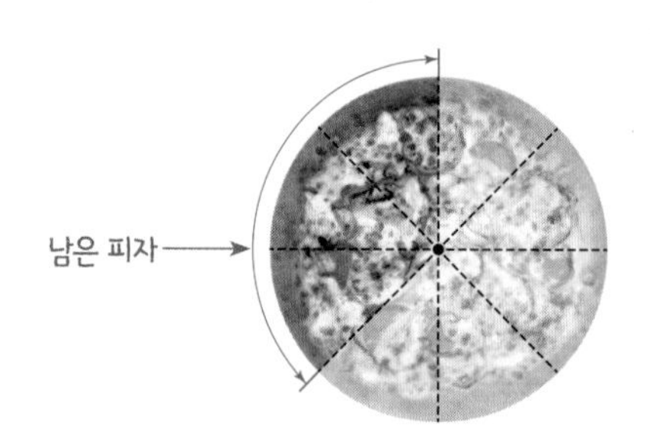

( )

Tip

남은 피자는 전체 피자를 똑같이 8로 나눈 것 중의 ❶ 이므로 전체 피자의 $\frac{❷}{8}$입니다.

[답] ❶ 3 ❷ 3

창의 융합

6 세인이는 부채를 보고 다음과 같이 원의 일부분을 그렸습니다. 세인이가 그린 도형의 넓이는 몇 cm^2입니까? (원주율: 3)

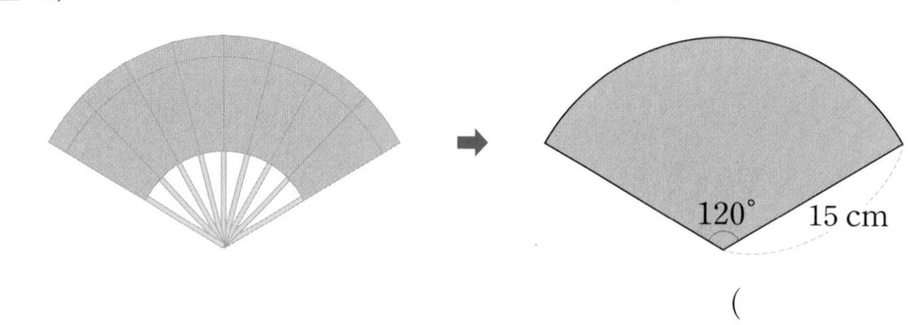

( )

Tip

120°는 360°의 $\frac{❶}{360} = \frac{❷}{3}$이므로 도형의 넓이는 원의 넓이의 $\frac{❸}{3}$입니다.

[답] ❶ 120 ❷ 1 ❸ 1

▶정답 및 풀이 17쪽

코딩

7

시작에 지름이 1 cm인 원을 넣어 실행했을 때 끝에 나오는 원의 원주는 몇 cm입니까? (원주율: 3.1)

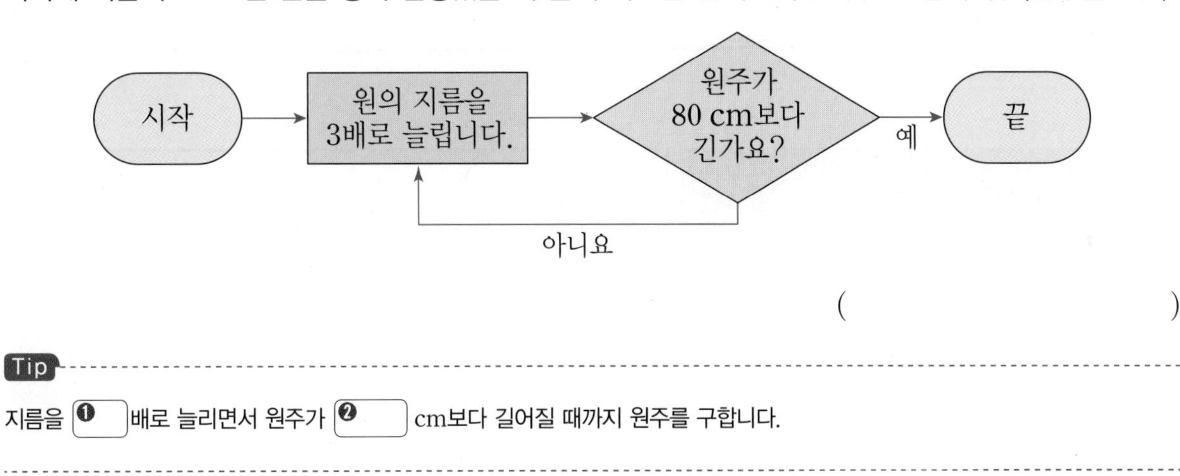

(　　　　　　　　　　)

Tip

지름을 ❶ [　　] 배로 늘리면서 원주가 ❷ [　　] cm보다 길어질 때까지 원주를 구합니다.

[답] ❶ 3 ❷ 80

문제 해결

8

밑면의 모양이 왼쪽과 같은 고깔을 원의 중심 ㅇ에 고정시킨 후 원주를 따라 굴리고 있습니다. 고깔이 출발한 자리로 돌아오려면 고깔을 적어도 몇 바퀴 굴려야 합니까? (원주율: 3)

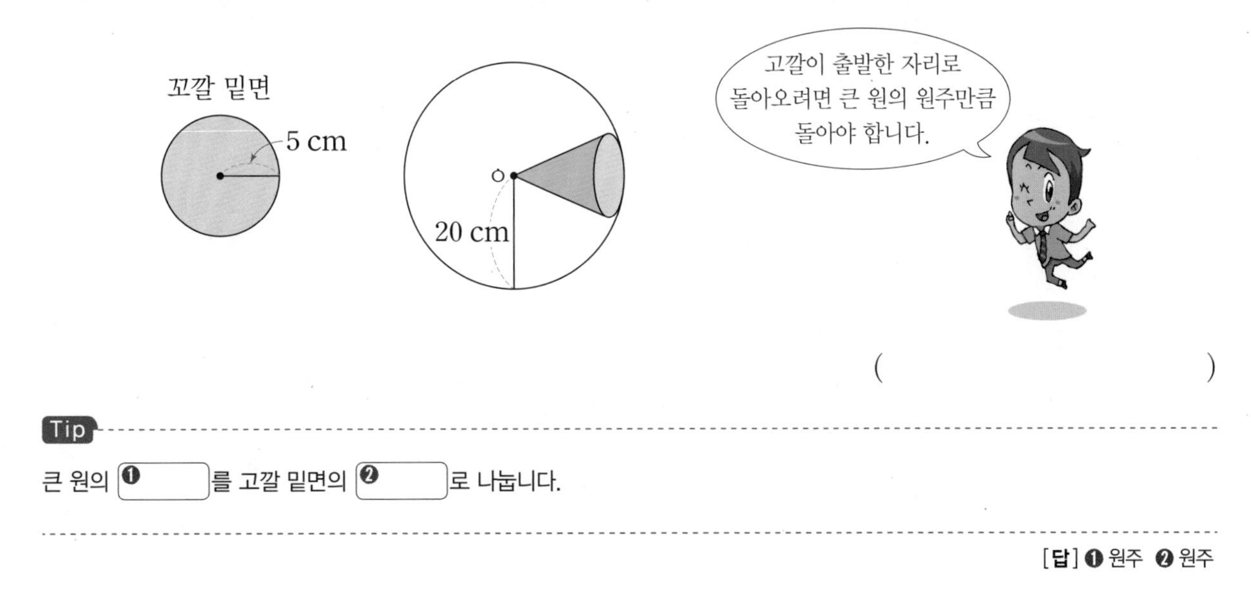

(　　　　　　　　　　)

Tip

큰 원의 ❶ [　　] 를 고깔 밑면의 ❷ [　　] 로 나눕니다.

[답] ❶ 원주 ❷ 원주

공간과 입체, 원기둥, 원뿔, 구

학습할 내용

❶ 쌓은 모양 알아보기
❷ 쌓기나무의 개수 알아보기
❸ 원기둥과 원기둥의 전개도 알아보기
❹ 원뿔, 구 알아보기

개념 1 쌓은 모양과 쌓기나무의 개수 알아보기

[관련 단원] 공간과 입체

● 쌓은 모양과 위에서 본 모양을 보고 쌓기나무의 개수 알아보기

보이지 않는 부분에 숨겨진 쌓기나무가 없으므로 1층이 4개, 2층이 1개입니다. 따라서 주어진 모양과 똑같이 쌓는 데 쌓기나무 5개가 필요합니다.

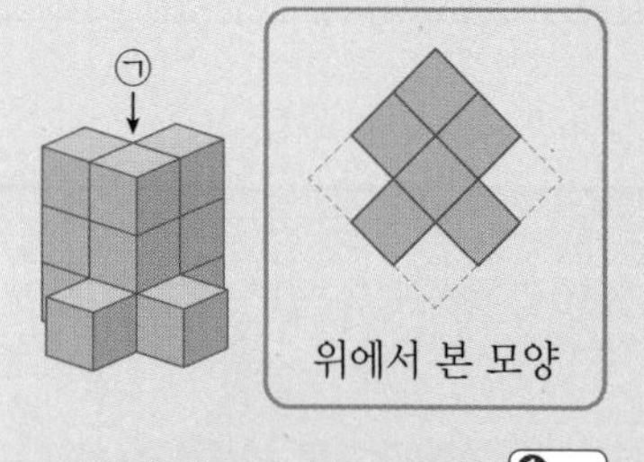

㉠ 부분에 숨겨진 쌓기나무가 ❶ 습니다.

● 위, 앞, 옆에서 본 모양을 보고 쌓은 모양 알아보기

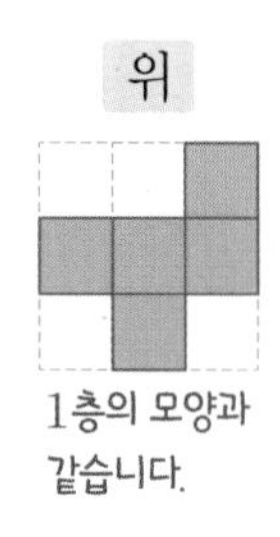

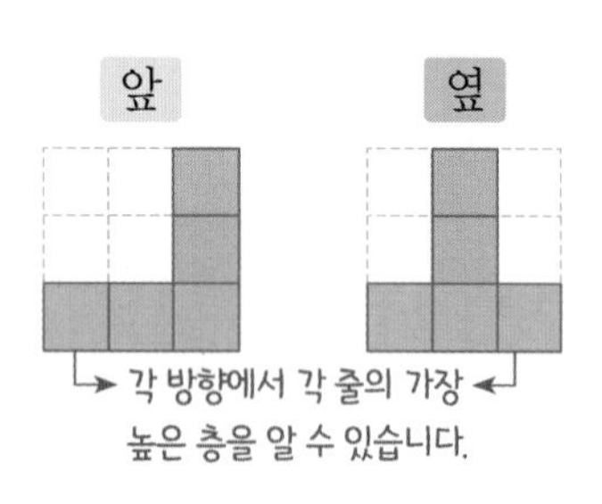

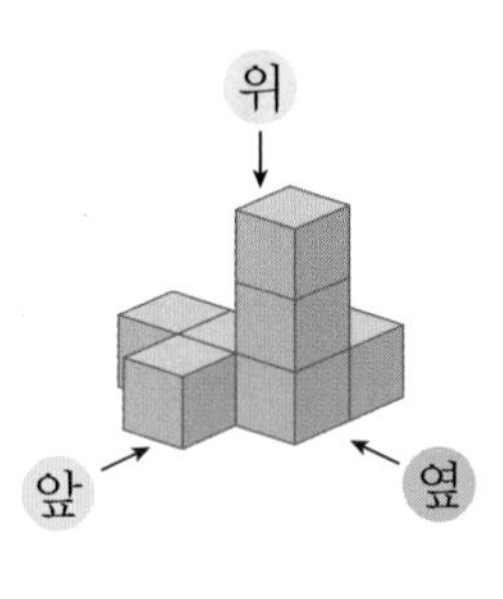

위에서 본 모양을 보고 ❷ 층에 놓인 쌓기나무의 개수를 알 수 있습니다.

● 위에서 본 모양에 수를 써서 쌓기나무의 개수 알아보기

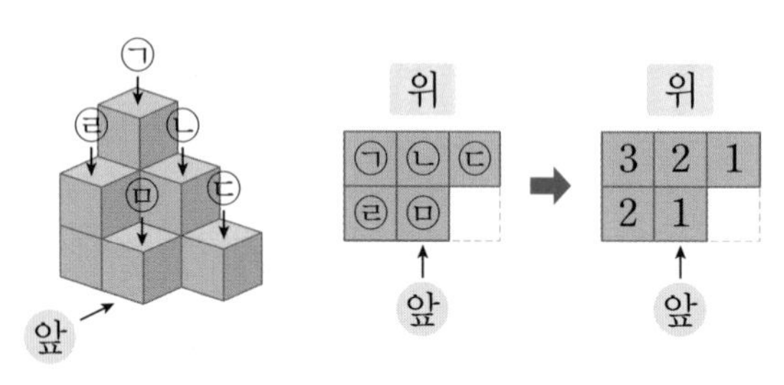

쌓은 쌓기나무의 개수는 모두 $3+2+1+2+1=9$(개)입니다.

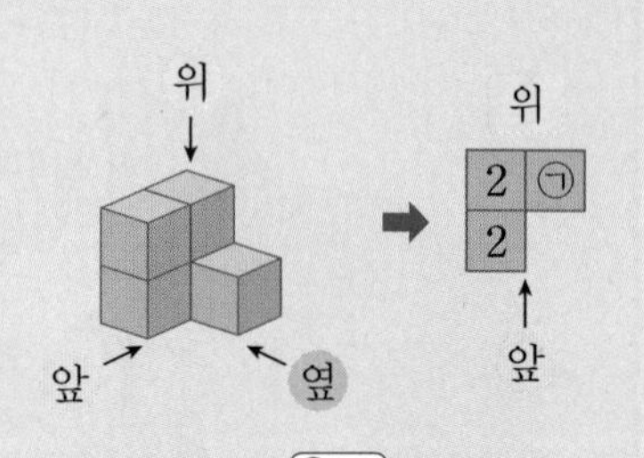

㉠에 알맞은 수는 ❸ 입니다.

● 층별로 나타낸 모양을 보고 쌓은 모양 알아보기

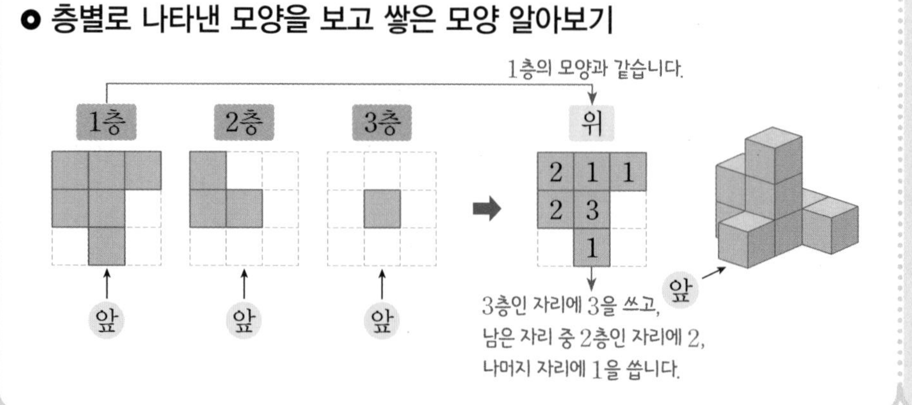

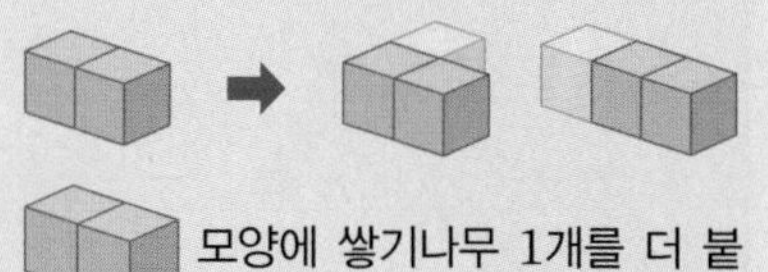

모양에 쌓기나무 1개를 더 붙여서 만들 수 있는 모양은 ❹ 가지입니다.

답 ❶있 ❷1 ❸1 ❹2

개념 기초 확인

▶정답 및 풀이 18쪽

1-1 주어진 모양과 똑같이 쌓는 데 필요한 쌓기나무의 개수를 구하시오.

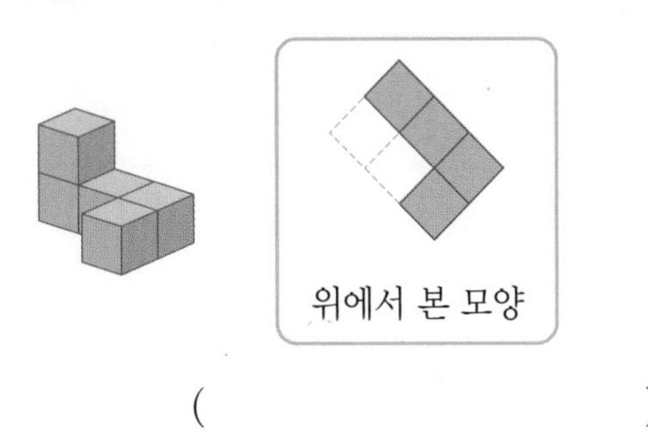

(   )

• **풀이** • 보이지 않는 부분에 숨겨진 쌓기나무가 없으므로 1층에 ❶ [ ]개, 2층에 ❷ [ ]개 쌓여 있습니다.

답 ❶ 4 ❷ 1

1-2 주어진 모양과 똑같이 쌓는 데 필요한 쌓기나무의 개수를 구하시오.

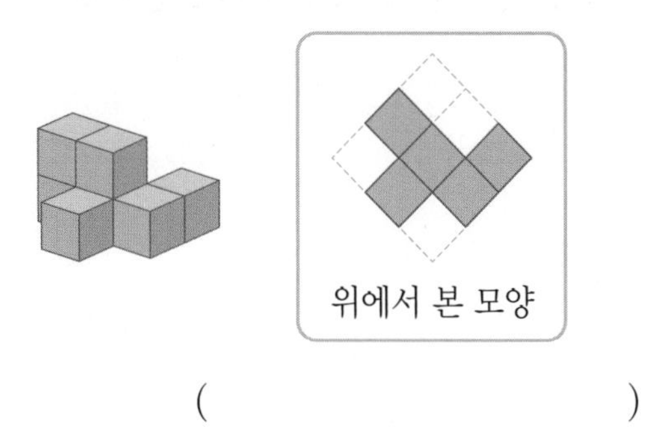

(   )

2-1 쌓기나무로 쌓은 모양을 보고 위에서 본 모양에 수를 써넣으시오.

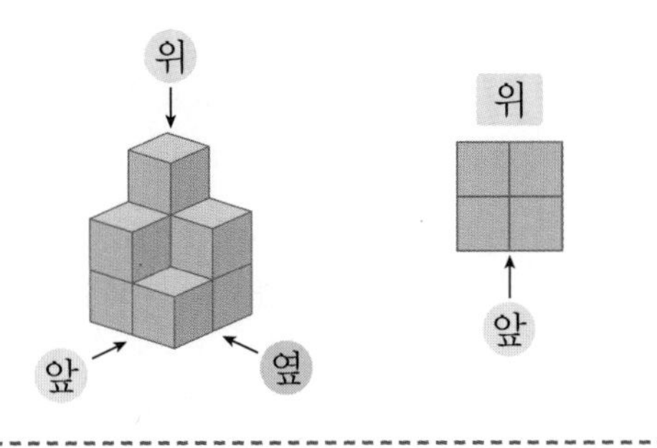

• **풀이** • 각 자리에 쌓기나무가 몇 층으로 쌓여 있는지 알아보면 왼쪽 위 자리는 ❶ [ ]층, 오른쪽 아래 자리는 ❷ [ ]층, 나머지 두 자리는 각각 ❸ [ ]층입니다.

답 ❶ 3 ❷ 1 ❸ 2

2-2 쌓기나무로 쌓은 모양을 보고 위에서 본 모양에 수를 써넣으시오.

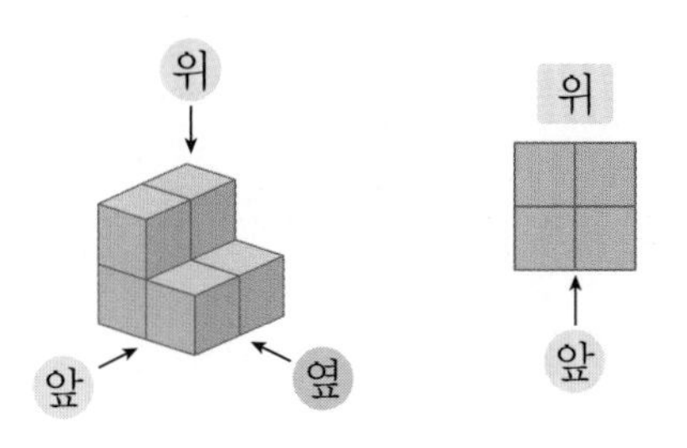

3-1 왼쪽 모양에 쌓기나무 1개를 더 붙여서 만들 수 있는 모양에 ○표 하시오.

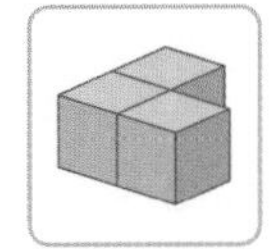 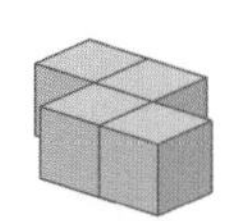 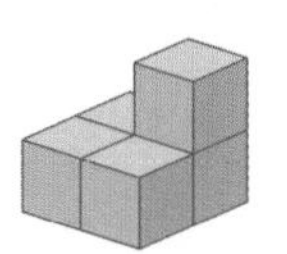

• **풀이** • 만든 모양에서 왼쪽 모양을 찾아본 다음 쌓기나무 ❶ [ ]개가 더 있는 모양을 찾습니다. 오른쪽 모양은 쌓기나무 ❷ [ ]개를 더 붙인 모양입니다.

답 ❶ 1 ❷ 2

3-2 왼쪽 모양에 쌓기나무 1개를 더 붙여서 만들 수 있는 모양에 ○표 하시오.

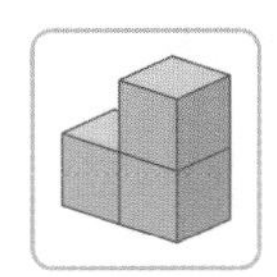 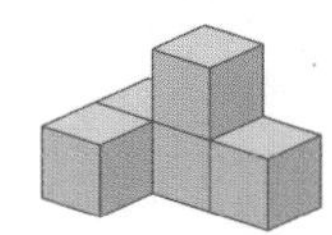 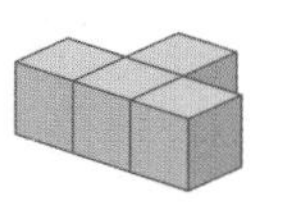

3 주

3주 04일 개념 돌파 전략 ❶

개념 2 원기둥과 원기둥의 전개도 알아보기

[관련 단원] **원기둥, 원뿔, 구**

● 원기둥 알아보기

원기둥: 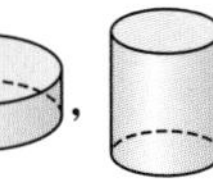 등과 같은 입체도형

밑면, 옆면, 밑면, 높이

밑면: 서로 평행하고 합동인 두 면

옆면: 두 밑면과 만나는 면

높이: 두 밑면에 수직인 선분의 길이

● 원기둥의 전개도 알아보기

원기둥의 전개도: 원기둥을 잘라서 펼쳐 놓은 그림

밑면의 반지름, 밑면의 둘레, 높이

(옆면의 가로의 길이)

=(원기둥의 밑면의 둘레)

=(밑면의 지름)×(원주율)

(옆면의 세로의 길이)=(원기둥의 높이)

- 원기둥에서 서로 평행하고 합동인 두 면을 ❶ [ ], 두 밑면과 만나는 면을 ❷ [ ]이라고 합니다.
- 원기둥의 전개도에서 옆면의 가로의 길이는 밑면의 ❸ [ ]과 원주율의 곱으로 구합니다.

답 ❶ 밑면 ❷ 옆면 ❸ 지름

개념 3 원뿔, 구 알아보기

[관련 단원] **원기둥, 원뿔, 구**

● 원뿔 알아보기

원뿔: 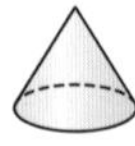, 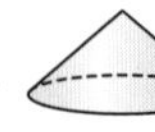 등과 같은 입체도형

원뿔의 꼭짓점, 옆면, 밑면

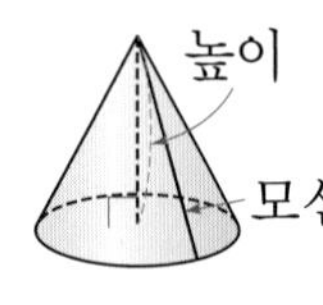

밑면: 평평한 면

옆면: 옆을 둘러싼 굽은 면

원뿔의 꼭짓점: 뾰족한 부분의 점

모선: 원뿔의 꼭짓점과 밑면인 원의 둘레의 한 점을 이은 선분

높이: 원뿔의 꼭짓점에서 밑면에 수직인 선분의 길이

● 구 알아보기

구:  등과 같은 입체도형

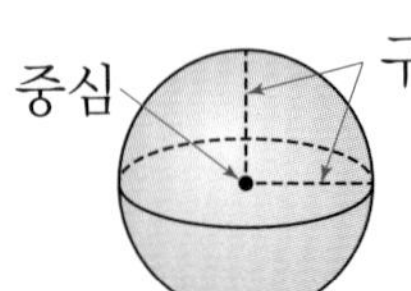

구의 중심: 가장 안쪽에 있는 점

구의 반지름: 구의 중심에서 구의 겉면의 한 점을 이은 선분

- 원뿔에서 뾰족한 부분의 점을 원뿔의 ❶ [ ]이라고 하고, 원뿔의 꼭짓점과 밑면인 원의 둘레의 한 점을 이은 선분을 ❷ [ ]이라고 합니다.
- 구의 중심에서 구의 겉면의 한 점을 이은 선분을 구의 ❸ [ ]이라고 합니다.

답 ❶ 꼭짓점 ❷ 모선 ❸ 반지름

개념 기초 확인

▶정답 및 풀이 18쪽

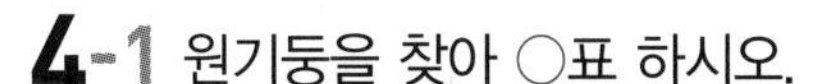

4-1 원기둥을 찾아 ○표 하시오.

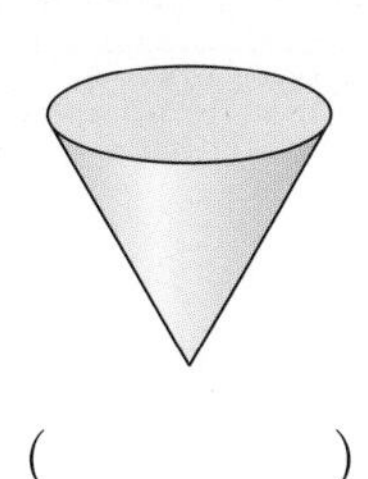

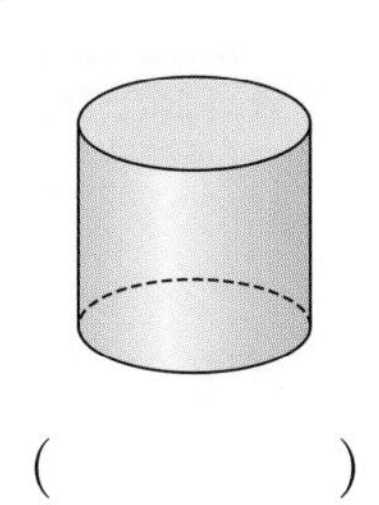

(　　　) (　　　)

• **풀이** • 원기둥은 위와 아래에 있는 면이 서로 ❶ [　　] 하고 합동인 ❷ [　　] 으로 이루어져 있습니다.

답 ❶ 평행 ❷ 원

4-2 원기둥을 찾아 ○표 하시오.

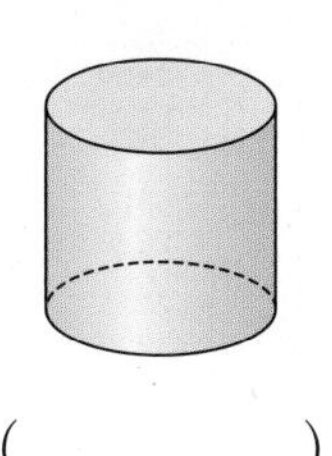

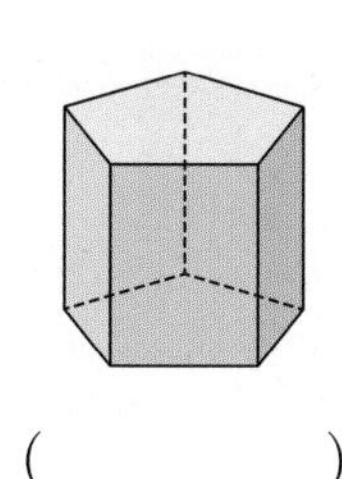

(　　　) (　　　)

5-1 원기둥의 전개도를 보고 밑면의 둘레와 같은 길이의 선분을 모두 찾아 빨간색 선으로 표시하시오.

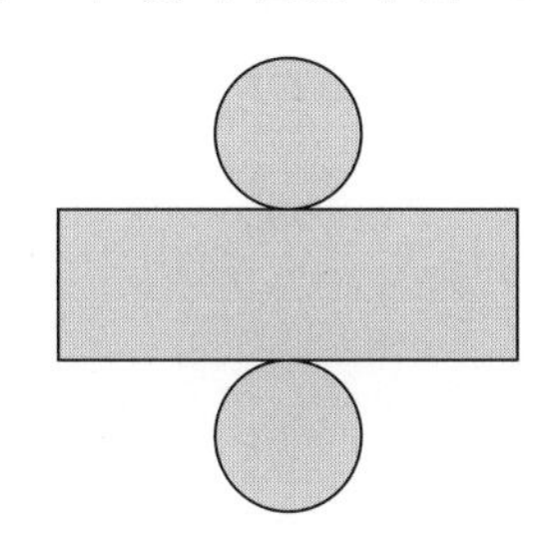

• **풀이** • 원기둥의 전개도에서 밑면의 둘레는 옆면의 ❶ [　　] 의 길이와 같으므로 직사각형의 ❷ [　　] 를 빨간색 선으로 표시합니다.

답 ❶ 가로 ❷ 가로

5-2 원기둥의 전개도를 보고 원기둥의 높이와 같은 길이의 선분을 모두 찾아 빨간색 선으로 표시하시오.

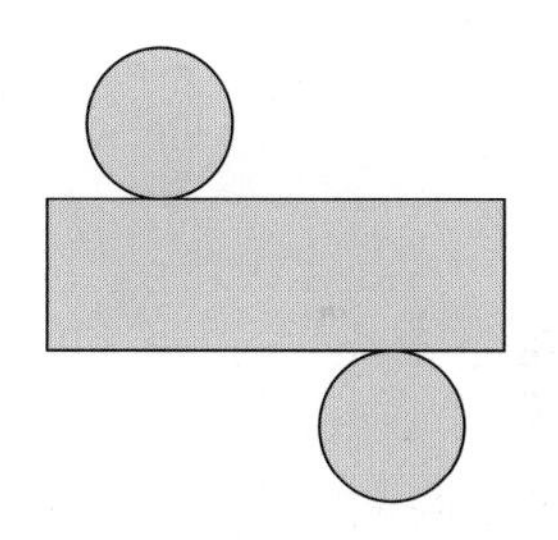

6-1 보기 에서 □ 안에 알맞은 말을 찾아 써넣으시오.

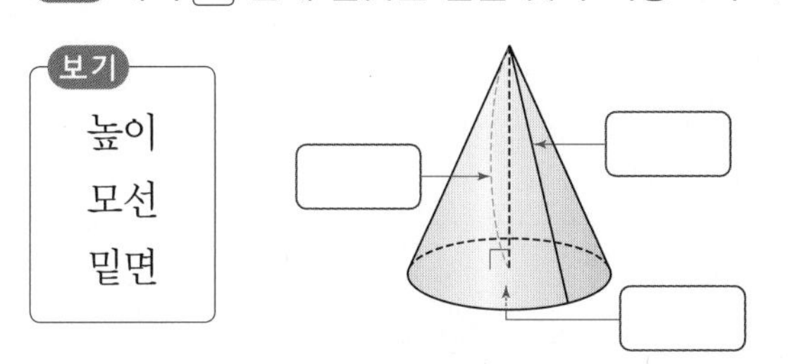

• **풀이** • 원뿔에서 평평한 면을 ❶ [　　], 원뿔의 꼭짓점에서 밑면에 수직인 선분의 길이를 ❷ [　　], 원뿔의 꼭짓점과 밑면인 원의 둘레의 한 점을 이은 선분을 ❸ [　　] 이라고 합니다.

답 ❶ 밑면 ❷ 높이 ❸ 모선

6-2 원뿔에서 각 부분을 찾아 기호를 쓰시오.

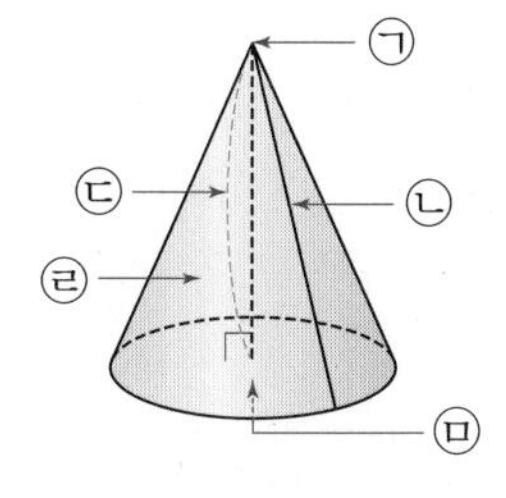

원뿔의 꼭짓점 (　　　　　　)

옆면 (　　　　　　)

예제 1 쌓은 모양을 앞, 옆에서 본 모양

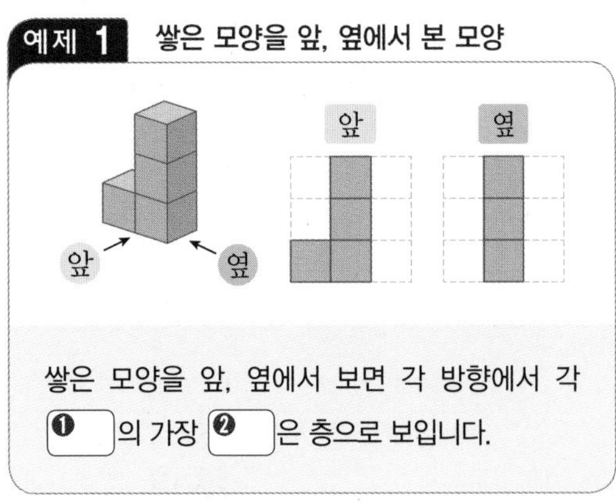

쌓은 모양을 앞, 옆에서 보면 각 방향에서 각 ❶ ☐의 가장 ❷ ☐은 층으로 보입니다.

[답] ❶ 줄 ❷ 높

예제 2 쌓은 모양을 보고 층별 모양 알아보기

1층 2층

앞 앞 앞

층별 모양을 그릴 때는 ❶ ☐에서 본 모양에서 같은 위치에 있는 층은 ❷ ☐ 위치에 놓이도록 그립니다.

[답] ❶ 위 ❷ 같은

예제 3 앞에서 본 모양 알아보기

위 앞

3층이 가장 높습니다.

2층이 가장 높습니다.

앞

앞에서 봤을 때 왼쪽 첫 번째 줄에는 ❶ ☐층, 2층, 1층으로 쌓여 있으므로 ❷ ☐층으로 보입니다.

[답] ❶ 3 ❷ 3

1 쌓기나무로 쌓은 모양과 위에서 본 모양을 보고 앞, 옆에서 본 모양을 각각 찾아 선으로 이으시오.

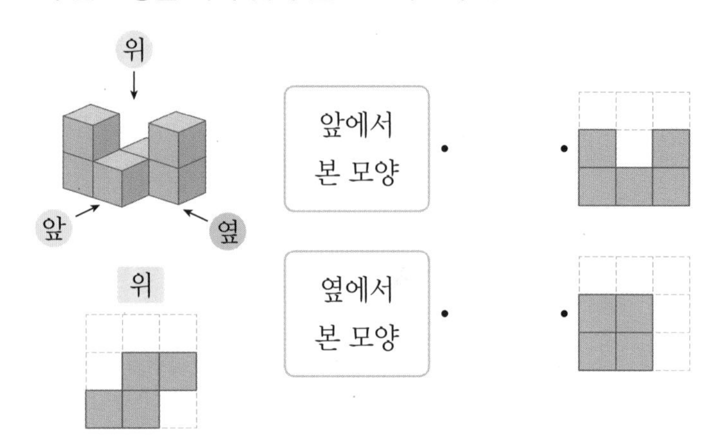

2 쌓기나무로 쌓은 모양을 보고 층별로 모양을 그리시오.

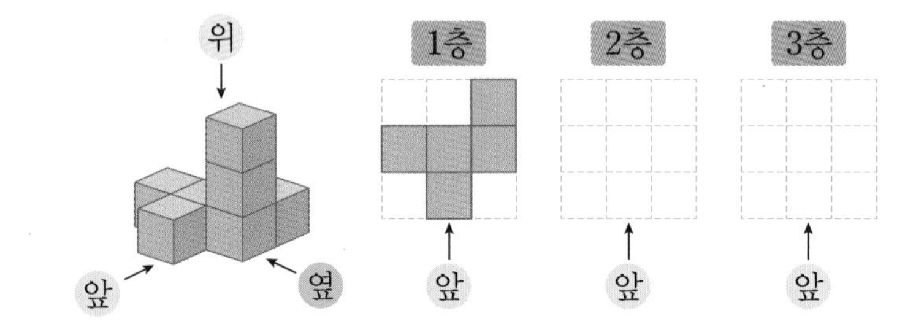

3 쌓기나무로 쌓은 모양을 보고 위에서 본 모양에 수를 썼습니다. 앞에서 본 모양을 찾아 ○표 하시오.

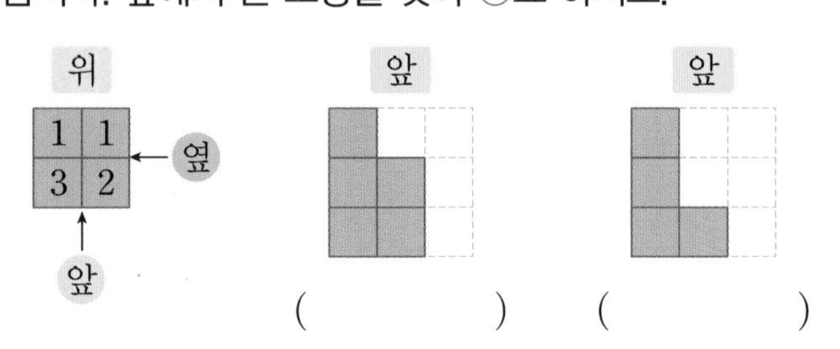

( ) ( )

▶정답 및 풀이 18쪽

예제 4 원기둥의 높이

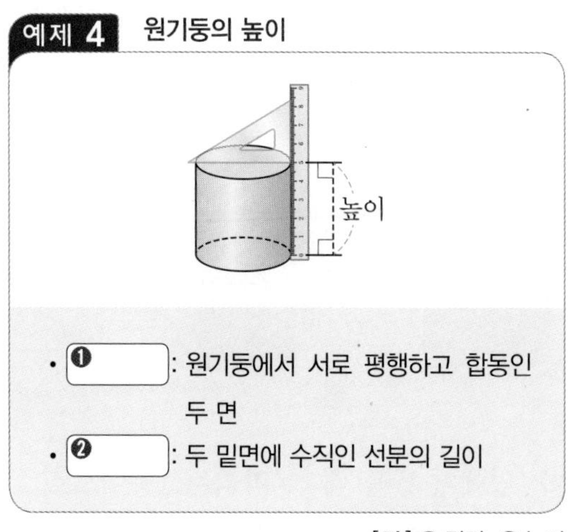

- ❶ [ ]: 원기둥에서 서로 평행하고 합동인 두 면
- ❷ [ ]: 두 밑면에 수직인 선분의 길이

[답] ❶ 밑면 ❷ 높이

4 원기둥의 높이는 몇 cm입니까?

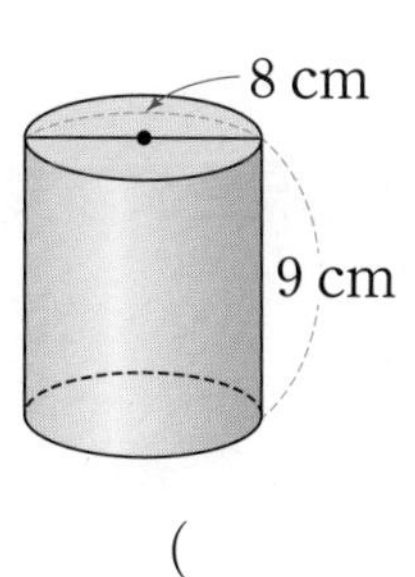

( )

예제 5 원기둥의 전개도에서 옆면의 가로의 길이 구하기

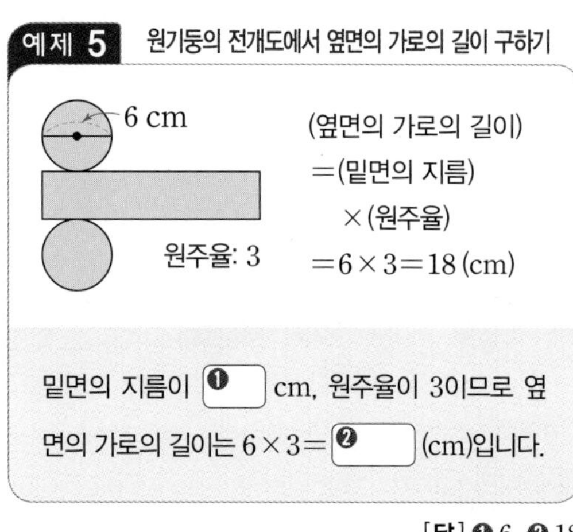

(옆면의 가로의 길이)
=(밑면의 지름)×(원주율)
$=6\times3=18$ (cm)

밑면의 지름이 ❶ [ ] cm, 원주율이 3이므로 옆면의 가로의 길이는 $6\times3=$ ❷ [ ] (cm)입니다.

[답] ❶ 6 ❷ 18

5 원기둥의 전개도를 보고 □ 안에 알맞은 수를 써넣으시오.

(원주율: 3.1)

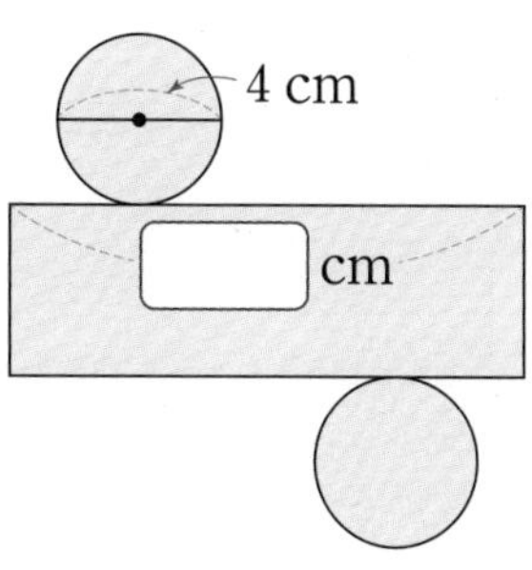

예제 6 구의 반지름

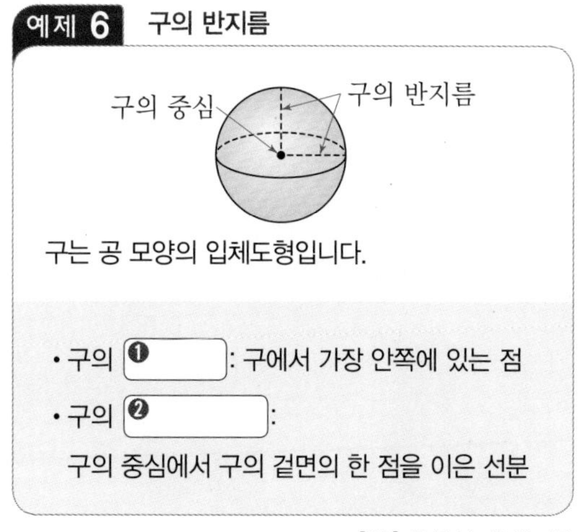

구는 공 모양의 입체도형입니다.

- 구의 ❶ [ ]: 구에서 가장 안쪽에 있는 점
- 구의 ❷ [ ]: 구의 중심에서 구의 겉면의 한 점을 이은 선분

[답] ❶ 중심 ❷ 반지름

6 구의 반지름은 몇 cm입니까?

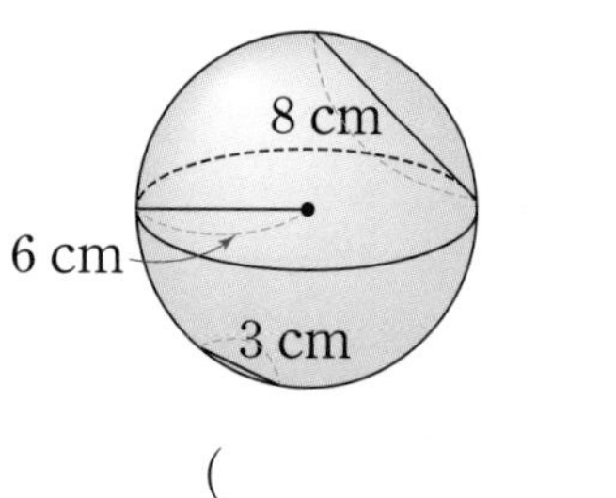

( )

3 주

전략 1 위, 앞, 옆에서 본 모양으로 쌓은 모양 찾기

[관련 단원] 공간과 입체

예 쌓은 모양으로 알맞은 모양 찾기

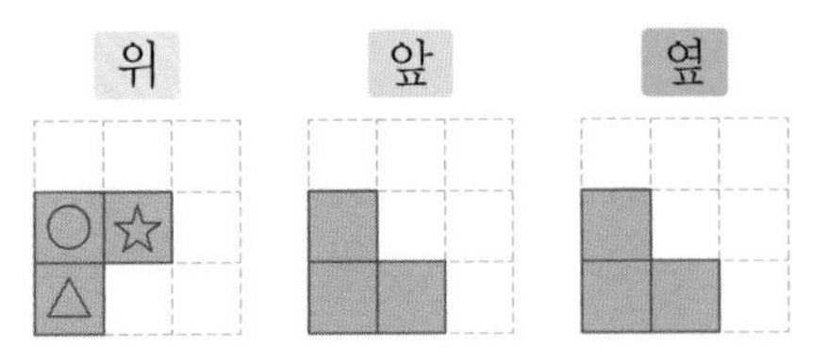

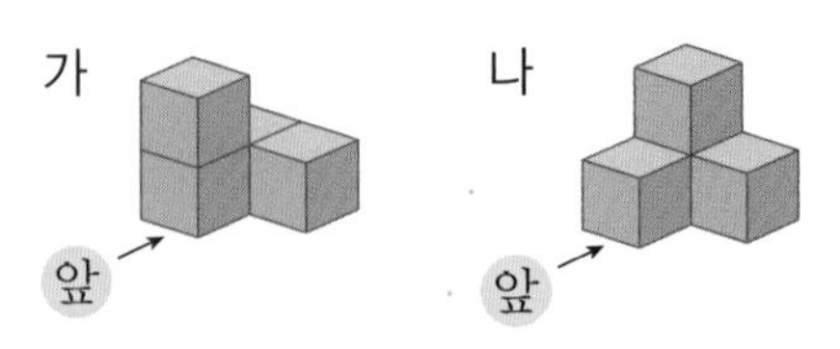

(1) 위에서 본 모양에서 각 자리에 쌓인 쌓기나무의 수 알아보기: 앞에서 봤을 때 ☆ 자리는 1층이므로 ❶ ☐개, 옆에서 봤을 때 △ 자리는 2층이므로 ❷ ☐개, ○ 자리는 1층이므로 ❸ ☐개 쌓여 있습니다.

(2) 알맞은 모양 찾기: 각 자리에 쌓인 쌓기나무의 개수를 세어 보면 쌓은 모양은 ❹ ☐입니다.

답 ❶ 1 ❷ 2 ❸ 1 ❹ 가

필수 예제 01

쌓기나무로 쌓은 모양을 위, 앞, 옆에서 본 모양입니다. 쌓은 모양으로 알맞은 모양에 ○표 하시오.

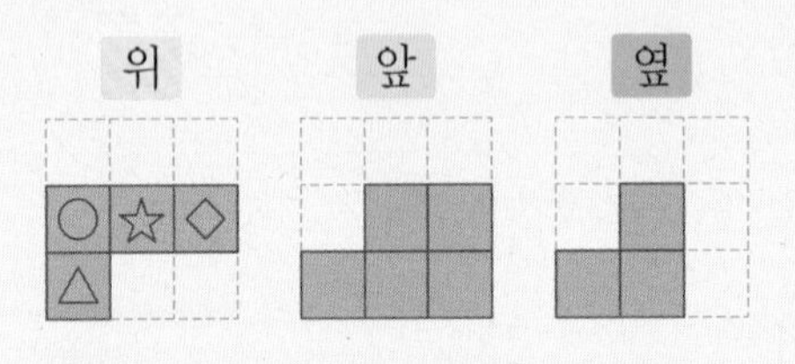

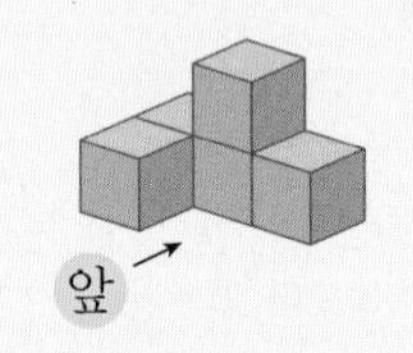

풀이 | 앞에서 봤을 때 ○, △ 자리는 1층이므로 1개, ☆, ◇ 자리는 2층이므로 2개 쌓여 있습니다.
각 자리에 쌓인 쌓기나무의 개수를 세어 보면 쌓은 모양은 오른쪽 모양입니다.

확인 1-1

쌓기나무로 쌓은 모양을 위, 앞, 옆에서 본 모양입니다. 쌓은 모양으로 알맞은 모양에 ○표 하시오.

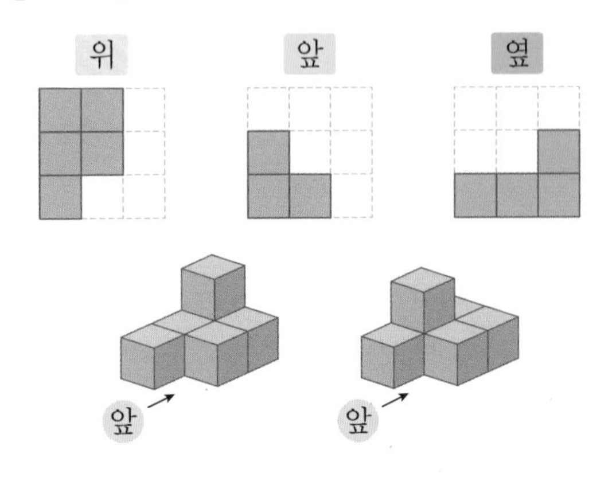

확인 1-2

쌓기나무로 쌓은 모양을 위, 앞, 옆에서 본 모양입니다. 쌓은 모양으로 알맞은 모양에 ○표 하시오.

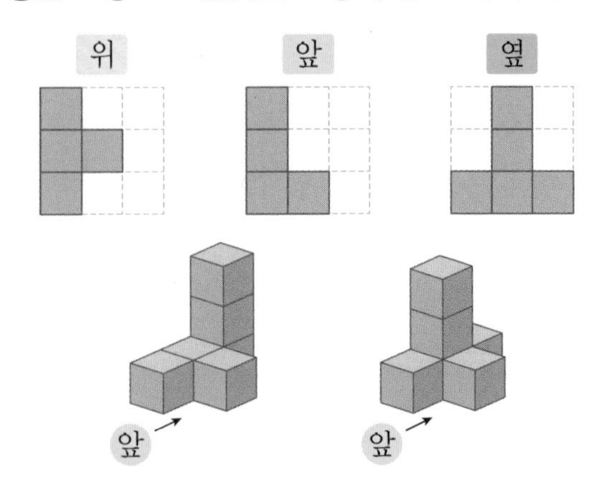

▶정답 및 풀이 19쪽

전략 2 옆에서 본 모양 알아보기

[관련 단원] 공간과 입체

예 쌓기나무 7개로 쌓은 모양을 옆에서 본 모양 그리기

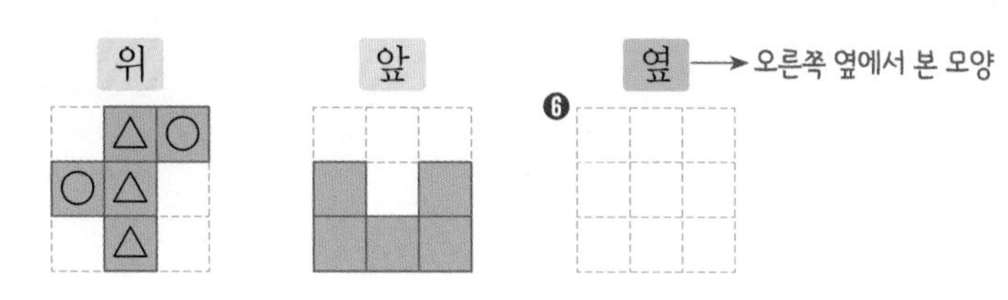

(1) 위에서 본 모양에서 각 자리에 쌓인 쌓기나무의 수 쓰기

앞에서 봤을 때 왼쪽부터 2층, 1층, 2층으로 보이므로 위에서 본 모양의 ○ 자리에 ❶ ☐ 개씩, △ 자리에 ❷ ☐ 개씩 쌓여 있습니다.

(2) 옆에서 본 모양 그리기

옆에서 봤을 때 각 줄의 가장 높은 층으로 보이므로 왼쪽부터 ❸ ☐ 층, ❹ ☐ 층, ❺ ☐ 층으로 보입니다.

필수 예제 02

쌓기나무 8개로 쌓은 모양을 위와 앞에서 본 모양입니다. 옆에서 본 모양을 그리시오.

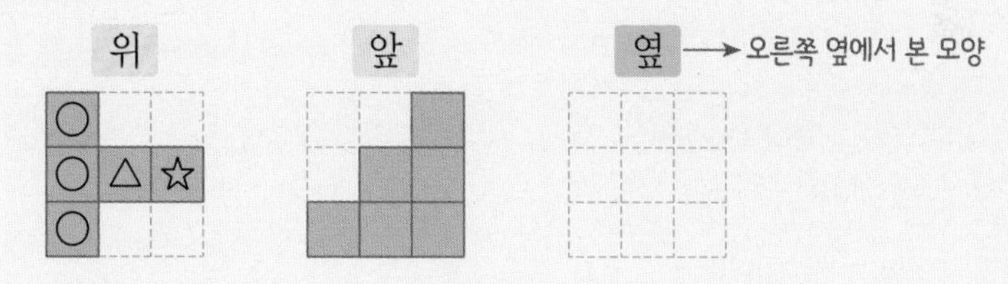

풀이 | 앞에서 봤을 때 왼쪽부터 1층, 2층, 3층으로 보이므로 위에서 본 모양의 ○ 자리에 1개씩, △ 자리에 2개, ☆ 자리에 3개 쌓여 있습니다.

옆에서 봤을 때 각 줄의 가장 높은 층으로 보이므로 왼쪽부터 1층, 3층, 1층으로 보입니다.

확인 2-1

쌓기나무 6개로 쌓은 모양을 위와 앞에서 본 모양입니다. 옆에서 본 모양을 그리시오.

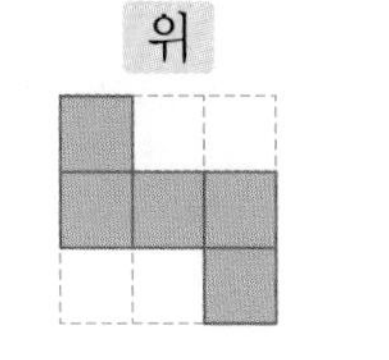

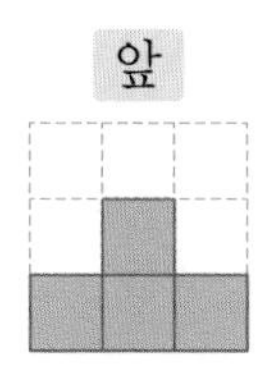

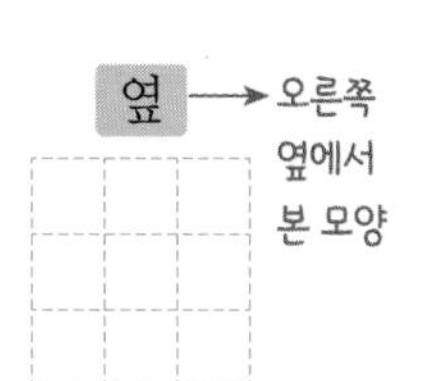

확인 2-2

쌓기나무 7개로 쌓은 모양을 위와 앞에서 본 모양입니다. 옆에서 본 모양을 그리시오.

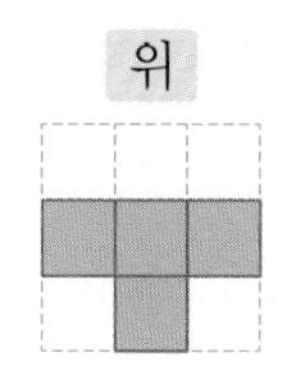

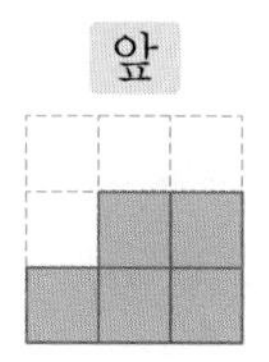

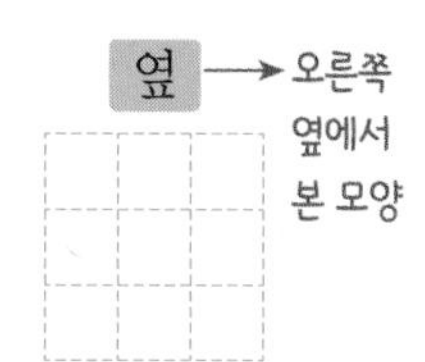

3 주

전략 3 종이를 돌려 만든 입체도형의 구성 요소

[관련 단원] **원기둥, 원뿔, 구**

예 한 변을 기준으로 직사각형 모양의 종이를 돌려 만든 입체도형의 밑면의 지름 구하기

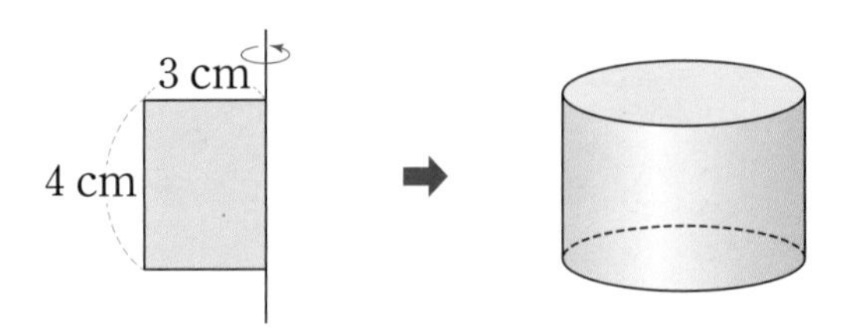

(1) 만들어진 입체도형 알아보기: 만들어진 입체도형은 ❶ [   ] 입니다.

(2) 원기둥의 밑면의 지름 구하기

원기둥의 밑면의 반지름은 ❷ [   ] cm이고, 지름은 ❸ [   ] $\times 2=$ ❹ [   ] (cm)입니다.

답 ❶ 원기둥 ❷ 3 ❸ 3 ❹ 6

필수 예제 | 03 |

한 변을 기준으로 직각삼각형 모양의 종이를 돌려 만든 입체도형의 밑면의 지름은 몇 cm입니까?

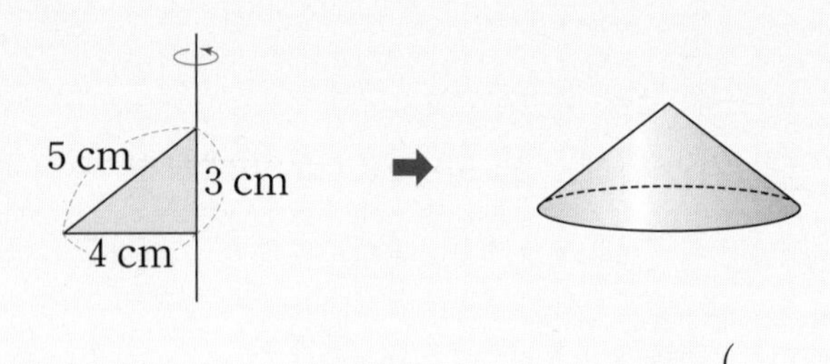

(   )

풀이 | 만들어진 입체도형은 원뿔입니다.
원뿔의 밑면의 반지름은 4 cm이고, 지름은 $4\times 2=8$ (cm)입니다.

확인 3-1

한 변을 기준으로 직사각형 모양의 종이를 돌려 만든 입체도형의 밑면의 지름은 몇 cm입니까?

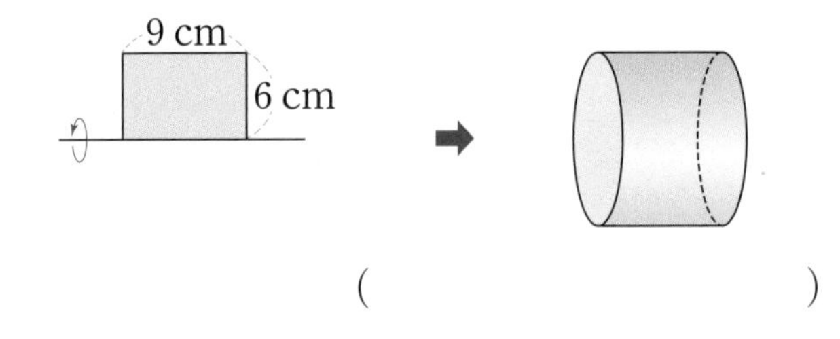

(   )

확인 3-2

지름을 기준으로 반원 모양의 종이를 돌려 만든 입체도형의 반지름은 몇 cm입니까?

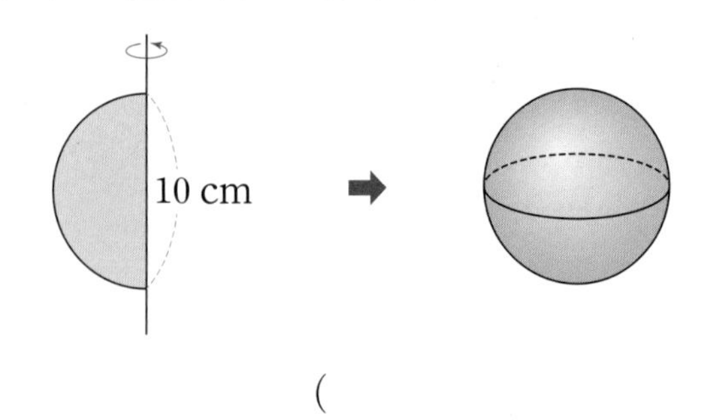

(   )

▶정답 및 풀이 19쪽

전략 4 원기둥과 원뿔의 높이의 차

[관련 단원] 원기둥, 원뿔, 구

예 원기둥과 원뿔의 높이의 차 구하기

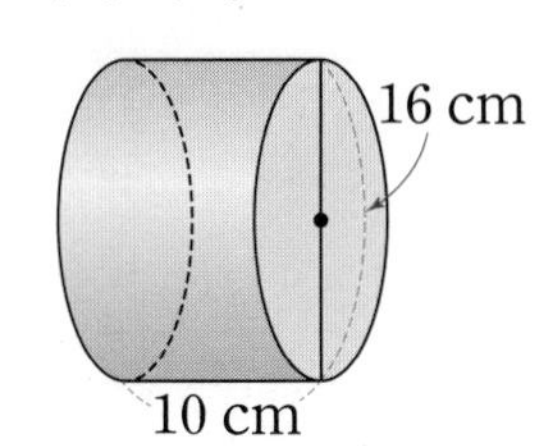

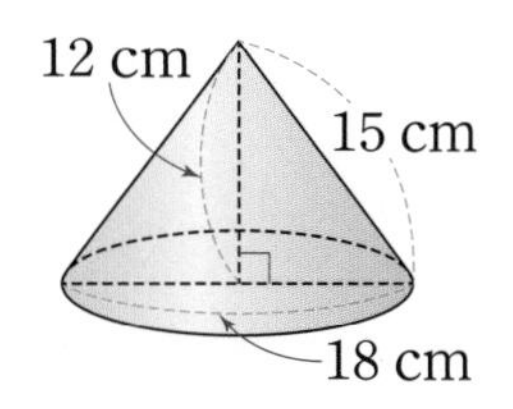

(1) 원기둥과 원뿔의 높이 구하기: 원기둥의 높이는 ❶ cm이고, 원뿔의 높이는 ❷ cm입니다.

(2) 높이의 차 구하기: ❸ − ❹ = ❺ (cm)

답 ❶ 10 ❷ 12 ❸ 12 ❹ 10 ❺ 2

필수 예제 04

원기둥과 원뿔의 높이의 차는 몇 cm인지 구하시오.

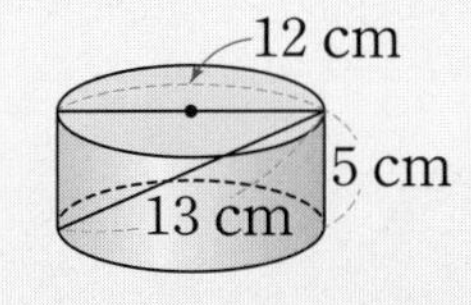

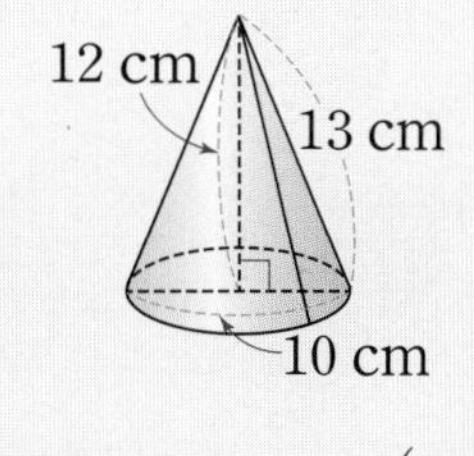

( )

풀이 | 원기둥의 높이: 5 cm, 원뿔의 높이: 12 cm

➡ 높이의 차: 12−5=7 (cm)

확인 4-1

원기둥과 원뿔의 높이의 차는 몇 cm인지 구하시오.

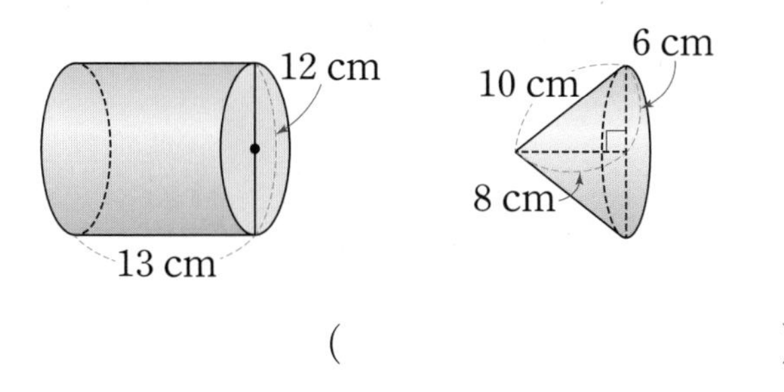

( )

확인 4-2

원기둥과 원뿔의 높이의 차는 몇 cm인지 구하시오.

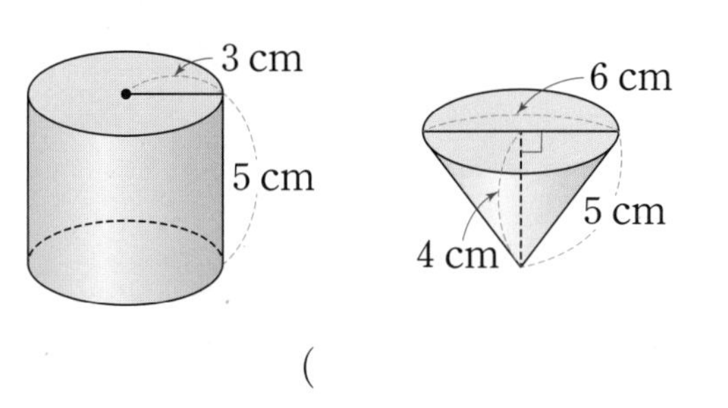

( )

3 주

[관련 단원] **공간과 입체**

1 주어진 모양과 똑같이 쌓는 데 필요한 쌓기나무의 개수를 구하시오.

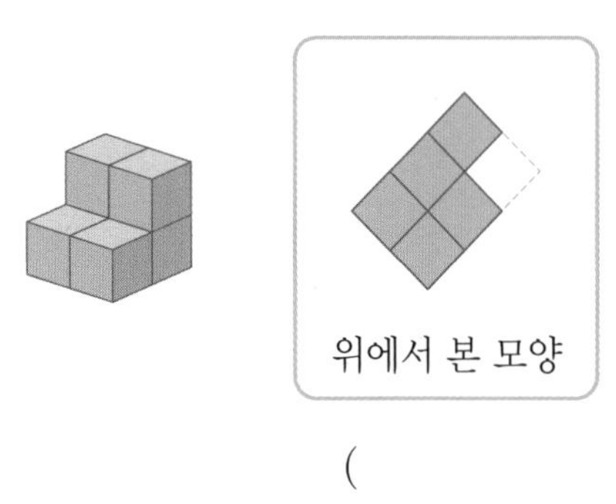

(　　　　　　　　　　)

Tip

• 위에서 본 모양에서 보이지 ❶ 부분에 숨겨진 쌓기나무가 ❷ 개 있습니다.

답 ❶ 않는 ❷ 1

[관련 단원] **공간과 입체**

2 쌓기나무 4개로 만든 모양입니다. 서로 같은 모양을 찾아보시오.

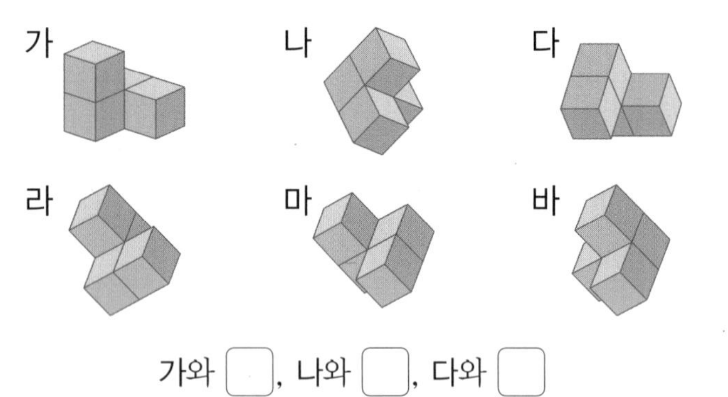

가와 ☐, 나와 ☐, 다와 ☐

Tip

• 모양을 ❶ 리거나 ❷ 집으면서 같은 모양을 찾습니다.

답 ❶ 돌 ❷ 뒤

[관련 단원] **공간과 입체**

3 쌓기나무 8개로 쌓은 모양을 위, 앞, 옆에서 본 모양입니다. 쌓은 모양으로 가능한 모양에 모두 ○표 하시오.

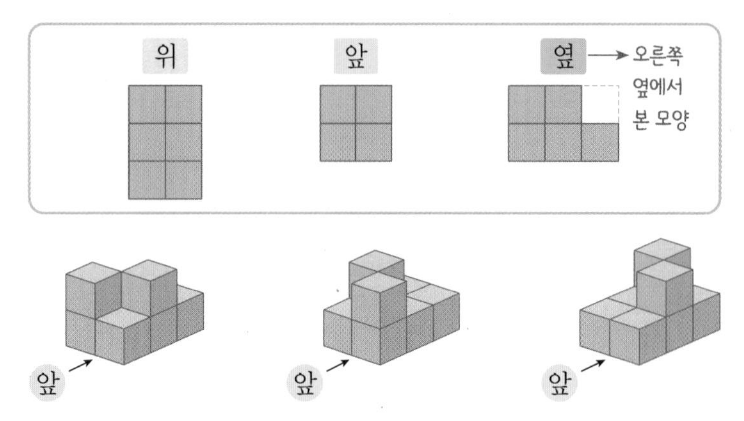

Tip

• 첫 번째 모양은 보이지 않는 뒤쪽에 숨겨진 쌓기나무가 ❶ 개 있을 수 있으므로 위에서 본 모양이 ❷ 을 수 있습니다.

답 ❶ 2 ❷ 같

▶정답 및 풀이 20쪽

[관련 단원] **원기둥, 원뿔, 구**

4 원기둥 모형에 대한 설명을 보고 밑면의 지름과 높이를 각각 구하시오.

> ❶• 위에서 본 모양은 반지름이 4 cm인 원입니다.
> ❷• 앞에서 본 모양은 정사각형입니다.

지름 (　　　　　　　　), 높이 (　　　　　　　　)

Tip

❶ (밑면의 지름)=(밑면의 반지름)× ❶☐

❷ 앞에서 본 모양이 정사각형이므로 높이는 밑면의 ❷☐과 같습니다.

답 ❶ 2 ❷ 지름

[관련 단원] **원기둥, 원뿔, 구**

5 원기둥과 원기둥의 전개도를 보고 ☐ 안에 알맞은 수를 써넣으시오. (원주율: 3.14)

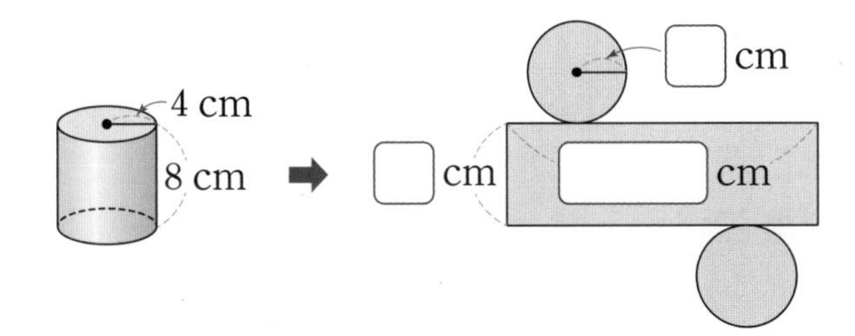

Tip

• 원기둥의 전개도에서 옆면의 가로의 길이는 밑면의 ❶☐와 같습니다.

• 옆면의 세로의 길이는 원기둥의 ❷☐와 같습니다.

답 ❶ 둘레 ❷ 높이

[관련 단원] **원기둥, 원뿔, 구**

6 입체도형을 위, 앞, 옆에서 본 모양을 그리시오.

입체도형	위에서 본 모양	앞에서 본 모양	옆에서 본 모양
(원기둥: 위, 앞, 옆)			
(원뿔: 위, 앞, 옆)			

Tip

• 원기둥을 위에서 본 모양은 원이고 앞, 옆에서 본 모양은 ❶☐형입니다.

• 원뿔을 위에서 본 모양은 원이고 앞, 옆에서 본 모양은 ❷☐형입니다.

답 ❶ 사각 ❷ 삼각

3주

전략 1 똑같은 모양으로 쌓는 데 필요한 쌓기나무의 개수

[관련 단원] 공간과 입체

예 똑같은 모양으로 쌓는 데 필요한 쌓기나무의 개수 구하기

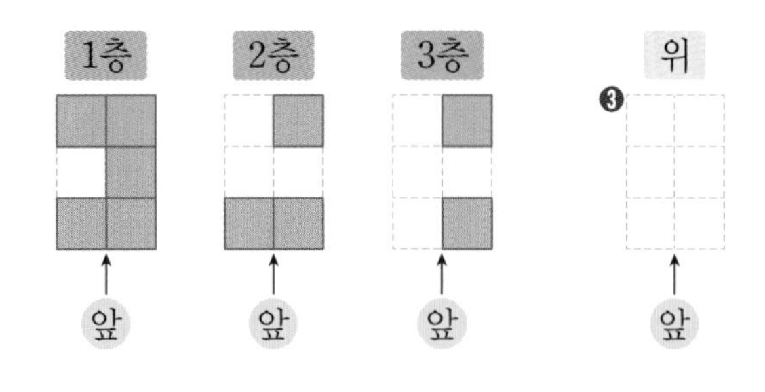

(1) 위에서 본 모양 그리기: 위에서 본 모양은 ❶ [   ]층의 모양과 같습니다.

(2) 위에서 본 모양에 수를 쓰기: 3층에서 색칠된 자리에 ❷ [   ]을 쓰고, 2층에서 색칠된 자리 중에 3이 쓰인 자리를 제외한 자리에 2를 쓰고, 나머지 자리에 1을 씁니다.

(3) 똑같은 모양으로 쌓는 데 필요한 쌓기나무의 개수는 ❹ [   ]개입니다.

답 ❶ 1 ❷ 3 ❸ 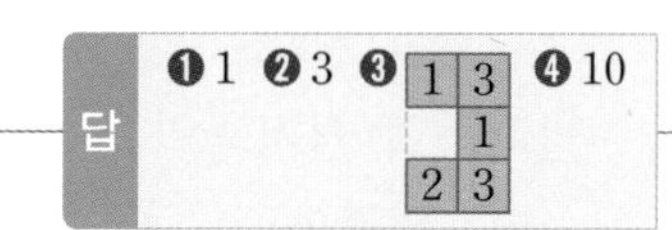 ❹ 10

필수 예제 01

쌓기나무로 쌓은 모양을 층별로 나타낸 모양입니다. 위에서 본 모양에 수를 쓰는 방법으로 나타내고, 똑같은 모양으로 쌓는 데 필요한 쌓기나무의 개수를 구하시오.

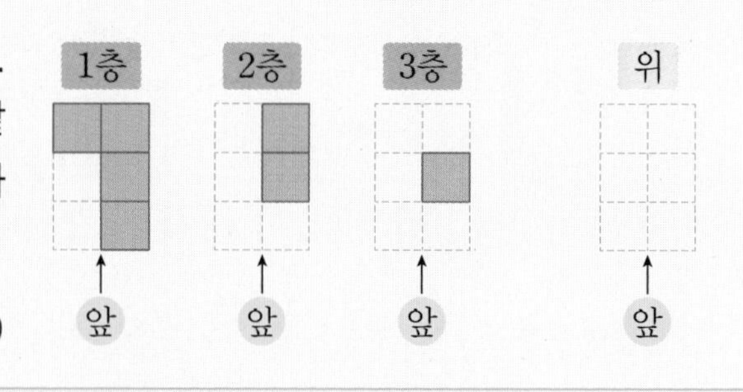

(   )

풀이 | 위에서 본 모양은 1층의 모양과 같습니다.
3층에서 색칠된 자리에 3을 쓰고, 2층에서 색칠된 자리 중에 3이 쓰인 자리를 제외한 자리에 2를 쓰고, 나머지 자리에 1을 씁니다.
똑같은 모양으로 쌓는 데 필요한 쌓기나무의 개수는 $1+2+3+1=7$(개)입니다.

확인 1-1

쌓기나무로 쌓은 모양을 층별로 나타낸 모양입니다. 위에서 본 모양에 수를 쓰는 방법으로 나타내고, 똑같은 모양으로 쌓는 데 필요한 쌓기나무의 개수를 구하시오.

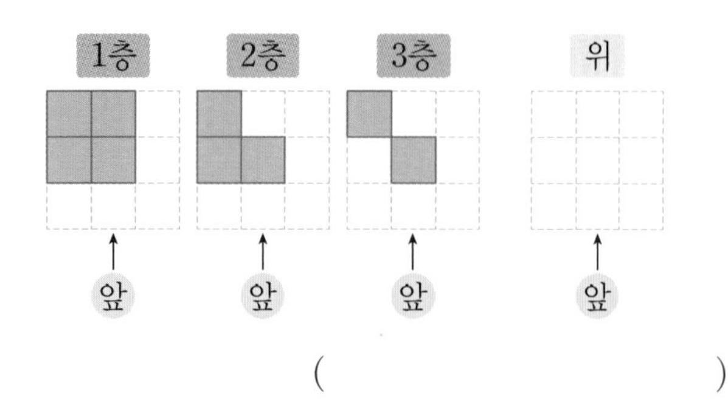

(   )

확인 1-2

쌓기나무로 쌓은 모양을 층별로 나타낸 모양입니다. 위에서 본 모양에 수를 쓰는 방법으로 나타내고, 똑같은 모양으로 쌓는 데 필요한 쌓기나무의 개수를 구하시오.

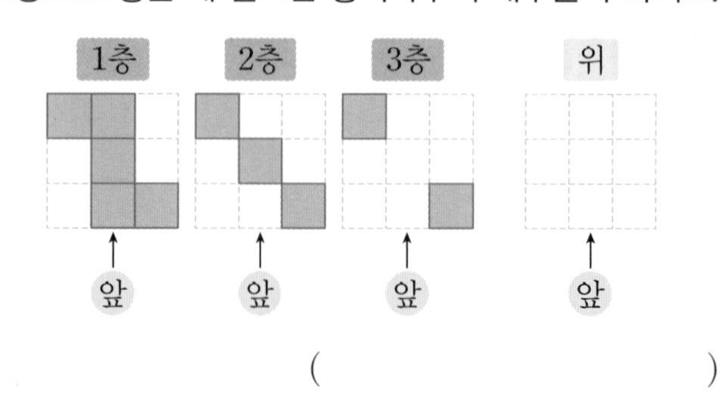

(   )

전략 2 똑같이 쌓는 데 필요한 쌓기나무 개수의 차

[관련 단원] 공간과 입체

예 가와 나의 모양을 쌓는 데 필요한 쌓기나무 개수의 차 구하기

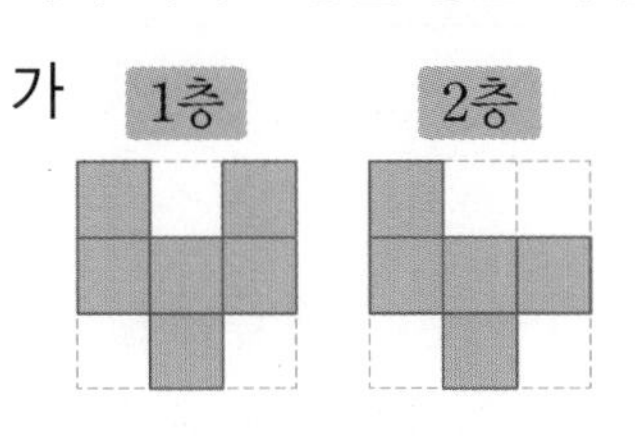

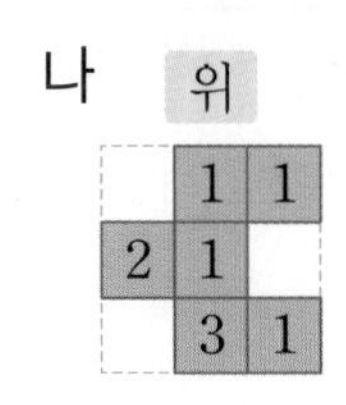

(1) 가 모양을 쌓는 데 필요한 쌓기나무의 개수 구하기:
1층에 6개, 2층에 ❶ ☐ 개가 쌓여 있으므로 모두 ❷ ☐ 개입니다.

(2) 나 모양을 쌓는 데 필요한 쌓기나무의 개수 구하기: $1+1+2+1+3+1=$ ❸ ☐ (개)

(3) 필요한 쌓기나무 개수의 차 구하기: ❹ ☐ $-$ ❺ ☐ $=$ ❻ ☐ (개)

답 ❶5 ❷11 ❸9 ❹11 ❺9 ❻2

필수 예제 02

쌓기나무로 쌓은 모양을 가는 층별로 나타낸 모양이고, 나는 위에서 본 모양에 수를 쓴 방법으로 나타낸 것입니다. 똑같이 쌓는 데 필요한 쌓기나무의 개수의 차를 구하시오.

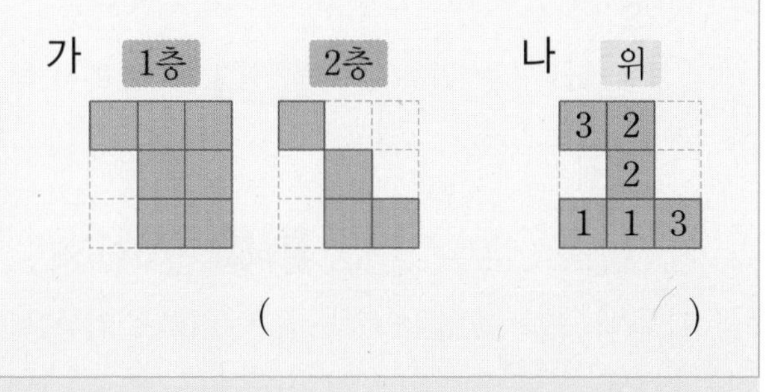

( )

풀이 | 모양을 쌓는 데 필요한 쌓기나무의 개수는 가: 1층에 7개, 2층에 4개 ➡ $7+4=11$(개), 나: $3+2+2+1+1+3=12$(개)입니다. 따라서 필요한 쌓기나무 개수의 차는 $12-11=1$(개)입니다.

확인 2-1

쌓기나무로 쌓은 모양을 가는 층별로 나타낸 모양이고, 나는 위에서 본 모양에 수를 쓴 방법으로 나타낸 것입니다. 똑같이 쌓는 데 필요한 쌓기나무의 개수의 차를 구하시오.

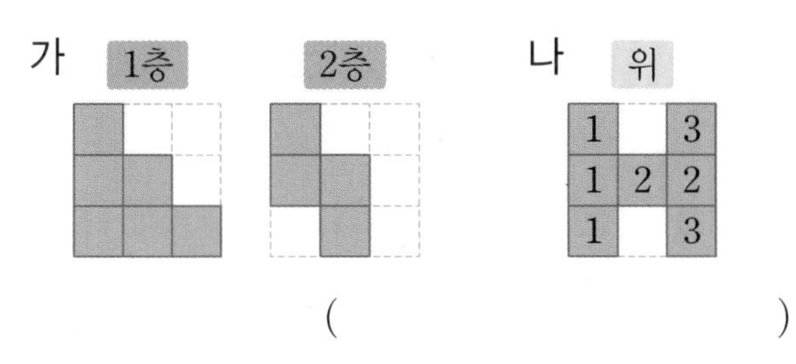

( )

확인 2-2

쌓기나무로 쌓은 모양을 가는 층별로 나타낸 모양이고, 나는 위에서 본 모양에 수를 쓴 방법으로 나타낸 것입니다. 똑같이 쌓는 데 필요한 쌓기나무의 개수의 차를 구하시오.

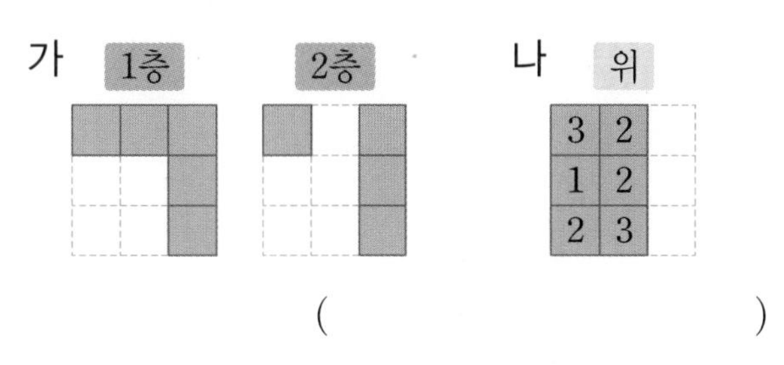

( )

3 주

전략 3 원기둥, 원뿔, 구의 공통점과 차이점 쓰기

[관련 단원] 원기둥, 원뿔, 구

예 원기둥과 원뿔의 공통점과 차이점 쓰기

공통점 (1) 밑면의 모양이 ❶ □ 입니다.

(2) 위에서 본 모양이 ❷ □ 입니다.

차이점 (1) 원기둥은 밑면이 2개이고, 원뿔은 밑면이 ❸ □ 개입니다.

(2) 원기둥은 옆에서 본 모양이 ❹ □ 이고, 원뿔은 옆에서 본 모양이 삼각형입니다.

답 ❶ 원 ❷ 원 ❸ 1 ❹ 사각형

필수 예제 03

원기둥과 구의 공통점과 차이점을 쓰시오.

공통점 (1) 뾰족한 부분이 □ 습니다.

(2) 위에서 본 모양이 □ 입니다.

차이점 (1) 원기둥은 밑면이 2개이고, 구는 밑면이 □ 습니다.

(2) 원기둥은 옆에서 본 모양이 □ 이고, 구는 옆에서 본 모양이 □ 입니다.

풀이 | 원기둥과 구는 뾰족한 부분이 없고, 위에서 본 모양이 원입니다.
원기둥은 밑면이 2개이고, 구는 밑면이 없습니다.
원기둥은 옆에서 본 모양이 사각형이고, 구는 옆에서 본 모양이 원입니다.

확인 3-1

원뿔과 구의 공통점과 차이점을 각각 1가지씩 쓰시오.

공통점

차이점

확인 3-2

원기둥, 원뿔, 구의 공통점과 차이점을 각각 1가지씩 쓰시오.

공통점

차이점

▶정답 및 풀이 20쪽

전략 4 원기둥의 전개도를 보고 밑면의 반지름 구하기

[관련 단원] **원기둥, 원뿔, 구**

예 원기둥의 전개도를 보고 밑면의 반지름 구하기(원주율: 3)

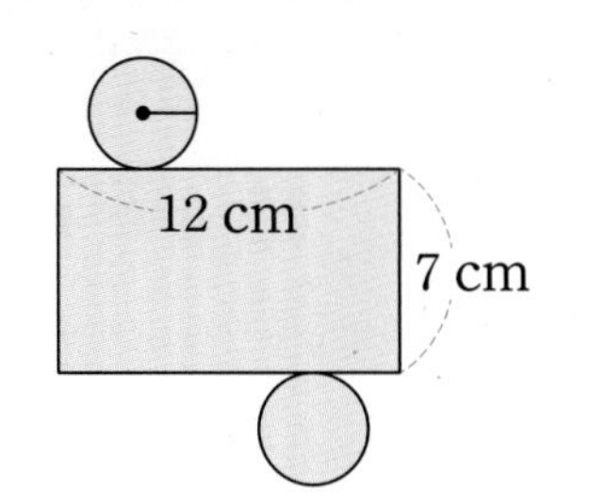

(1) 밑면의 둘레 알아보기: 밑면의 둘레는 옆면의 ❶[ ]의 길이와 같습니다.

(2) 밑면의 둘레 구하는 식 쓰기: (반지름) $\times 2 \times 3 =$ ❷[ ] (cm)

(3) 밑면의 반지름 구하기: (반지름) $=$ ❸[ ] $\div 6 =$ ❹[ ] (cm)

답 ❶ 가로 ❷ 12 ❸ 12 ❹ 2

필수 예제 04

원기둥의 전개도에서 옆면의 가로가 24.8 cm, 세로가 9 cm일 때 원기둥의 밑면의 반지름은 몇 cm인지 구하시오.(원주율: 3.1)

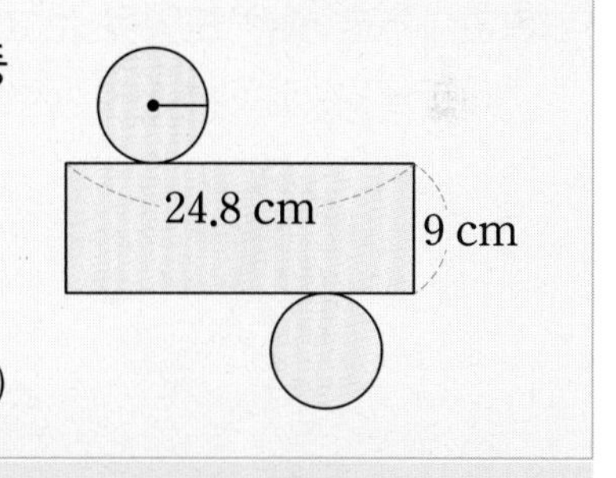

(   )

풀이 | 밑면의 둘레는 옆면의 가로의 길이와 같으므로 24.8 cm입니다.
(밑면의 둘레) $=$ (반지름) $\times 2 \times 3.1 = 24.8$, (반지름) $\times 6.2 = 24.8$, (반지름) $= 24.8 \div 6.2 = 4$ (cm)

확인 4-1

원기둥의 전개도에서 옆면의 가로가 31 cm, 세로가 12 cm일 때 원기둥의 밑면의 반지름은 몇 cm인지 구하시오. (원주율: 3.1)

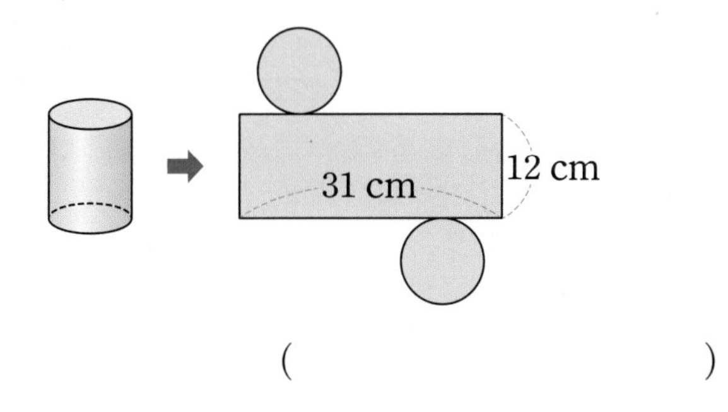

(   )

확인 4-2

원기둥의 전개도에서 옆면의 가로가 37.68 cm, 세로가 11 cm일 때 원기둥의 밑면의 반지름은 몇 cm인지 구하시오. (원주율: 3.14)

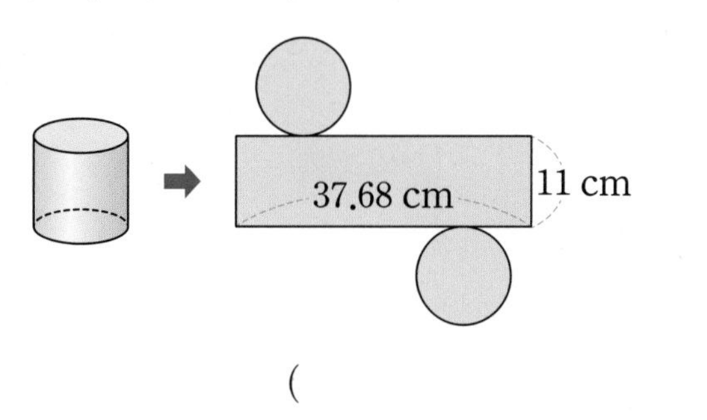

(   )

3주 03일 필수 체크 전략 ❷

[관련 단원] **공간과 입체**

1 쌓기나무로 쌓은 모양을 보고 위에서 본 모양에 수를 썼습니다. 앞에서 본 모양을 그리시오.

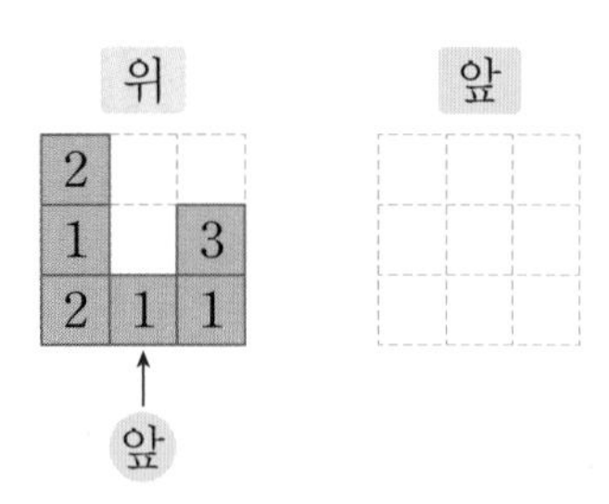

> **Tip**
> • 앞에서 봤을 때 각 줄의 가장 ❶ ☐ 층이 보이므로 왼쪽부터 ❷ ☐ 층, 1층, ❸ ☐ 층으로 보입니다.
>
> 답 ❶ 높은 ❷ 2 ❸ 3

[관련 단원] **공간과 입체**

2 쌓기나무로 쌓은 모양을 보고 위에서 본 모양에 수를 썼습니다. 관계있는 것끼리 선으로 이으시오.

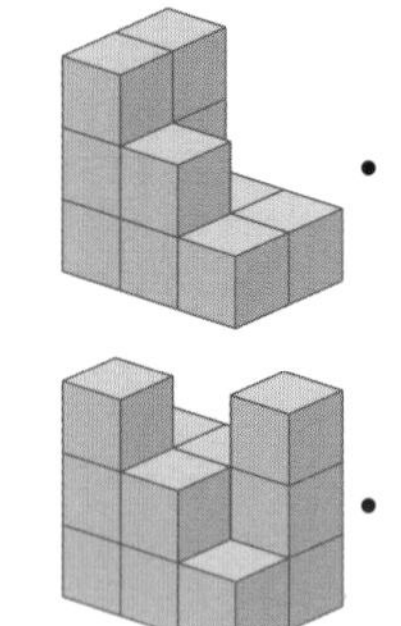

3	1	1
3	2	1

2	2	3
3	2	1

> **Tip**
> • 각 자리에 쌓은 쌓기나무의 ❶ ☐ 를 세어 위에서 본 모양에 쓰인 수와 ❷ ☐ 은지 확인합니다.
>
> 답 ❶ 수 ❷ 같

[관련 단원] **공간과 입체**

3 ❶쌓기나무로 1층 위에 서로 다른 모양으로 2층과 3층을 쌓으려고 합니다. ❷1층 모양을 보고 2층과 3층으로 쌓을 수 있는 알맞은 모양을 찾아 기호를 쓰시오.

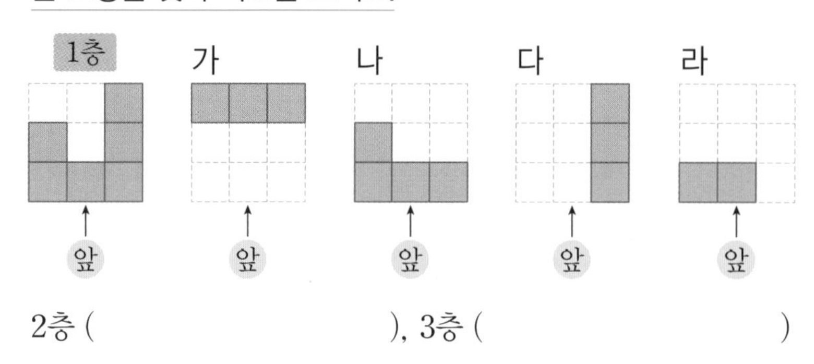

2층 (　　　　　　　　), 3층 (　　　　　　　　)

> **Tip**
> ❶ 2층에 쌓기나무를 쌓을 수 있는 자리는 ❶ ☐ 층에 쌓기나무가 있는 자리입니다.
> 3층에 쌓기나무를 쌓을 수 있는 자리는 ❷ ☐ 층에 쌓기나무가 있는 자리입니다.
> ❷ 1층 모양을 보고 2층 모양을 알아보고, 2층 모양을 보고 3층 모양을 알아봅니다.
>
> 답 ❶ 1 ❷ 2

▶정답 및 풀이 21쪽

[관련 단원] **원기둥, 원뿔, 구**

4 다음 그림이 원기둥의 전개도가 아닌 이유를 쓰시오.

Tip

- 원기둥의 전개도에서 두 밑면은 ❶ ☐ 인 원이고 옆면은 직 ❷ ☐ 형입니다.

답 ❶합동 ❷사각

[관련 단원] **원기둥, 원뿔, 구**

5 왼쪽 원기둥을 보고 원기둥의 전개도를 그리시오. (원주율: 3)

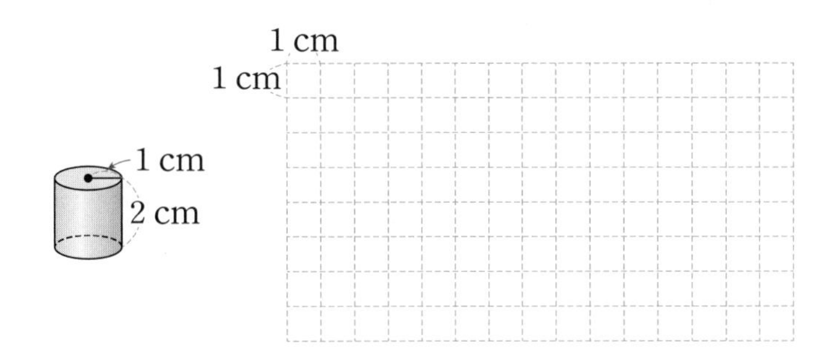

Tip

- 원기둥의 전개도에서 옆면의 가로의 길이는 밑면의 ❶ ☐ 와 같으므로 $1\times2\times3=$ ❷ ☐ (cm)입니다.
- 원기둥의 전개도는 밑면은 합동인 원 2개를 그리고, 옆면은 직사각형으로 그립니다.

답 ❶둘레 ❷6

[관련 단원] **원기둥, 원뿔, 구**

6 모양과 크기가 같은 원뿔을 보고 나눈 대화에서 잘못 말한 친구를 쓰시오.

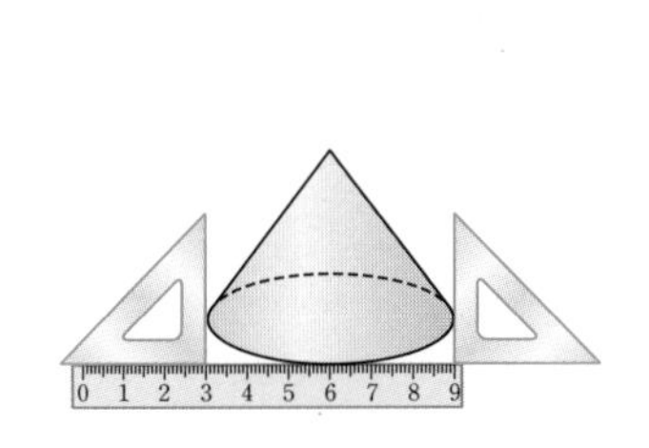
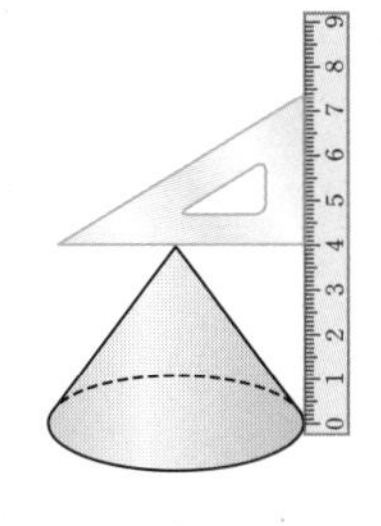
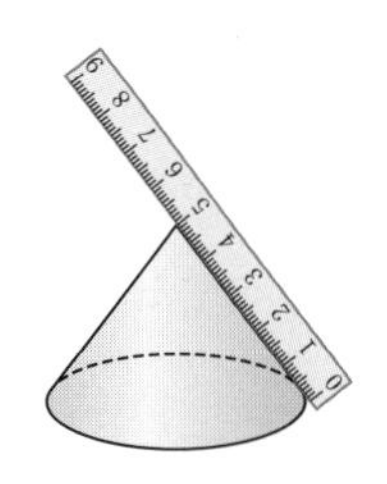

재희: 밑면의 지름을 재었더니 9 cm야.
정빈: 모선은 원뿔의 꼭짓점과 밑면인 원의 둘레의 한 점을 이은 선분이므로 모선의 길이는 5 cm야.
민규: 원뿔의 높이는 4 cm야.

( )

Tip

- 모선: 원뿔의 ❶ ☐ 과 밑면인 원의 둘레의 한 점을 이은 선분
- 높이: 원뿔의 꼭짓점에서 밑면에 ❷ ☐ 인 선분의 길이

답 ❶꼭짓점 ❷수직

3주

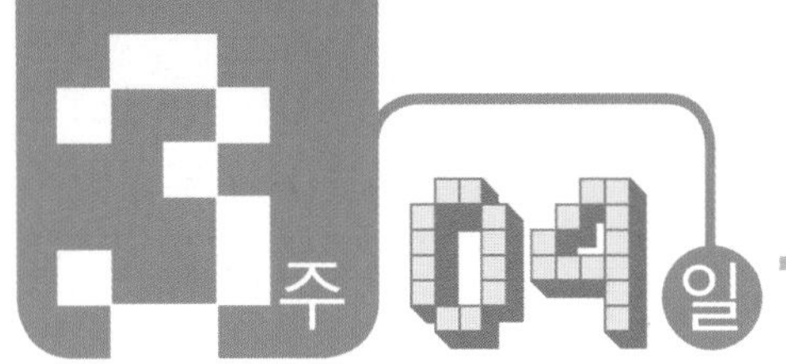

교과서 대표 전략 ❶

대표 예제 01

쌓기나무로 쌓은 모양을 위, 앞, 옆에서 본 모양입니다. 똑같은 모양으로 쌓는 데 필요한 쌓기나무의 개수를 구하시오.

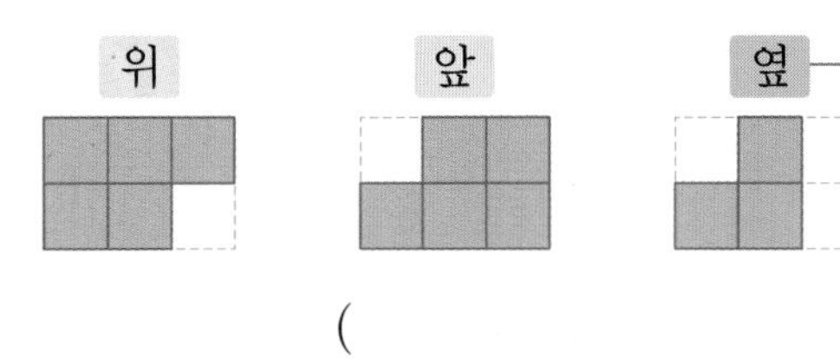

(　　　　　　　　　　)

개념가이드

앞에서 봤을 때 각 줄의 가장 높은 층은 왼쪽부터 1층, 2층, ❶ [　　] 층이고, 옆에서 봤을 때 각 줄의 가장 높은 층은 왼쪽부터 ❷ [　　] 층, 2층입니다.

[답] ❶ 2 ❷ 1

대표 예제 02

왼쪽 그림은 쌓기나무로 쌓은 모양을 보고 위에서 본 모양에 수를 쓴 것입니다. 앞과 옆에서 본 모양을 각각 그리시오.

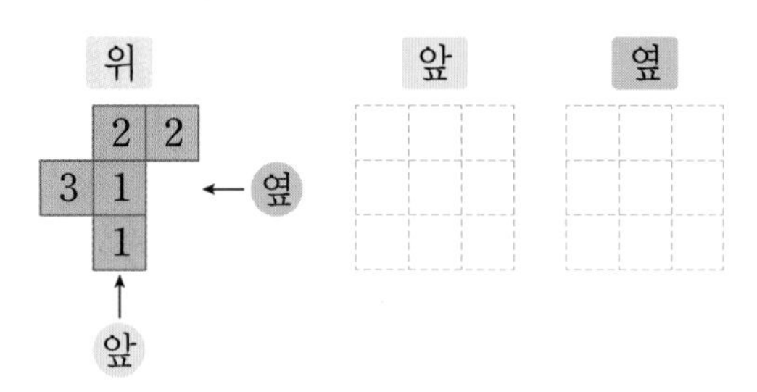

개념가이드

각 방향에서 봤을 때 가장 ❶ [　　] 은 층으로 보이므로 앞, 옆에서 본 모양은 각 줄의 가장 ❷ [　　] 은 층으로 그립니다.

[답] ❶ 높 ❷ 높

대표 예제 03

쌓기나무로 쌓은 모양을 위, 앞, 옆에서 본 모양입니다. 위에서 본 모양에 수를 써넣으시오.

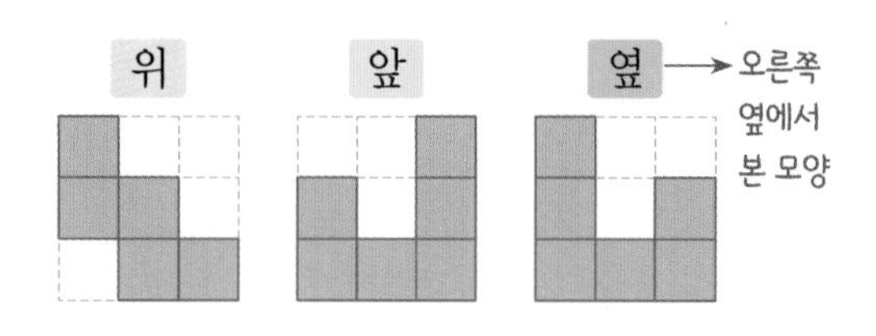

개념가이드

앞에서 봤을 때 가장 왼쪽 줄은 2층이므로 위에서 봤을 때 가장 왼쪽 줄의 두 자리에는 쌓기나무가 (1개, ❶ [　　] 개), (❷ [　　] 개, 1개), (2개, 2개) 쌓여 있을 수 있습니다.

[답] ❶ 2 ❷ 2

대표 예제 04

쌓기나무로 쌓은 모양과 1층 모양을 보고 2층과 3층 모양을 각각 그리시오.

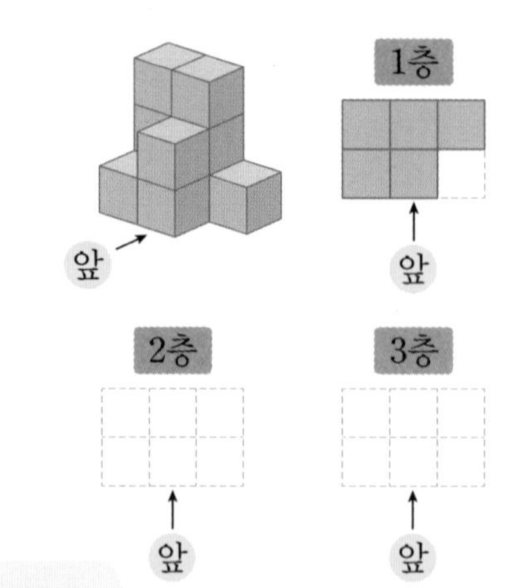

개념가이드

뒤쪽에 보이지 않는 쌓기나무는 없으므로 2층에는 ❶ [　　] 칸, 3층에는 ❷ [　　] 칸에 색칠합니다.

[답] ❶ 3 ❷ 2

▶정답 및 풀이 22쪽

대표 예제 05

쌓기나무를 각각 4개씩 붙여서 만든 두 가지 모양을 사용하여 새로운 모양을 만들었습니다. 어떻게 만들었는지 구분하여 색칠하시오.

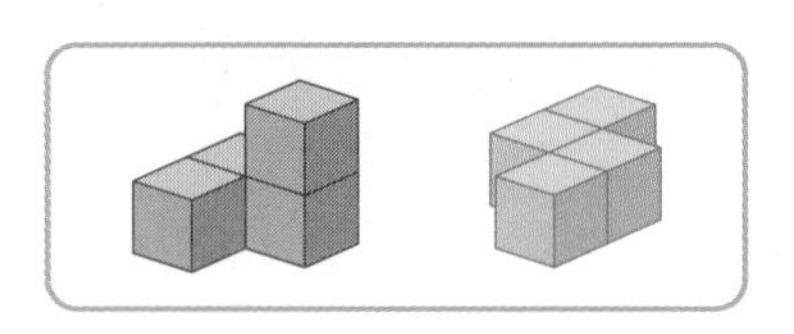

(1) 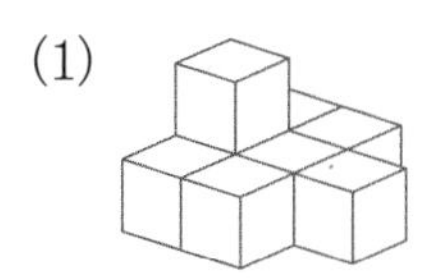

(2) 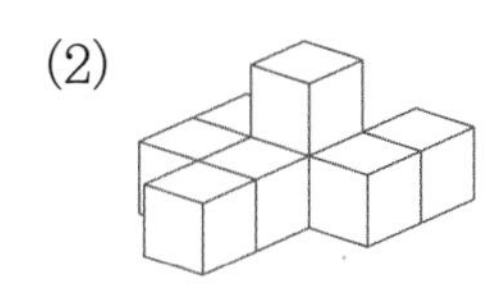

개념가이드

하나의 모양을 ❶ [ ] 집거나 ❷ [ ] 렸을 때의 모양을 만든 모양에서 먼저 찾아봅니다.

[답] ❶ 뒤 ❷ 돌

대표 예제 07

쌓기나무 8개로 쌓은 모양을 위와 옆에서 본 모양입니다. 앞에서 본 모양을 그리시오.

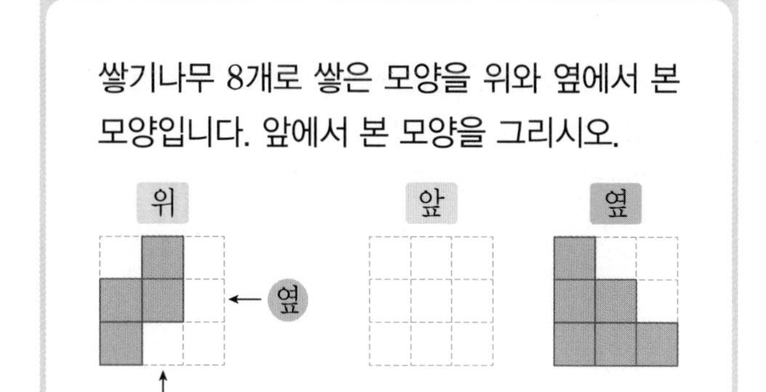

개념가이드

옆에서 봤을 때 왼쪽에서 둘째 줄이 되는 자리에 각각 쌓여 있는 쌓기나무는 최대 ❶ [ ] 개이므로 ❷ [ ] 개 또는 ❸ [ ] 개가 쌓여 있을 수 있습니다.

[답] ❶ 2 ❷ 1 ❸ 2

대표 예제 06

위에서 본 모양에 수를 쓴 것을 보고 1층, 2층, 3층에 쌓인 쌓기나무의 개수를 각각 구하시오.

위

	3	1	2
3	2	1	

1층 ( )

2층 ( )

3층 ( )

개념가이드

2층에 쌓인 쌓기나무의 개수를 셀 때에는 2와 ❶ [ ] 이 쓰인 자리의 수를 모두 세어야 하므로 (2+ ❷ [ ])개이고, 3층에 쌓인 쌓기나무의 개수는 ❸ [ ] 개입니다.

[답] ❶ 3 ❷ 2 ❸ 2

대표 예제 08

쌓기나무 20개로 쌓은 모양입니다. ☆ 자리에 쌓인 쌓기나무는 몇 개입니까?

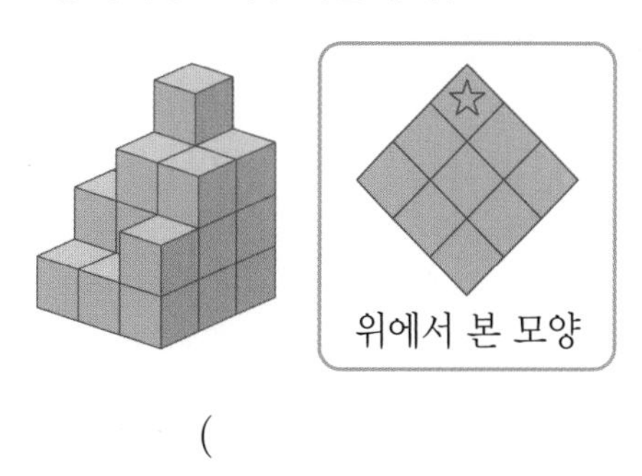

( )

개념가이드

☆표 한 자리에 쌓인 쌓기나무를 ❶ [ ] 한 나머지 쌓기나무의 개수를 세어 전체 개수에서 ❷ [ ] 니다.

[답] ❶ 제외 ❷ 뺍

대표 예제 09

원기둥을 만들 수 있는 전개도를 찾아 기호를 쓰시오.

가 나
다 라

(   )

개념가이드

원기둥의 전개도에는 원 모양의 합동인 밑면이 ❶ □개, ❷ □형 모양의 옆면이 1개 있다.

[답] ❶ 2 ❷ 직사각

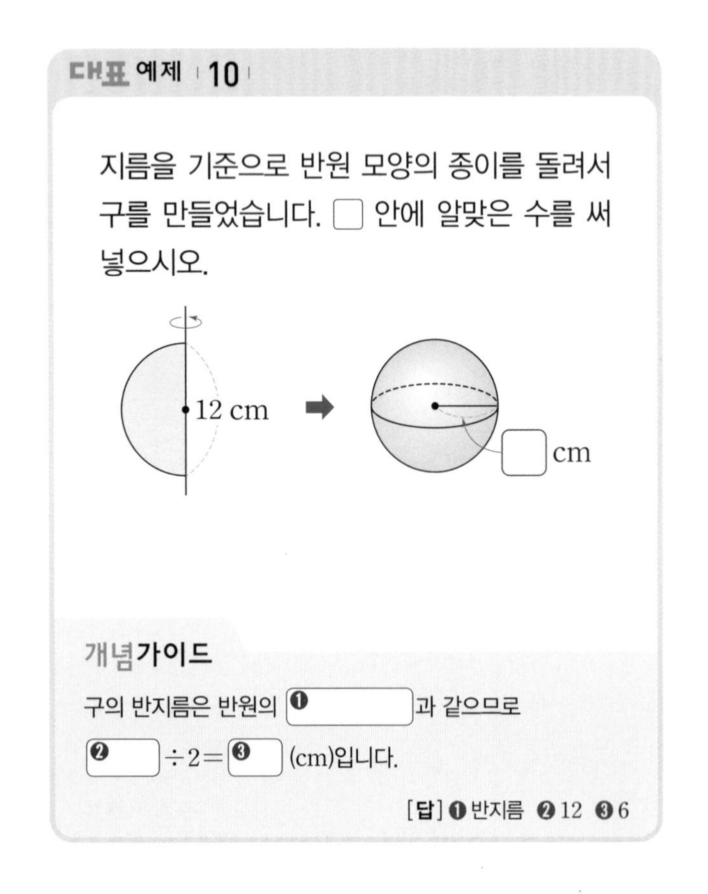

대표 예제 10

지름을 기준으로 반원 모양의 종이를 돌려서 구를 만들었습니다. □ 안에 알맞은 수를 써넣으시오.

개념가이드

구의 반지름은 반원의 ❶ □과 같으므로 ❷ □ $\div 2=$ ❸ □ (cm)입니다.

[답] ❶ 반지름 ❷ 12 ❸ 6

대표 예제 11

원기둥에 대한 설명에는 '원', 각기둥에 대한 설명에는 '각'이라 쓰시오.

- 밑면이 원입니다. (   )
- 굴리면 잘 굴러갑니다. (   )
- 옆면이 직사각형입니다. (   )
- 굽은 면이 있습니다. (   )

개념가이드

- 원기둥은 밑면이 ❶ □이고, 옆면이 굽은 면입니다.
- 각기둥은 밑면이 다각형이고, 옆면이 ❷ □형입니다.

[답] ❶ 원 ❷ 직사각

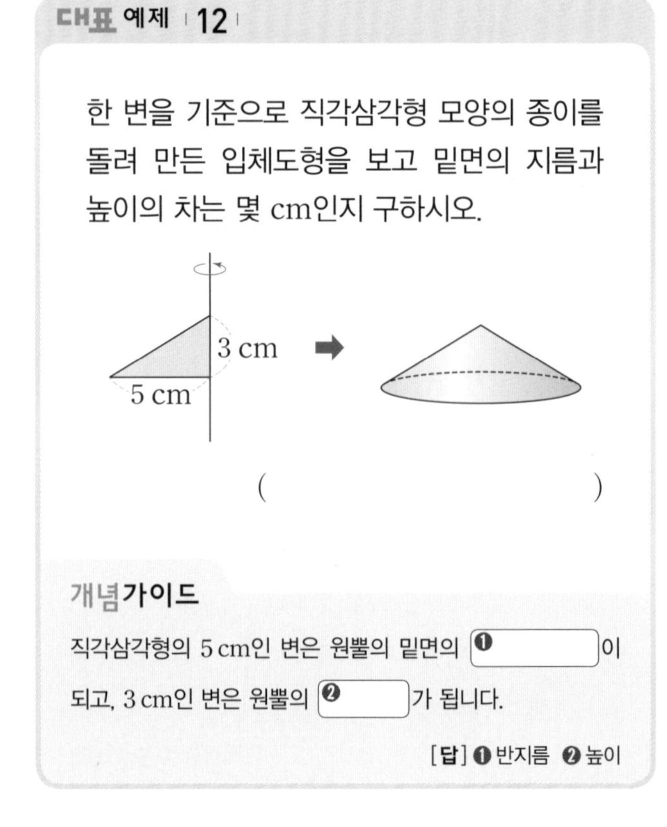

대표 예제 12

한 변을 기준으로 직각삼각형 모양의 종이를 돌려 만든 입체도형을 보고 밑면의 지름과 높이의 차는 몇 cm인지 구하시오.

(   )

개념가이드

직각삼각형의 5 cm인 변은 원뿔의 밑면의 ❶ □이 되고, 3 cm인 변은 원뿔의 ❷ □가 됩니다.

[답] ❶ 반지름 ❷ 높이

▶정답 및 풀이 22쪽

대표 예제 13

입체도형을 보고 빈칸에 알맞게 써넣으시오.

입체도형	(사각뿔)	(원뿔)
밑면의 모양	사각형	
밑면의 수	1	
위에서 본 모양		
앞에서 본 모양		삼각형

개념가이드

- 사각뿔: 밑에 놓인 면이 ❶ ☐형이고 옆으로 둘러싼 면이 모두 삼각형인 입체도형
- 원뿔: 평평한 면이 ❷ ☐이고 옆을 둘러싼 면이 굽은 면인 뿔 모양의 입체도형

[답] ❶ 사각 ❷ 원

대표 예제 15

다음을 보고 원기둥의 밑면의 지름과 높이를 구해 차례로 쓰시오.

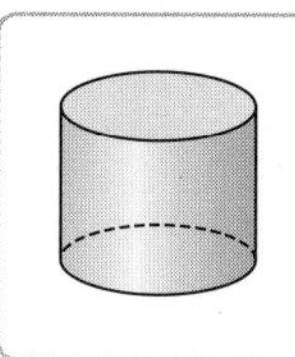

위에서 본 모양은 반지름이 3 cm인 원이고, 앞에서 본 모양은 정사각형입니다.

(　　　　), (　　　　)

개념가이드

앞에서 본 모양이 ❶ ☐형이므로 원기둥의 밑면의 지름과 ❷ ☐는 같습니다.

[답] ❶ 정사각 ❷ 높이

대표 예제 14

원기둥과 전개도를 보고 ☐ 안에 알맞은 수를 써넣으시오. (원주율: 3.1)

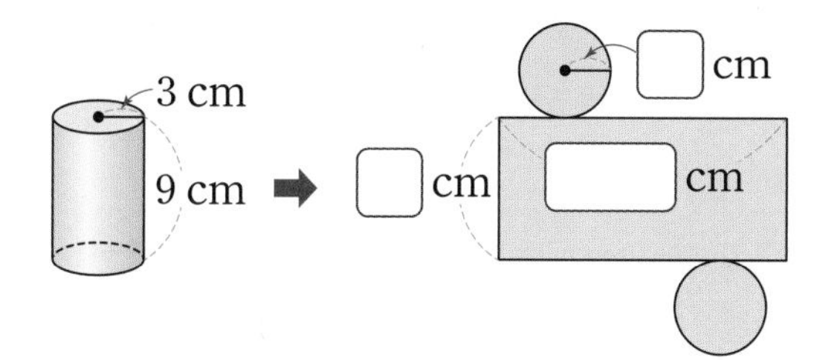

개념가이드

원기둥의 전개도에서 옆면의 가로의 길이는 밑면의 ❶ ☐와 같으므로 $3 \times 2 \times$ ❷ ☐ = ❸ ☐ (cm)입니다.

[답] ❶ 둘레 ❷ 3.1 ❸ 18.6

대표 예제 16

반지름이 7 cm인 구를 잘랐을 때 생기는 가장 큰 단면의 넓이를 구하시오. (원주율: 3.14)

(　　　　)

원의 넓이는 (반지름)×(반지름)×(원주율)로 구할 수 있습니다.

개념가이드

구를 잘랐을 때 생기는 가장 큰 단면은 반지름이 ❶ ☐ cm인 원이므로 넓이는 ❷ ☐ × ❸ ☐ × 3.14로 구합니다.

[답] ❶ 7 ❷ 7 ❸ 7

3주

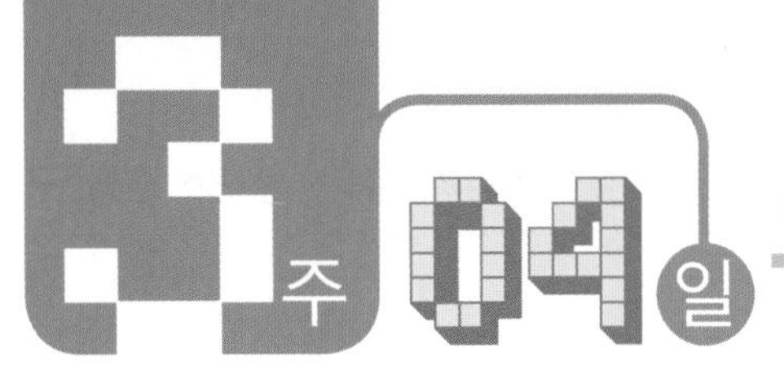

교과서 대표 전략 ❷

1 쌓기나무 13개로 쌓은 모양을 층별로 나타낸 것입니다. 잘못 색칠된 자리를 찾아 ×표 하시오.

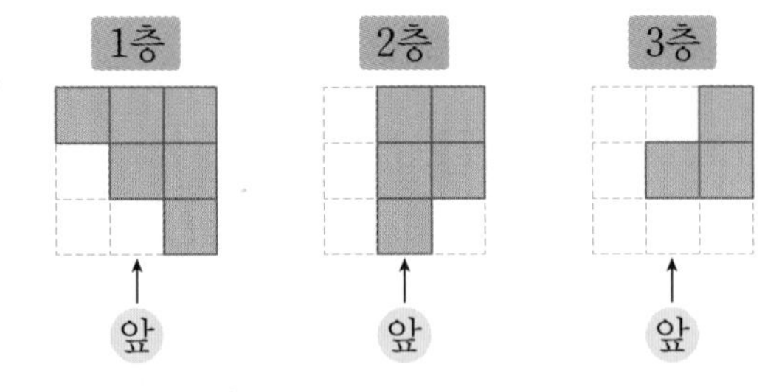

Tip

1층에 쌓기나무가 없는 곳에 2층, ❶ 층을 쌓을 수 ❷ 습니다.

답 ❶3 ❷없

3 아린이는 쌓기나무를 20개 가지고 있습니다. 주어진 모양과 똑같은 모양으로 쌓고 남는 쌓기나무는 몇 개입니까?

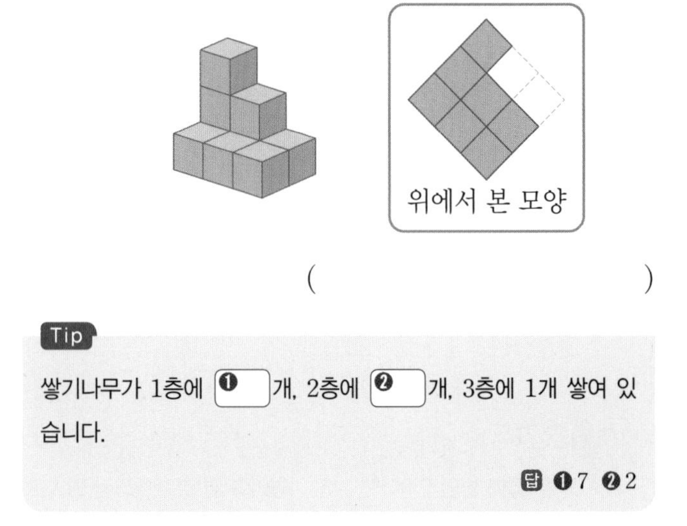

(　　　　　　　　)

Tip

쌓기나무가 1층에 ❶ 개, 2층에 ❷ 개, 3층에 1개 쌓여 있습니다.

답 ❶7 ❷2

2 쌓기나무로 쌓은 모양을 위, 앞, 옆에서 본 모양입니다. 똑같은 모양으로 쌓는 데 필요한 쌓기나무는 몇 개입니까?

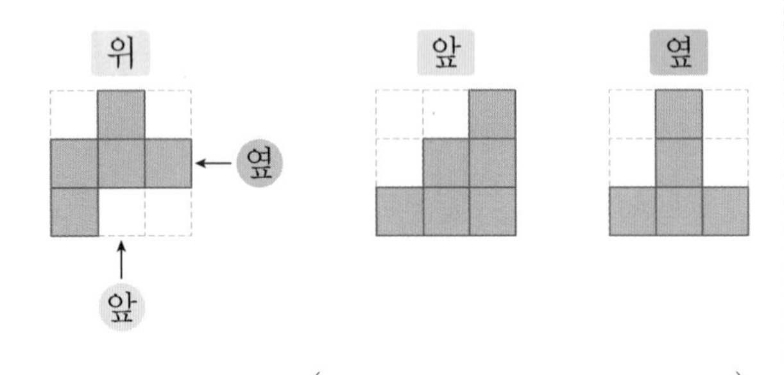

(　　　　　　　　)

Tip

앞에서 본 모양이 왼쪽부터 1층, 2층, 3층이므로 위에서 본 모양의 가장 왼쪽 줄의 두 자리에는 ❶ 을 쓰고, 가장 오른쪽 줄의 한 자리에는 ❷ 을 씁니다.

답 ❶1 ❷3

4 쌓기나무를 붙여서 만든 모양을 구멍이 있는 상자에 넣으려고 합니다. 모양을 넣을 수 있는 상자를 찾아 기호를 쓰시오.

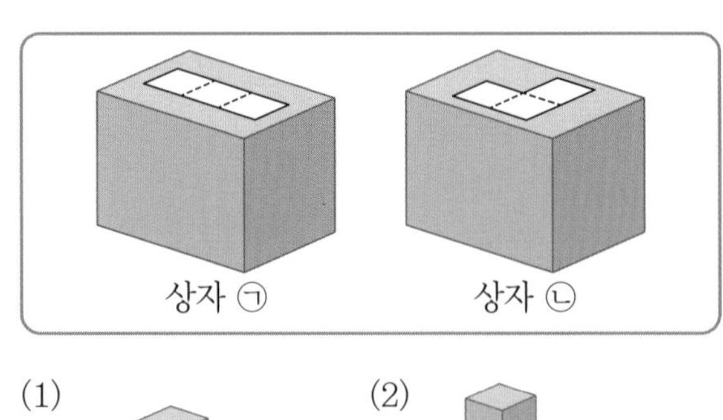

(1)

(2)

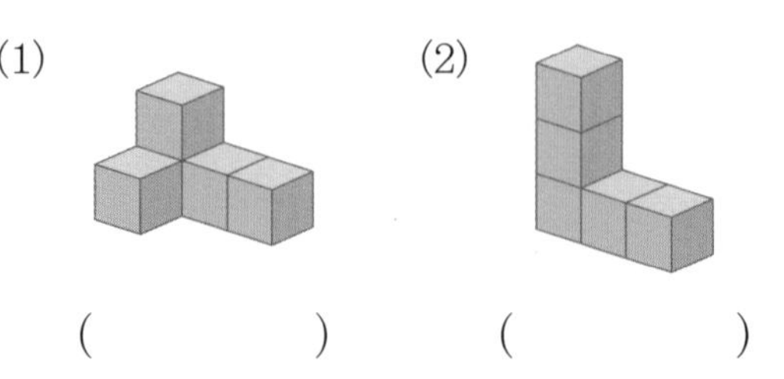

(　　　　)　　(　　　　)

Tip

쌓기나무를 ❶ 리거나 뒤집었을 때 들어갈 수 있는지 상자 구멍의 크기나 ❷ 과 비교해 봅니다.

답 ❶돌 ❷모양

▶정답 및 풀이 23쪽

5 다음 도형이 원기둥이 아닌 이유를 쓰시오.

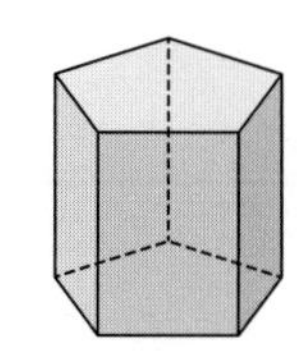

이유

Tip

원기둥: 위와 아래에 있는 면이 서로 평행하고 ❶ ☐ 인 ❷ ☐ 으로 이루어진 입체도형

답 ❶ 합동 ❷ 원

6 다음 구를 위에서 본 모양의 둘레는 몇 cm입니까? (원주율: 3.1)

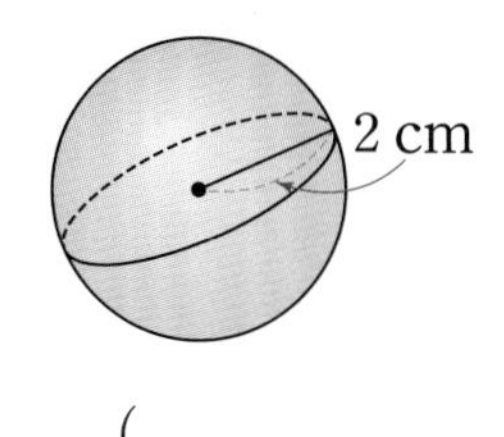

(　　　　　　　　)

Tip

위에서 본 모양은 반지름이 ❶ ☐ cm인 원이므로 둘레는 ❷ ☐ × ❸ ☐ × 3.1로 구합니다.

답 ❶ 2 ❷ 2 ❸ 2

7 한 변을 기준으로 직각삼각형 모양의 종이를 돌려 원뿔을 만들었습니다. 처음 직각삼각형 모양 종이의 넓이는 몇 cm^2입니까?

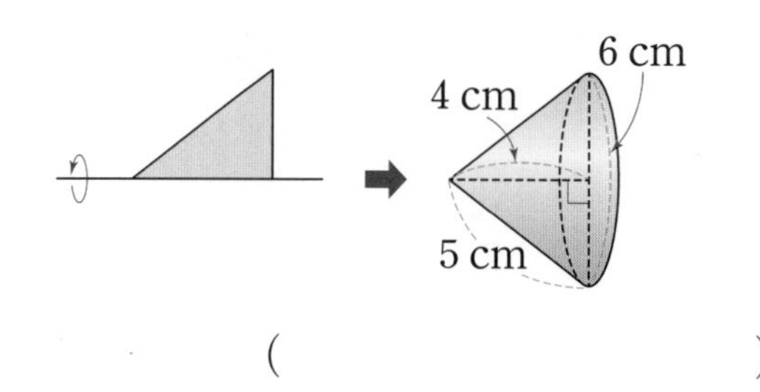

(　　　　　　　　)

Tip

직각삼각형 모양의 종이의 밑변의 길이와 높이는 각각 원뿔의 ❶ ☐, 밑면의 ❷ ☐ 과 같습니다.

답 ❶ 높이 ❷ 반지름

8 다음 조건을 모두 만족하는 원기둥의 높이는 몇 cm입니까? (원주율: 3)

- 전개도에서 옆면의 둘레는 48 cm입니다.
- 원기둥의 높이와 밑면의 지름은 같습니다.

(　　　　　　　　)

Tip

(원기둥의 높이)=(밑면의 지름)=■ cm라 할 때, 옆면의 세로의 길이는 ❶ ☐ cm이고, 옆면의 가로의 길이는 (■ × ❷ ☐) cm입니다.

답 ❶ ■ ❷ 3

3 주

누구나 만점 전략

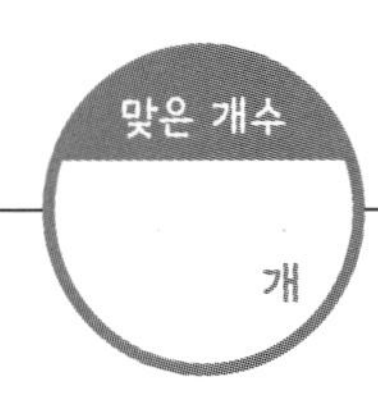

01 쌓기나무로 쌓은 모양을 보고 위에서 본 모양에 수를 썼습니다. 앞에서 본 모양을 그리시오.

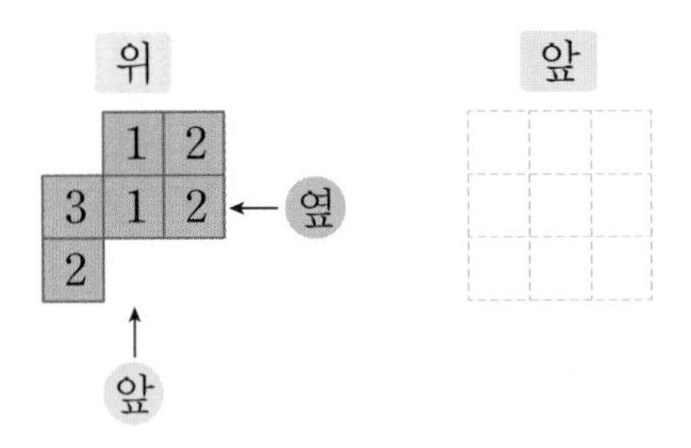

02 사용한 쌓기나무의 개수를 구하려고 합니다. □ 안에 알맞은 수를 써넣으시오.

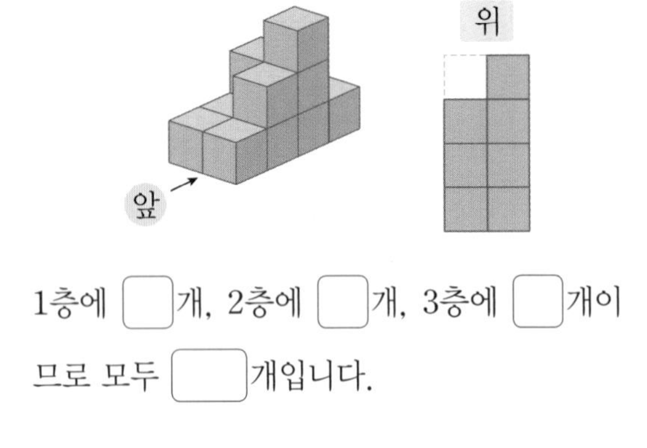

1층에 □개, 2층에 □개, 3층에 □개이므로 모두 □개입니다.

03 주어진 모양과 똑같이 쌓는 데 필요한 쌓기나무의 개수를 구하시오.

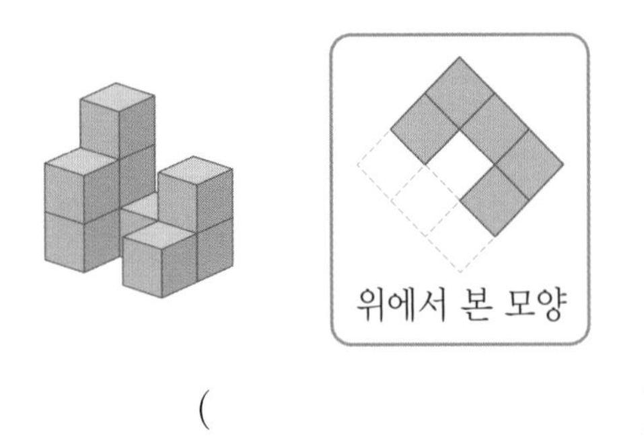

(　　　　　　　　)

04 쌓기나무로 쌓은 모양을 위, 앞, 옆에서 본 모양입니다. 쌓은 모양을 찾아 기호를 쓰시오.

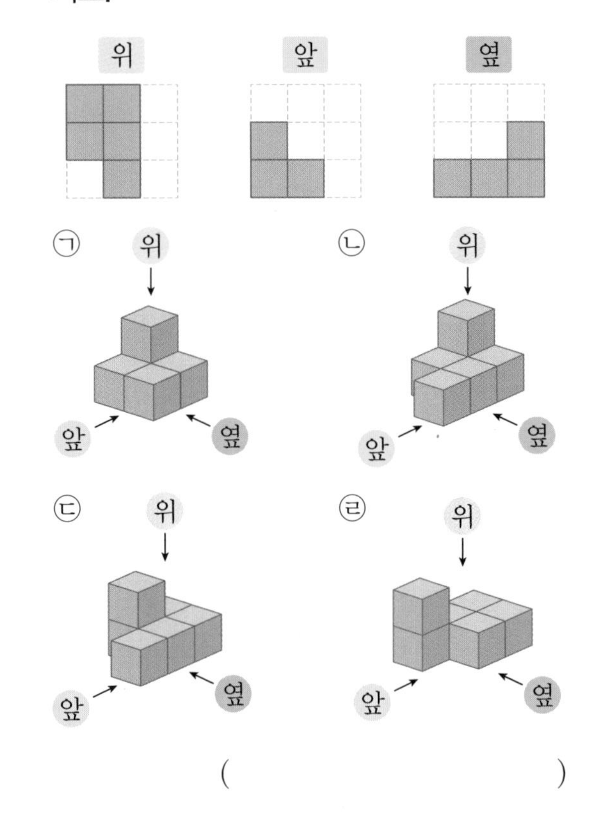

(　　　　　　　　)

05 쌓기나무로 쌓은 모양과 위에서 본 모양입니다. 앞, 옆에서 본 모양을 각각 그리시오.

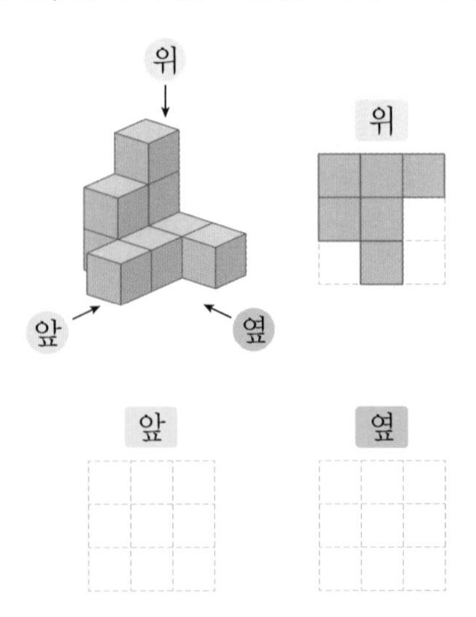

▶정답 및 풀이 24쪽

06

오른쪽 입체도형이 원기둥이 아닌 이유를 쓴 것입니다. □ 안에 알맞은 말을 써넣으시오.

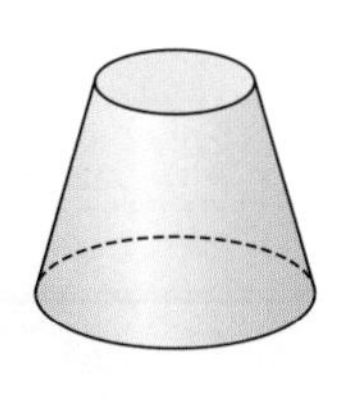

이유 두 밑면이 서로 □하지만 □이 아니므로 원기둥이 아닙니다.

07

원뿔에서 밑면의 지름, 모선의 길이, 높이는 각각 몇 cm인지 구하시오.

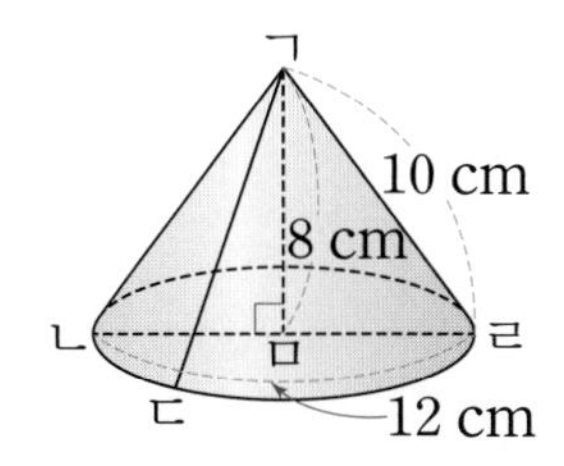

밑면의 지름 (　　　　)

모선의 길이 (　　　　)

높이 (　　　　)

08

빈 곳에 알맞은 말이나 수를 써넣으시오.

입체도형	밑면의 모양	밑면의 수(개)	꼭짓점의 수(개)
원기둥	원		
원뿔		1	

09

원기둥, 원뿔, 구에 대한 설명입니다. 옳지 않은 것은 어느 것입니까? ······· (　　　　)

① 원뿔에만 꼭짓점이 있습니다.

② 원기둥과 원뿔에는 밑면이 있습니다.

③ 원뿔에는 평평한 면이 있지만 구에는 없습니다.

④ 원뿔과 구는 앞에서 본 모양이 원으로 같습니다.

⑤ 원기둥과 원뿔의 옆면은 굽은 면입니다.

10

원기둥의 전개도를 보고 □ 안에 알맞은 수를 써넣으시오. (원주율: 3.14)

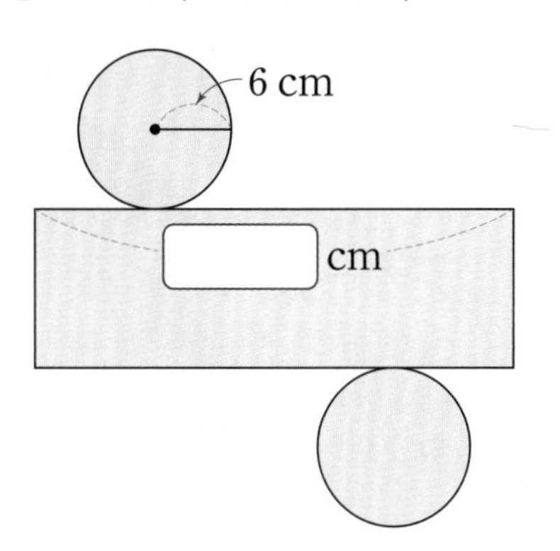

3 주

창의·융합·코딩 전략 ❶

1 위 대화를 읽고 상자를 쌓은 모양과 똑같이 쌓는 데 필요한 상자의 개수를 구하시오.

( )

▶정답 및 풀이 25쪽

창의 융합

2 원기둥에 대한 설명입니다. □ 안에 알맞은 말을 써넣으시오.

원기둥은 위와 아래에 있는 면이 서로 □하고 □인 원으로 이루어져 있습니다.

창의·융합·코딩 전략 ❷

1 쌓기나무로 쌓은 모양을 보고 위에서 본 모양에 수를 썼습니다. 다음과 같은 규칙으로 쌓기나무가 쌓여 있다면 여섯 번째 모양을 앞에서 본 모양을 그리시오.

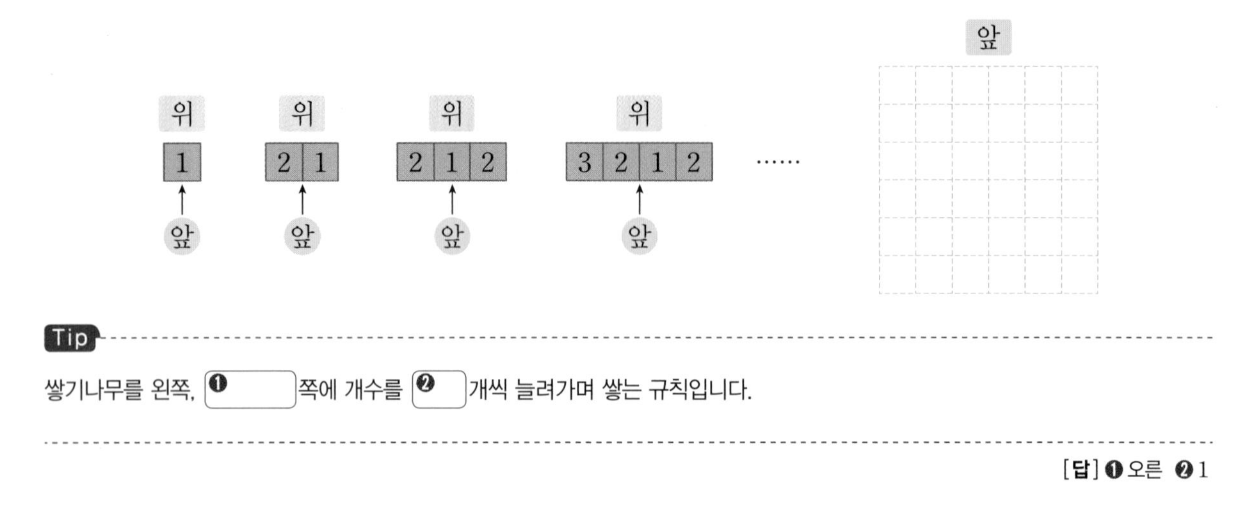

Tip

쌓기나무를 왼쪽, ❶ ☐ 쪽에 개수를 ❷ ☐ 개씩 늘려가며 쌓는 규칙입니다.

[답] ❶ 오른 ❷ 1

추론

2 하늘, 재현, 승규, 연우가 다음과 같이 쌓기나무를 붙여서 만든 모양을 2개씩 가지고 있습니다. 각자 가지고 있는 쌓기나무 모양 2개로 정육면체를 만들 수 있는 사람을 모두 찾아 쓰시오.

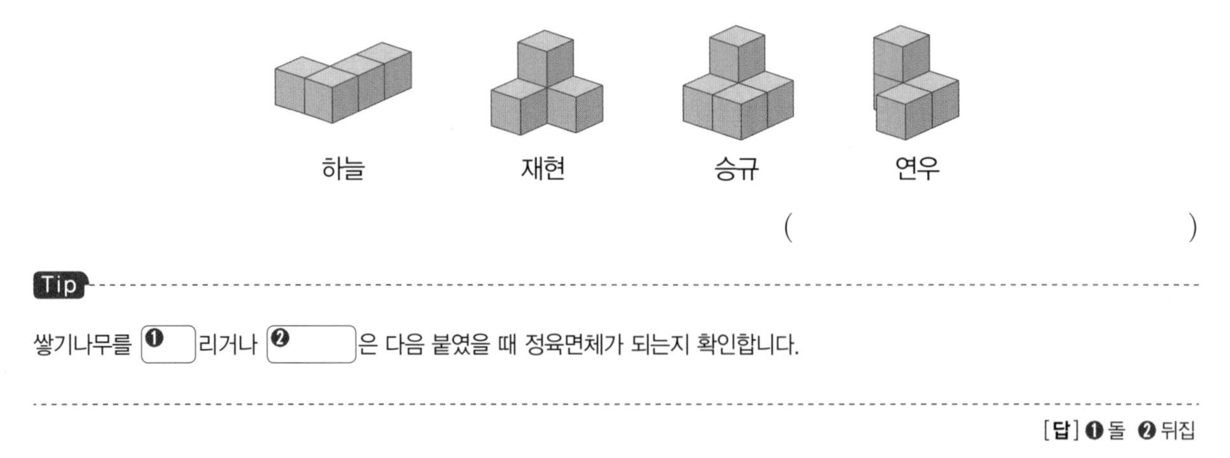

( )

Tip

쌓기나무를 ❶ ☐ 리거나 ❷ ☐ 은 다음 붙였을 때 정육면체가 되는지 확인합니다.

[답] ❶ 돌 ❷ 뒤집

▶정답 및 풀이 25쪽

3 왼쪽과 같은 정육면체 모양에서 쌓기나무를 몇 개 빼내었더니 오른쪽과 같은 모양이 되었습니다. 빼낸 쌓기나무는 몇 개인지 알아보시오.

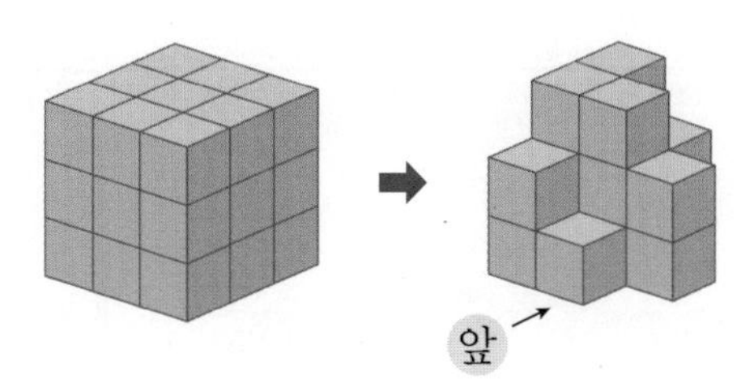

(1) 정육면체 모양에 사용한 쌓기나무는 몇 개입니까?

( )

(2) 쌓기나무를 빼낸 후 남은 쌓기나무를 위에서 본 모양을 그리고 수를 쓰시오.

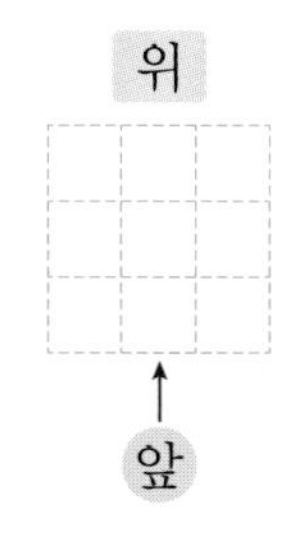

(3) 쌓기나무를 빼낸 후 남은 쌓기나무는 몇 개입니까?

( )

(4) 빼낸 쌓기나무는 몇 개입니까?

( )

Tip

정육면체 모양에 사용한 쌓기나무는 한 층에 ❶ 개씩 3층이므로 ❷ 개입니다.
쌓기나무를 빼낸 후 남은 쌓기나무를 위에서 본 모양을 그린 다음 각 자리에 쌓인 쌓기나무의 개수를 셉니다.

[답] ❶ 3 ❷ 27

코딩

4

다음 명령어에 따라 더 이상 이동할 수 없을 때까지 움직였을 때 마지막에 있는 입체도형은 원기둥, 원뿔, 구 중에서 무엇입니까?

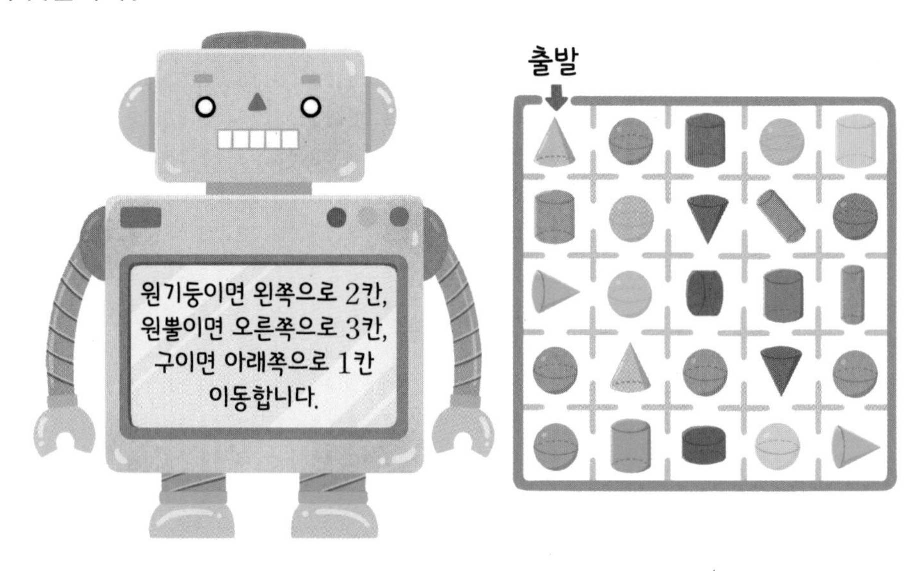

(　　　　　　　　　　)

Tip

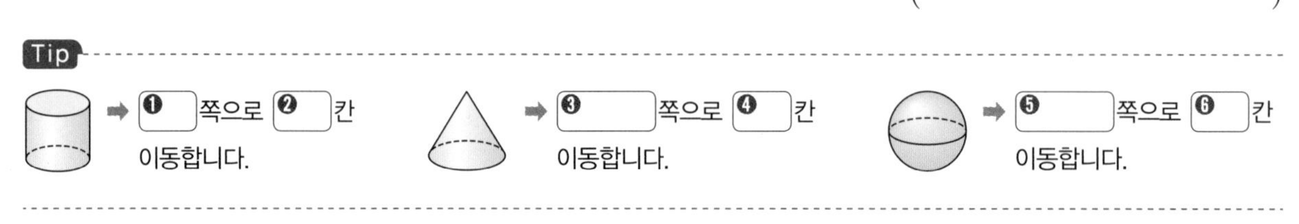

[답] ❶ 왼 ❷ 2 ❸ 오른 ❹ 3 ❺ 아래 ❻ 1

5

아르키메데스 묘비에는 원기둥 안에 꼭 맞게 들어가는 구가 그려져 있습니다.
원기둥의 밑면의 지름이 20 cm일 때 구의 반지름은 몇 cm입니까?

(　　　　　　　　　　)

Tip

원기둥 안에 구가 꼭 맞게 들어갔으므로 구의 반지름은 원기둥의 밑면의 ❶ 　　과 같습니다.

원기둥의 밑면의 반지름은 ❷ 　　 $\div 2 =$ ❸ 　　 (cm)입니다.

[답] ❶ 반지름 ❷ 20 ❸ 10

▶정답 및 풀이 25쪽

6 한 변을 기준으로 직사각형 모양의 종이를 한 바퀴 돌려 입체도형을 각각 만들었습니다. 만들어진 두 입체도형의 밑면의 반지름의 차는 몇 cm인지 알아보시오.

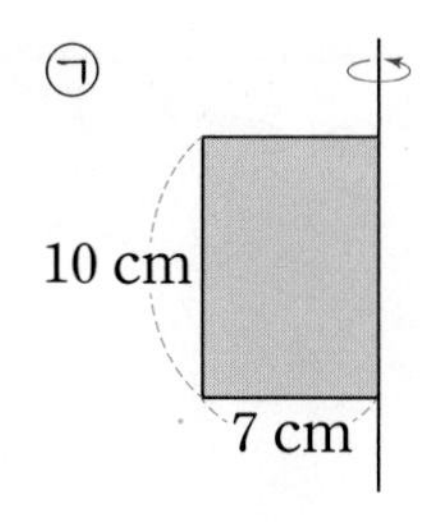

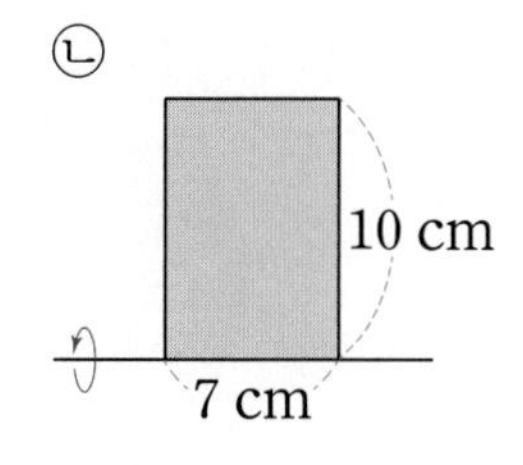

(1) ㉠에서 만들어진 입체도형의 밑면의 반지름은 몇 cm입니까?

( )

(2) ㉡에서 만들어진 입체도형의 밑면의 반지름은 몇 cm입니까?

( )

(3) 만들어진 두 입체도형의 밑면의 반지름의 차는 몇 cm입니까?

( )

Tip

한 변을 기준으로 직사각형 모양의 종이를 돌리면 ❶ [ ] 이 됩니다.

만들어진 입체도형의 밑면의 반지름은 기준으로 한 변이 아닌 다른 변의 길이와 ❷ [ ] 습니다.

[**답**] ❶ 원기둥 ❷ 같

이게 무슨 물이야?

응. 이건 머리가 좋아지는 물약이야.
정말?

나도 마셔야 하니까 넌 전체의 $\frac{2}{3} \div \frac{3}{4}$ 만큼만 마셔.

그럼 얼마나 마셔야 하는 거야?

(분수)÷(분수)의 계산은 나눗셈을 곱셈으로 바꾸고 나누는 분수의 분모와 분자를 바꾸어 계산하면 돼.
아직 물약을 안 먹어서 몰라.

나눗셈을 곱셈으로 바꾸기
$\frac{2}{3} \div \frac{3}{4} = \frac{2}{3} \times \frac{4}{3} = \frac{8}{9}$
나누는 분수의 분모와 분자를 바꾸기
넌 전체의 $\frac{8}{9}$만큼 마시면 돼.

앗! 맛이 왜 이래?
정말 속았지? 사실은 소금물이야.

놀려서 미안.

내가 미니 피자
사 줄게.
마음이 넓은
내가 이해할게.

미니 피자의 반지름은
10 cm야.
원주율을 3이라고 할 때
미니 피자의 넓이는
얼마나 될까?

그냥 사 주면
안 될까?
큭큭~

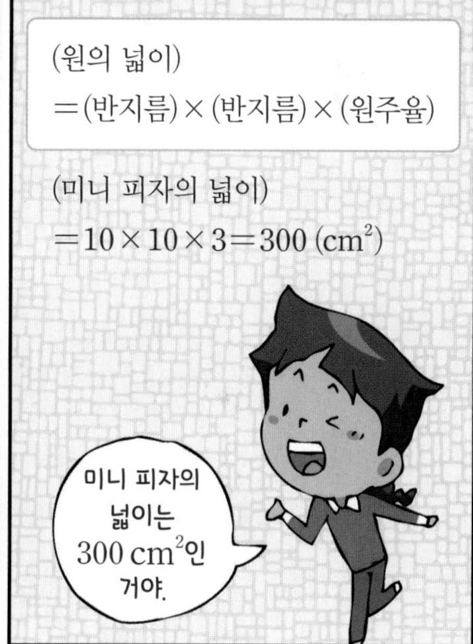
(원의 넓이)
=(반지름)×(반지름)×(원주율)
(미니 피자의 넓이)
=10×10×3=300 (cm²)
미니 피자의
넓이는
300 cm²인
거야.

그럼 피자의
반지름이 길어지면
피자의 넓이도
넓어지겠네?
물론이지.

그럼 반지름이
50 cm인
대왕 피자로
사 주라!
그렇게 큰 피자가
어디 있어.
그냥 미니 피자
먹어.

신유형·신경향·서술형 전략

[관련 단원] **분수의 나눗셈**

1

떨어진 높이의 $\frac{3}{4}$만큼 튀어 오르는 공이 있습니다. 이 공이 두 번째로 튀어 오른 높이가 $1\frac{2}{7}$ m일 때 처음 공을 떨어뜨린 높이는 몇 m인지 알아보시오.

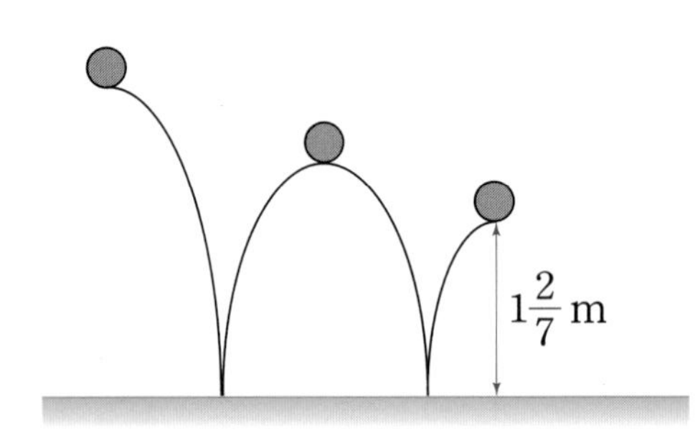

❶ 공이 첫 번째로 튀어 오른 높이는 몇 m입니까?

(　　　　　　　　)

❷ 처음 공을 떨어뜨린 높이는 몇 m입니까?

(　　　　　　　　)

Tip

공이 첫 번째로 튀어 오른 높이를 구할 때는 (공이 두 번째로 튀어 오른 높이)÷ ❶ [　　] 을 계산하고,

처음 공을 떨어뜨린 높이를 구할 때는 (공이 첫 번째로 튀어 오른 높이)÷ ❷ [　　] 을 계산합니다.

[답] ❶ $\frac{3}{4}$ ❷ $\frac{3}{4}$

▶정답 및 풀이 26쪽

[관련 단원] **소수의 나눗셈**

2

연산 규칙 상자 1과 2를 실행했을 때 출력되는 값은 각각 얼마인지 알아보시오.

연산 규칙 상자 1

- 시작
- 15 이상의 자연수 중 가장 작은 홀수 입력
- 입력된 값을 2.5로 나눈 몫 출력
- 끝

연산 규칙 상자 2

- 시작
- 20 이하의 자연수 중 가장 큰 짝수 입력
- 입력된 값을 1.25로 나눈 몫 출력
- 끝

❶ 연산 규칙 상자 1을 실행했을 때 출력되는 값은 얼마입니까?

( )

❷ 연산 규칙 상자 2를 실행했을 때 출력되는 값은 얼마입니까?

( )

Tip

15 이상의 자연수는 ❶ [ ] 와 같거나 큰 자연수입니다.

20 이하의 자연수는 ❷ [ ] 과 같거나 작은 자연수입니다.

[답] ❶ 15 ❷ 20

[관련 단원] **공간과 입체**

3

쌓기나무로 쌓은 모양을 위, 앞, 옆에서 본 모양입니다. 쌓기나무를 가장 많이 사용했을 때와 가장 적게 사용했을 때의 쌓기나무의 개수를 알아보시오.

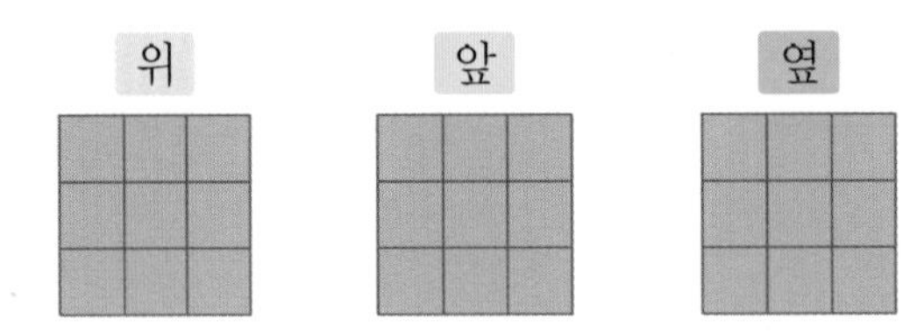

❶ 쌓기나무를 가장 많이 사용했을 때 위에서 본 모양의 각 자리와 □ 안에 알맞은 수를 써넣으시오.

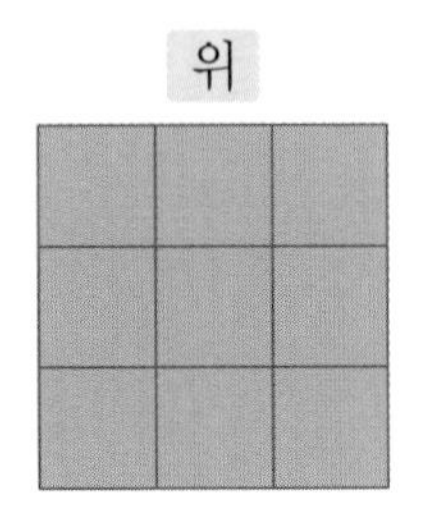

쌓기나무의 개수: □개

3층으로 쌓으면 되는 자리가 어디인지 생각해 봅니다.

❷ 쌓기나무를 가장 적게 사용했을 때 위에서 본 모양의 각 자리와 □ 안에 알맞은 수를 써넣으시오.

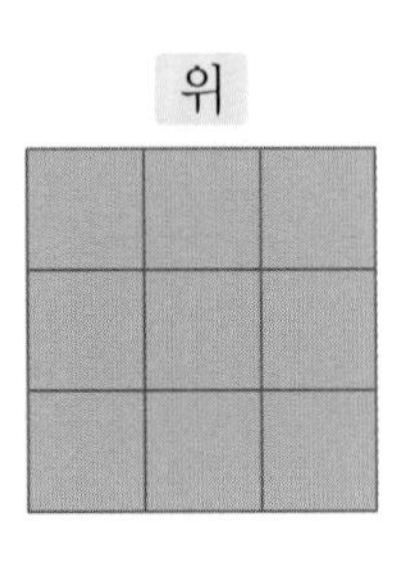

쌓기나무의 개수: □개

1층으로 쌓으면 되는 자리가 어디인지 생각해 봅니다.

Tip

쌓은 모양을 앞에서 본 모양은 각 줄의 가장 ❶ □ 층의 모양과 같습니다.

쌓은 모양을 옆에서 본 모양은 각 줄의 가장 ❷ □ 층의 모양과 같습니다.

[답] ❶ 높은 ❷ 높은

▶정답 및 풀이 26쪽

[관련 단원] **비례식과 비례배분**

4

맞물려 돌아가는 두 톱니바퀴 ㉮와 ㉯가 있습니다. ㉮의 톱니 수는 32개, ㉯의 톱니 수는 24개일 때 ㉮와 ㉯의 회전수의 비를 간단한 자연수의 비로 나타내시오.

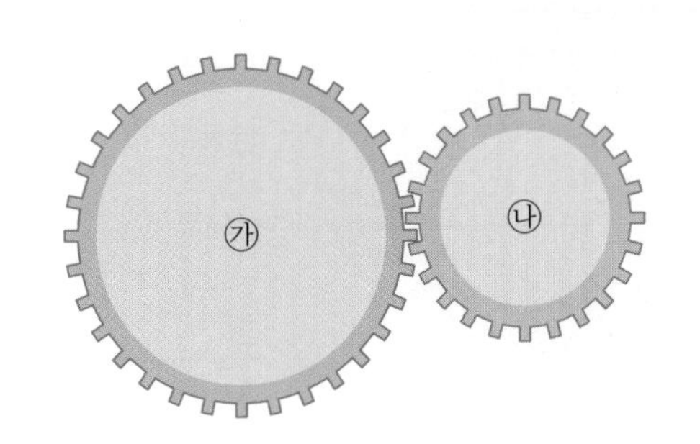

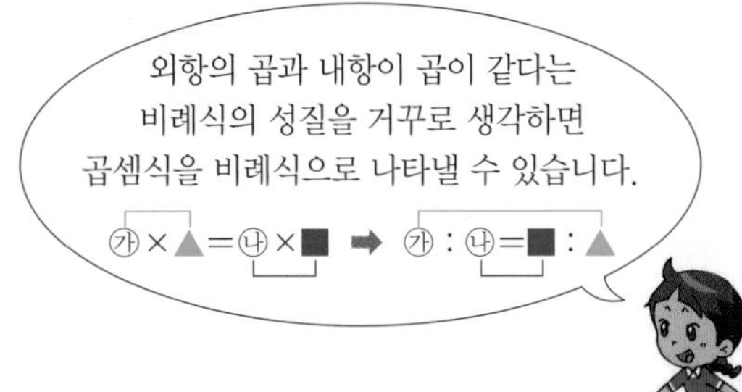

❶ ㉮와 ㉯의 톱니 수의 비와 곱셈식을 완성하려고 합니다. □ 안에 알맞은 수를 써넣으시오.

• (㉮의 톱니 수) : (㉯의 톱니 수)=□ : □

• (㉮의 회전수)×□=(㉯의 회전수)×□

❷ ❶의 곱셈식을 비례식으로 나타내려고 합니다. □ 안에 알맞은 수를 써넣으시오.

(㉮의 회전수)×□=(㉯의 회전수)×□

➡ (㉮의 회전수) : (㉯의 회전수)=□ : □

❸ ㉮와 ㉯의 회전수의 비를 간단한 자연수의 비로 나타내시오.

( )

Tip

톱니바퀴 ㉮와 ㉯는 맞물려 돌아가므로 두 톱니바퀴가 각각 돈 전체 톱니 수는 ❶ □.

➡ (㉮가 돈 전체 톱니 수) ❷ □ (㉯가 돈 전체 톱니 수)

[답] ❶ 같습니다 ❷ =

[관련 단원] **원의 넓이**

5

노란색 원의 반지름은 20 cm이고, 반지름이 10 cm씩 길어지도록 과녁판을 만들었습니다. 1점을 얻을 수 있는 부분의 넓이를 알아보시오. (원주율: 3)

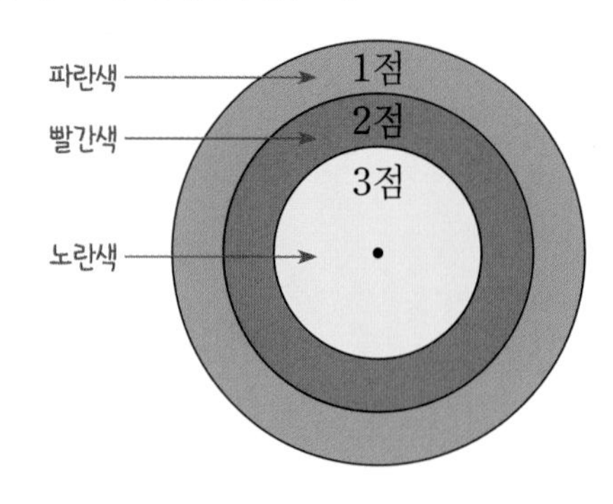

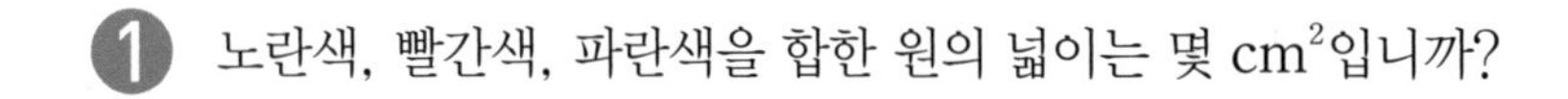

❶ 노란색, 빨간색, 파란색을 합한 원의 넓이는 몇 cm^2입니까?

(　　　　　　　　　)

❷ 노란색, 빨간색을 합한 원의 넓이는 몇 cm^2입니까?

(　　　　　　　　　)

❸ 1점을 얻을 수 있는 부분의 넓이는 몇 cm^2입니까?

(　　　　　　　　　)

Tip

노란색, 빨간색, 파란색을 합한 원의 반지름은 (20+10+❶ ☐) cm입니다.

노란색, 빨간색을 합한 원의 반지름은 (20+❷ ☐) cm입니다.

[답] ❶ 10 ❷ 10

▶정답 및 풀이 26쪽

[관련 단원] **원기둥, 원뿔, 구**

6

원기둥과 구를 앞에서 본 모양의 넓이가 같습니다. 구의 반지름을 알아보시오. (원주율: 3)

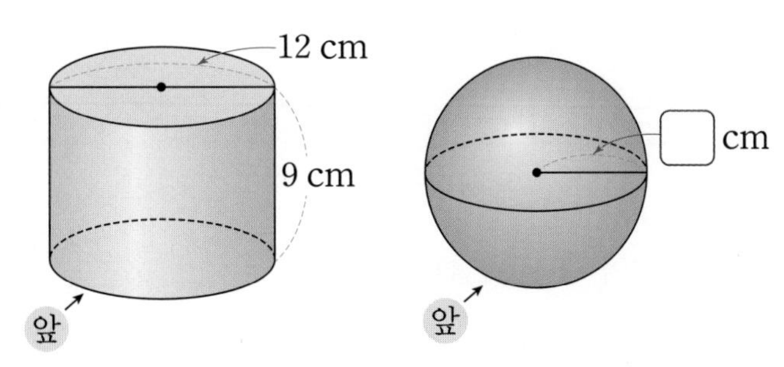

❶ 원기둥을 앞에서 본 모양의 넓이는 몇 cm^2입니까?

( )

❷ 구를 앞에서 본 모양의 반지름은 몇 cm입니까?

( )

❸ 구의 반지름은 몇 cm입니까?

( )

Tip

원기둥을 앞에서 본 모양은 ❶ ____ 이고, 구를 앞에서 본 모양은 ❷ ____ 입니다.

[**답**] ❶ 직사각형 ❷ 원

학력진단 전략 1회

01

그림을 이용하여 $\frac{6}{9} \div \frac{2}{9}$를 구하시오.

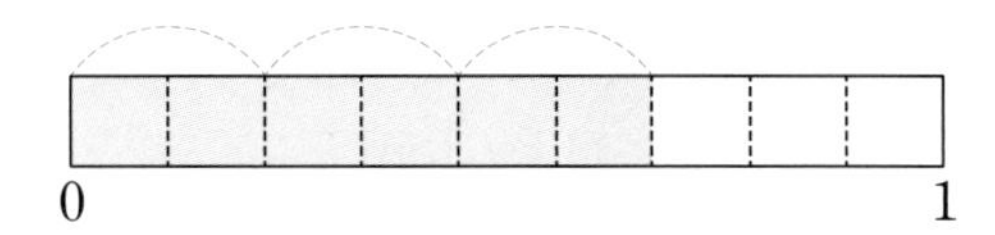

(1) $\frac{6}{9}$에서 $\frac{2}{9}$를 □번 덜어 낼 수 있습니다.

(2) $\frac{6}{9} \div \frac{2}{9} =$ □

02

자연수의 나눗셈을 이용하여 소수의 나눗셈을 계산하시오.

(1)

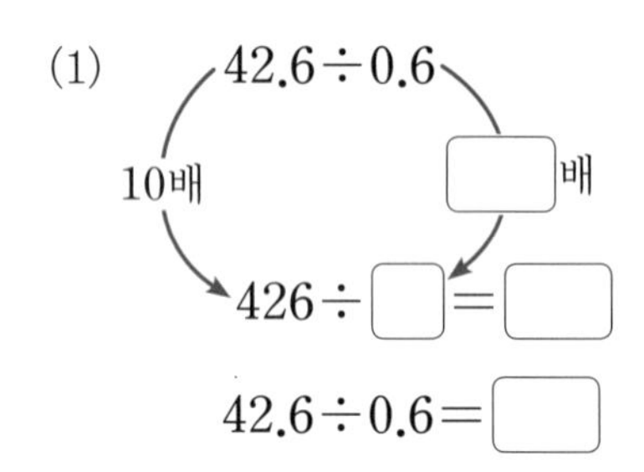

$42.6 \div 0.6 =$ □

(2)

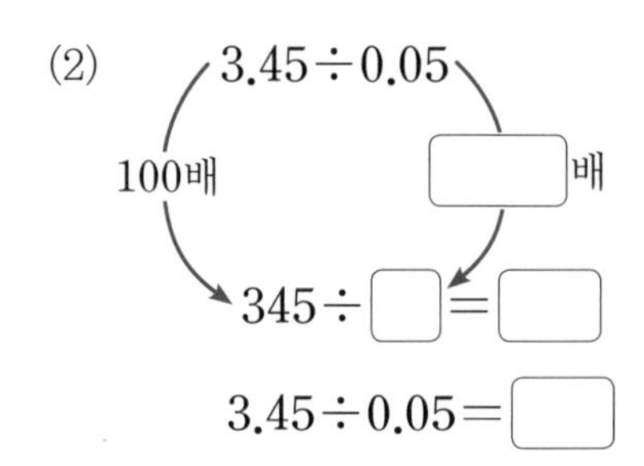

$3.45 \div 0.05 =$ □

03

보기와 같은 방법으로 계산하시오.

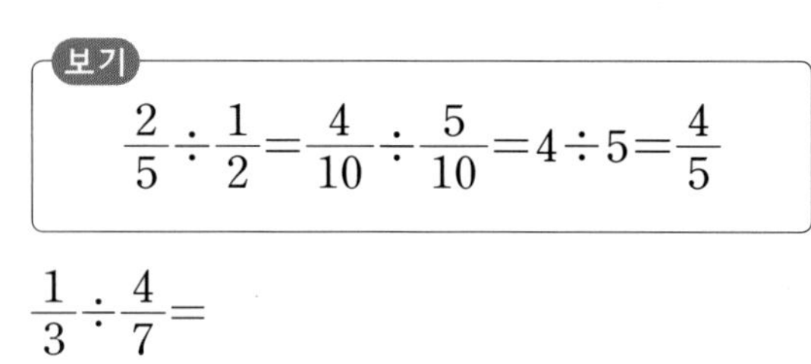

보기

$\frac{2}{5} \div \frac{1}{2} = \frac{4}{10} \div \frac{5}{10} = 4 \div 5 = \frac{4}{5}$

$\frac{1}{3} \div \frac{4}{7} =$ ____________

04

계산을 하시오.

(1) $0.16 \overline{)3.68}$

(2) $0.53 \overline{)6.89}$

05

□ 안에 알맞은 수를 써넣으시오.

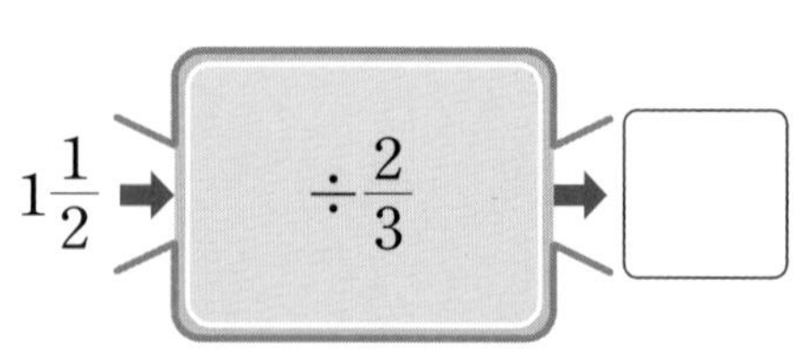

▶정답 및 풀이 27쪽

06 리본 17.2 m를 8 m씩 자를 때 자른 리본 도막 수와 남는 리본의 길이를 구하시오.

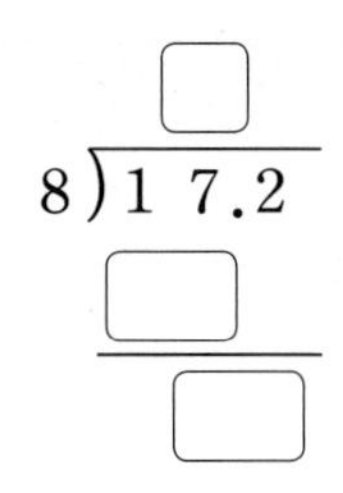

자른 리본 도막 수: □도막

남는 리본의 길이: □ m

07 계산 결과를 찾아 선으로 이으시오.

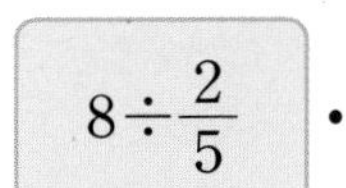

$8\div\frac{2}{5}$ • • 12

$9\div\frac{3}{8}$ • • 20

$10\div\frac{5}{6}$ • • 24

08 빈칸에 알맞은 수를 써넣으시오.

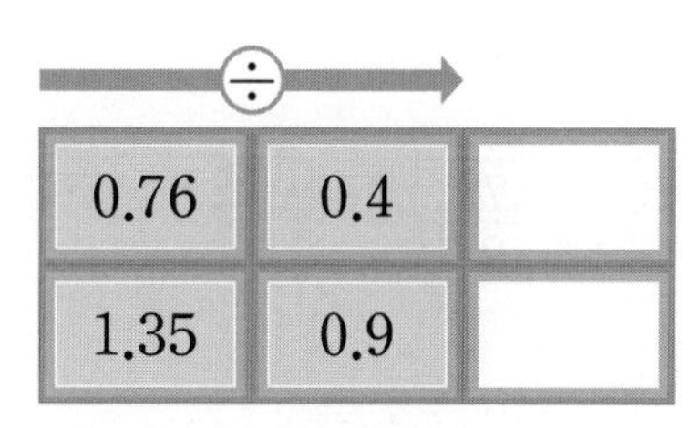

몫을 쓸 때는
옮긴 소수점의 위치에서
소수점을 찍어야
합니다.

09 큰 수를 작은 수로 나눈 몫을 구하시오.

$\frac{3}{4}$ $\frac{5}{7}$

( )

10 □ 안에 알맞은 수를 써넣으시오.

□×1.7=6.46

11 몫을 비교하여 ◯ 안에 >, =, <를 알맞게 써넣으시오.

$\frac{7}{8} \div \frac{2}{3}$  $\frac{7}{9} \div \frac{3}{8}$

12 몫을 반올림하여 소수 둘째 자리까지 나타내시오.

$3\overline{)2.5}$

(　　　　　　　　　　)

몫을 반올림하여
소수 둘째 자리까지 나타내려면
몫의 소수 셋째 자리에서
반올림해야 합니다.

13 넓이가 $8\frac{1}{10}$ cm²인 평행사변형입니다. 이 평행사변형의 높이는 몇 cm입니까?

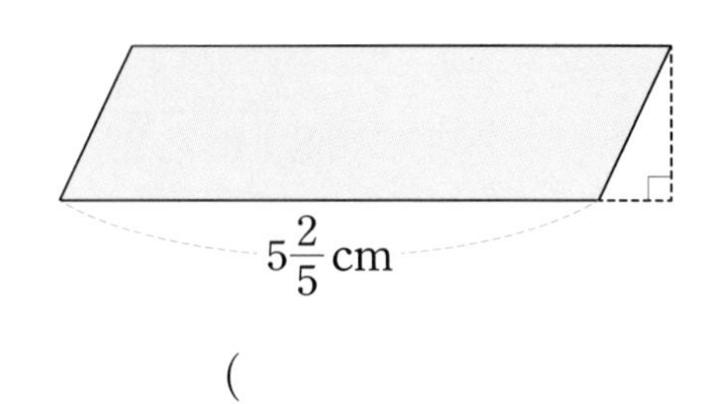

(　　　　　　　　　　)

14 어떤 수에 0.8을 곱했더니 40이 되었습니다. 어떤 수는 얼마입니까?

(　　　　　　　　　　)

15 휘발유 $\frac{5}{6}$ L로 $9\frac{3}{8}$ km를 가는 자동차가 있습니다. 이 자동차는 휘발유 1 L로 몇 km를 갈 수 있습니까?

(　　　　　　　　　　)

16 수 카드 중 3장을 골라 한 번씩만 사용하여 가장 작은 소수 두 자리 수를 만들고, 이 수를 0.6으로 나눈 몫을 구하시오.

1 4 7 9

□.□□ ÷ 0.6 = □

17 □ 안에 들어갈 수 있는 자연수 중 가장 작은 수를 구하시오.

$3\frac{1}{2} \div \frac{5}{9} < □$

(   )

18 둘레가 315 m인 원 모양의 울타리에 3.5 m 간격으로 기둥을 세우려고 합니다. 필요한 기둥은 몇 개입니까? (단, 기둥의 두께는 생각하지 않습니다.)

(   )

19 준서와 시원이가 각자 가지고 있는 수 카드를 한 번씩만 사용하여 가분수를 만들었습니다. 준서가 만든 분수는 시원이가 만든 분수의 몇 배입니까?

준서: 5 6

시원: 4 9

(   )

20 동윤이네 가족은 집에서 82.25 km 떨어진 박물관까지 가는 데 2시간 30분이 걸렸습니다. 동윤이네 가족은 한 시간에 몇 km를 간 셈입니까?

(   )

학력진단 전략 2회

01 비에서 전항과 후항을 각각 찾아 쓰시오.

9 : 14

전항 (　　　　　　　　　　)
후항 (　　　　　　　　　　)

02 원주를 구하시오. (원주율: 3.14)

(1)

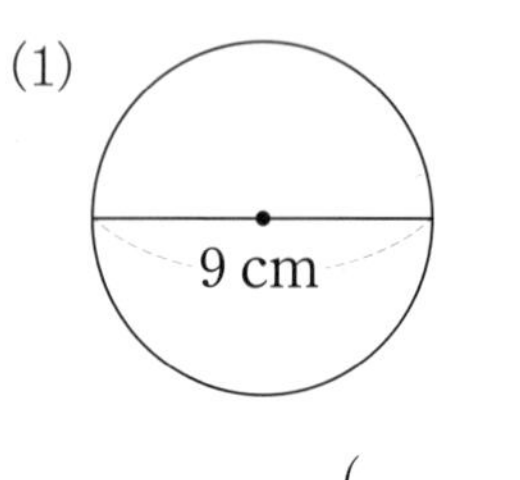

(　　　　　　　　　　)

(2)

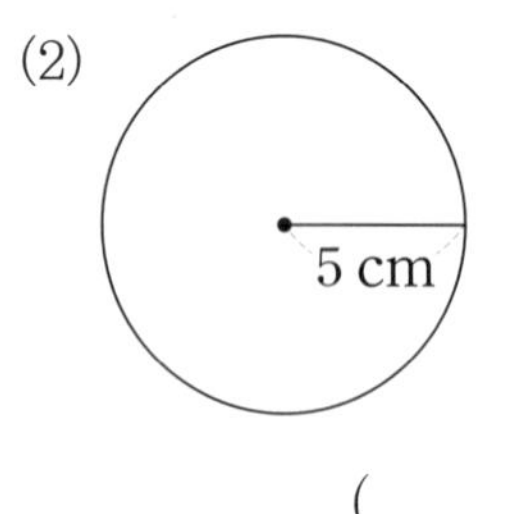

(　　　　　　　　　　)

03 비의 성질을 이용하여 비율이 같은 비를 만들려고 합니다. □ 안에 알맞은 수를 써넣으시오.

(1) 4 : 5 ➡ 8 : □ ➡ □ : 15

(2) 24 : 18 ➡ 12 : □ ➡ □ : 6

04 원의 넓이를 구하시오. (원주율: 3.1)

(1)

13 cm

(　　　　　　　　　　)

(2)

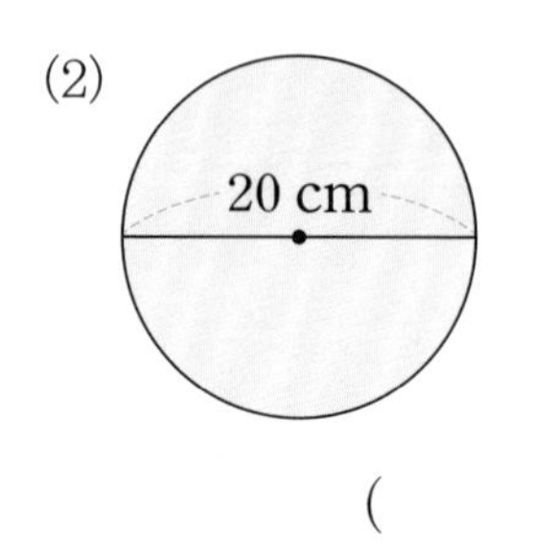

(　　　　　　　　　　)

05 간단한 자연수의 비로 나타내시오.

(1) 2.3 : 1.6

(　　　　　　　　　　)

(2) $\frac{1}{8} : \frac{1}{7}$

(　　　　　　　　　　)

06 원주와 지름 사이에는 어떤 관계가 있는지 바르게 이야기한 사람을 찾아 이름을 쓰시오.

( )

07 비율이 같은 두 비를 찾아 비례식으로 나타내시오.

3 : 5	9 : 10	12 : 15	18 : 30

( )

08 다음 도형의 넓이는 몇 cm^2입니까? (원주율: 3)

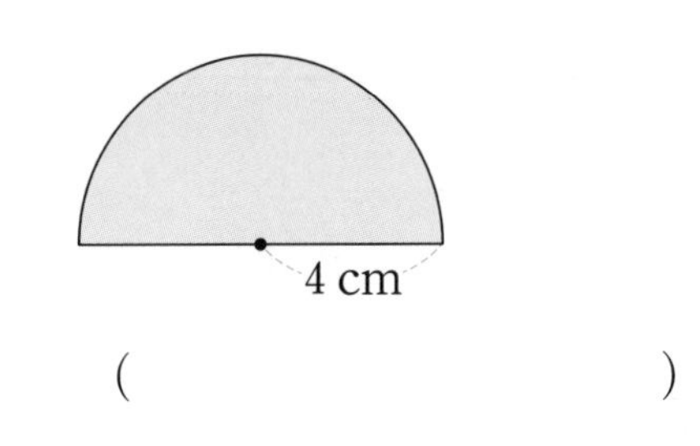

( )

09 사탕 80개를 아라와 윤호가 7 : 9로 나누어 가지려고 합니다. 아라와 윤호는 각각 사탕을 몇 개씩 가지면 됩니까?

아라 ( )

윤호 ( )

10 □ 안에 알맞은 수를 써넣으시오. (원주율: 3)

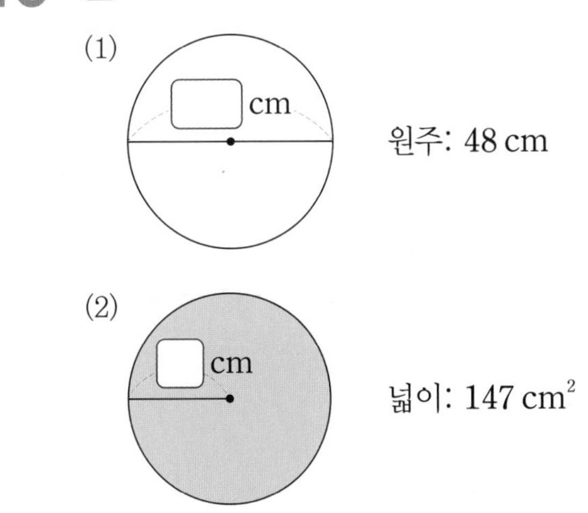

11 비례식에서 □ 안에 알맞은 수를 구하시오.

$7:9=35:\square$

(　　　　　　　　)

12 큰 원부터 차례로 기호를 쓰시오.

(원주율: 3.14)

㉠ 지름이 16 cm인 원
㉡ 반지름이 9 cm인 원
㉢ 원주가 47.1 cm인 원

(　　　　　　　　)

13 옳은 비례식을 모두 찾아 기호를 쓰시오.

㉠ $2:5=10:20$　㉡ $9:4=27:12$
㉢ $6:7=12:14$　㉣ $8:3=32:15$

(　　　　　　　　)

14 직사각형 모양의 종이를 잘라 만들 수 있는 가장 큰 원의 넓이는 몇 cm^2입니까?

(원주율: 3.14)

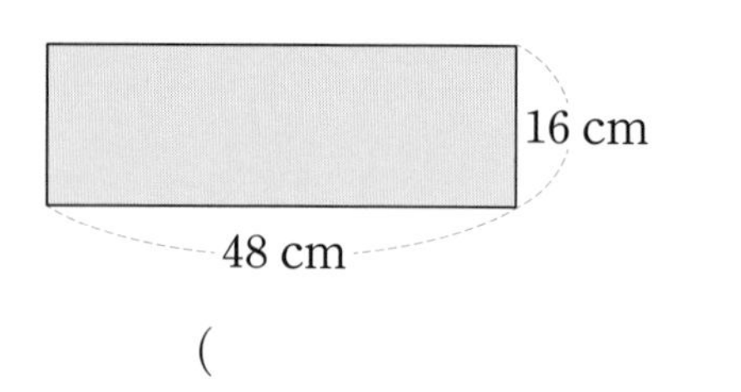

(　　　　　　　　)

만들 수 있는 가장 큰 원의 지름은 직사각형의 가로와 세로 중 더 짧은 것과 길이가 같습니다.

15 일정한 빠르기로 4시간 동안 300 km를 갈 수 있는 자동차가 있습니다. 이 자동차가 같은 빠르기로 7시간 동안 갈 수 있는 거리는 몇 km입니까?

(　　　　　　　　)

16 원의 넓이는 몇 cm^2입니까? (원주율: 3.1)

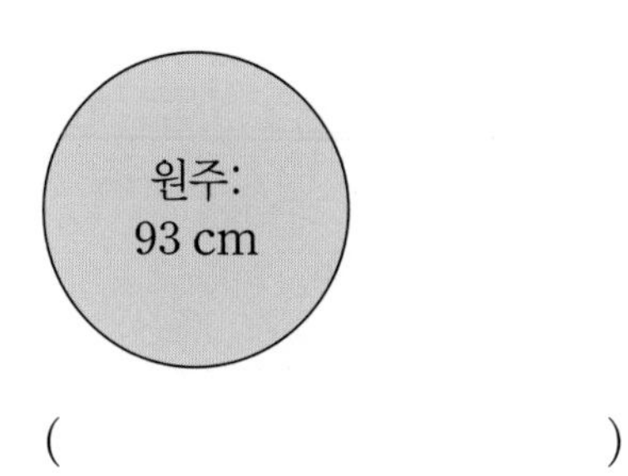

(   )

17 색종이를 근우와 정희가 4 : 7로 나누어 가졌더니 근우가 가진 색종이가 20장이었습니다. 처음에 있던 색종이는 몇 장입니까?

(   )

18 색칠한 부분의 둘레는 몇 cm입니까? (원주율: 3)

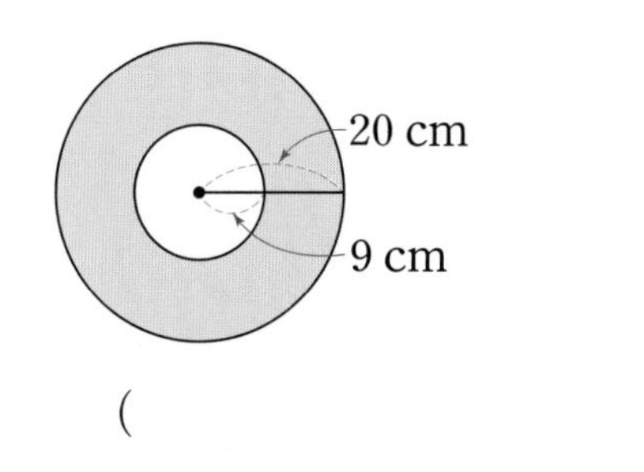

(   )

19 둘레가 100 cm인 직사각형이 있습니다. 가로와 세로의 비가 2 : 3일 때 직사각형의 넓이는 몇 cm^2입니까?

(   )

20 색칠한 부분의 넓이는 몇 cm^2입니까? (원주율: 3)

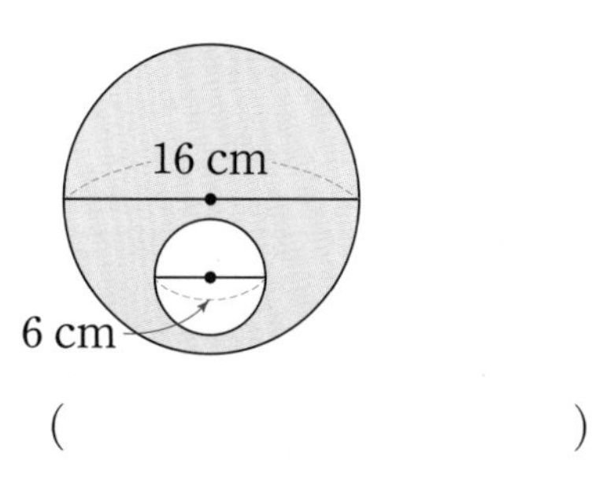

(   )

학력진단 전략 3회

01 쌓기나무로 쌓은 모양을 층별로 나타낸 모양입니다. 똑같은 모양으로 쌓는 데 필요한 쌓기나무는 몇 개입니까?

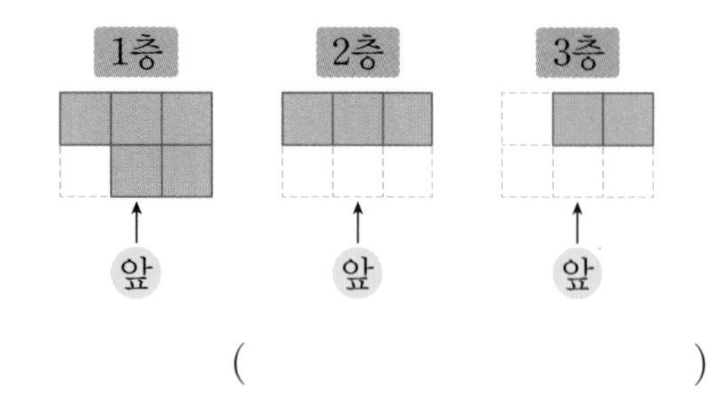

(　　　　　　　　)

02 빈칸에 알맞은 기호를 모두 써넣으시오.

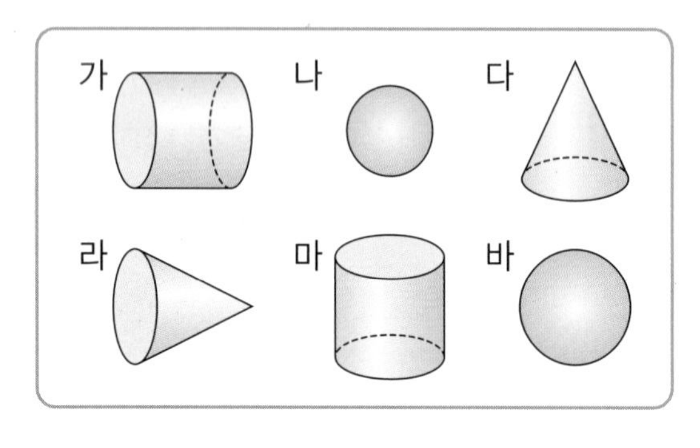

원기둥	원뿔	구

03 모양에 쌓기나무 1개를 더 붙여서 만들 수 있는 모양에 ○표 하시오.

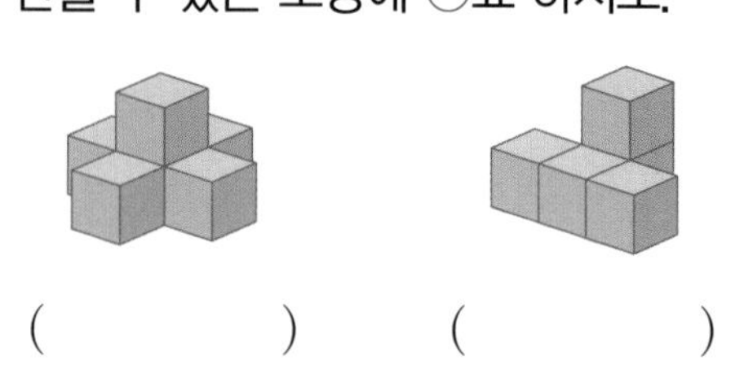

(　　　　) (　　　　)

04 원기둥의 높이는 몇 cm입니까?

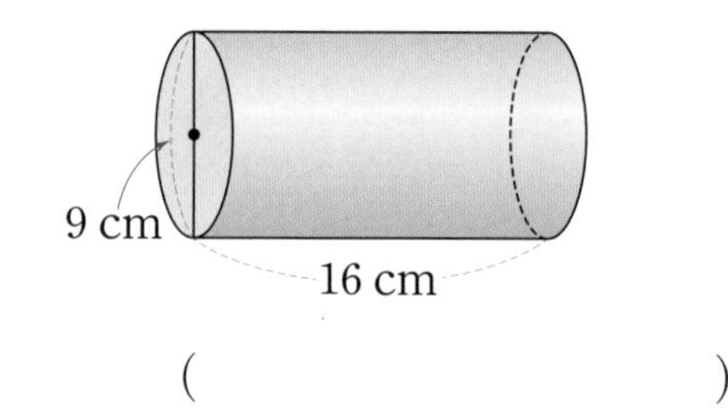

(　　　　　　　　)

05 쌓기나무로 쌓은 모양과 이를 위에서 본 모양입니다. 위에서 본 모양의 각 자리에 쌓은 쌓기나무의 수를 써넣으시오.

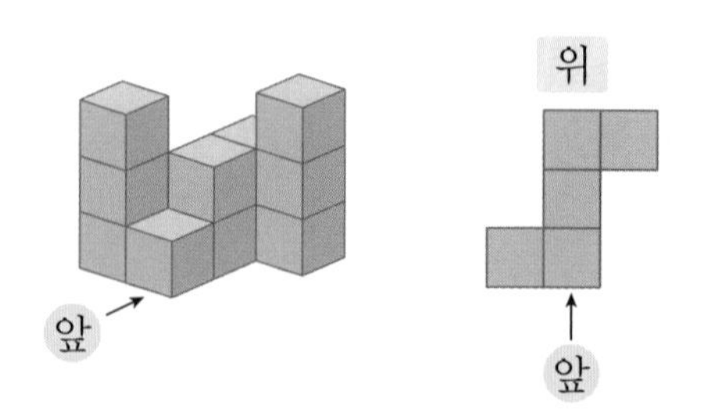

▶정답 및 풀이 30쪽

06 원뿔의 높이와 모선의 길이는 각각 몇 cm 입니까?

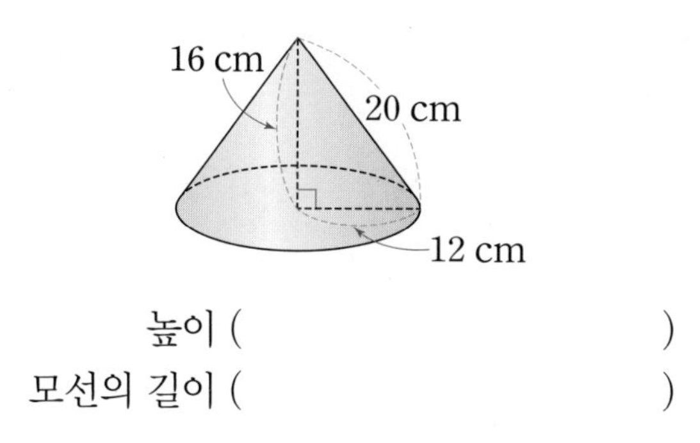

높이 (　　　　　　)
모선의 길이 (　　　　　　)

07 주어진 모양과 똑같이 쌓는 데 필요한 쌓기나무는 몇 개입니까?

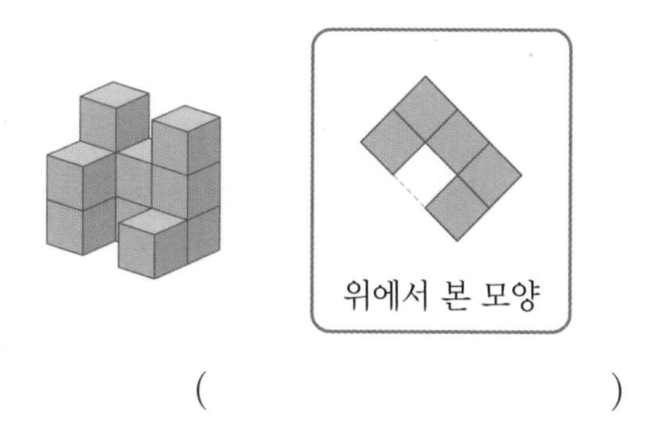

(　　　　　　)

08 반원 모양의 종이를 지름을 기준으로 돌려서 구를 만들었습니다. □ 안에 알맞은 수를 써넣으시오.

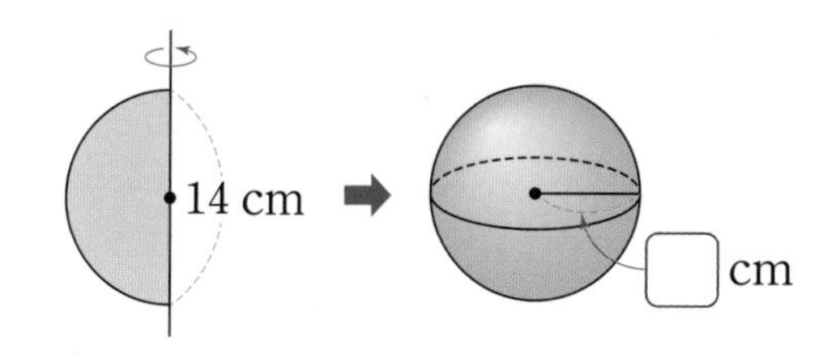

09 쌓기나무로 쌓은 모양과 위에서 본 모양입니다. 앞과 옆에서 본 모양을 각각 그리시오.

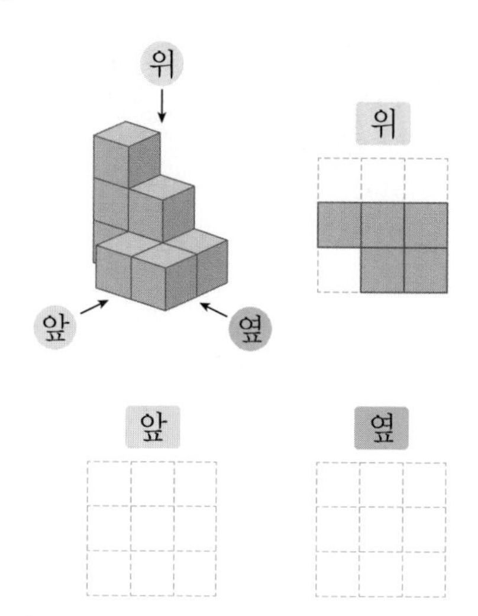

앞　　옆

10 원기둥의 전개도를 찾아 기호를 쓰시오.

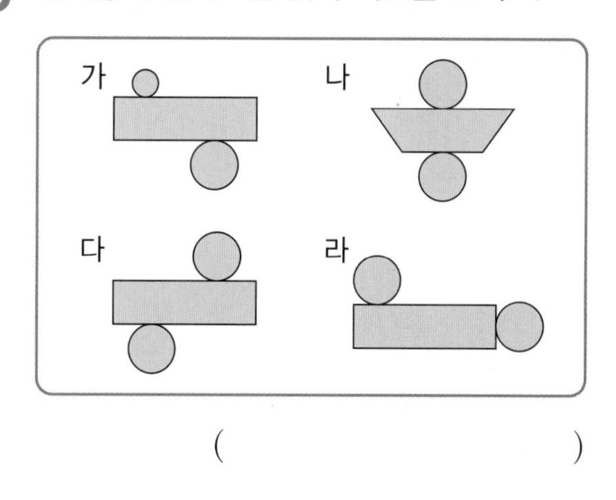

(　　　　　　)

11 쌓기나무로 쌓은 모양을 보고 위에서 본 모양에 수를 쓴 것입니다. 앞과 옆에서 본 모양을 각각 그리시오.

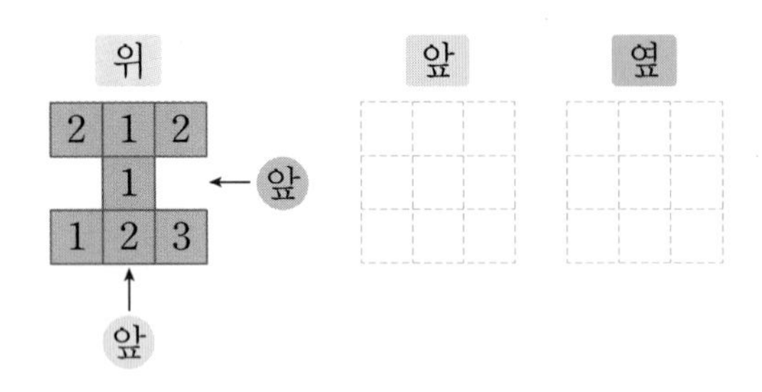

12 직사각형 모양의 종이를 한 변을 기준으로 돌려 만든 입체도형의 높이는 몇 cm입니까?

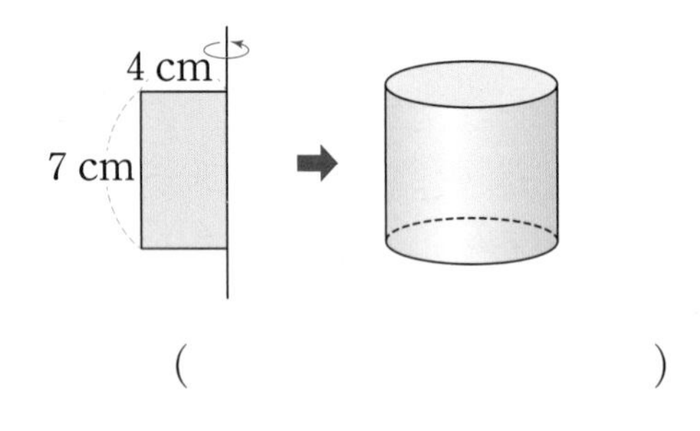

( )

13 다음 구를 위에서 본 모양의 둘레는 몇 cm입니까? (원주율: 3)

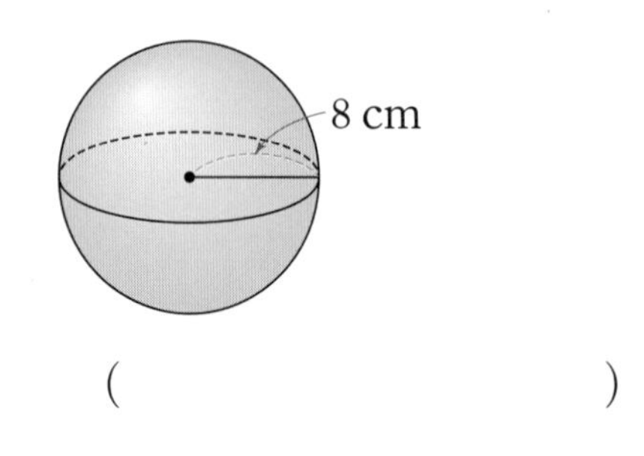

( )

14 쌓기나무로 쌓은 모양과 1층 모양을 보고 2층과 3층 모양을 각각 그리시오.

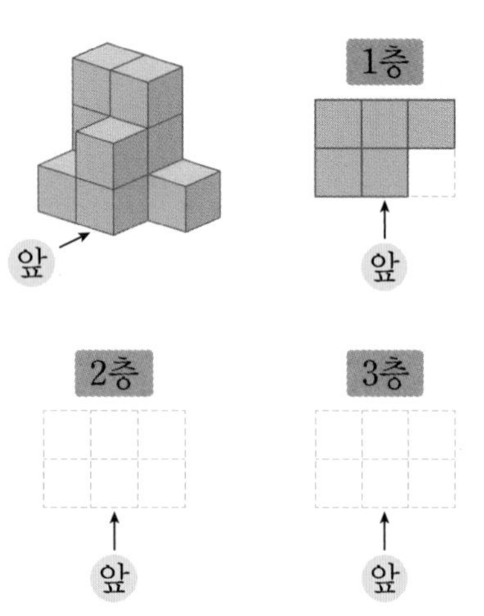

15 쌓기나무로 쌓은 모양을 위, 앞, 옆에서 본 모양입니다. 쌓은 모양으로 가능한 것을 찾아 기호를 쓰시오.

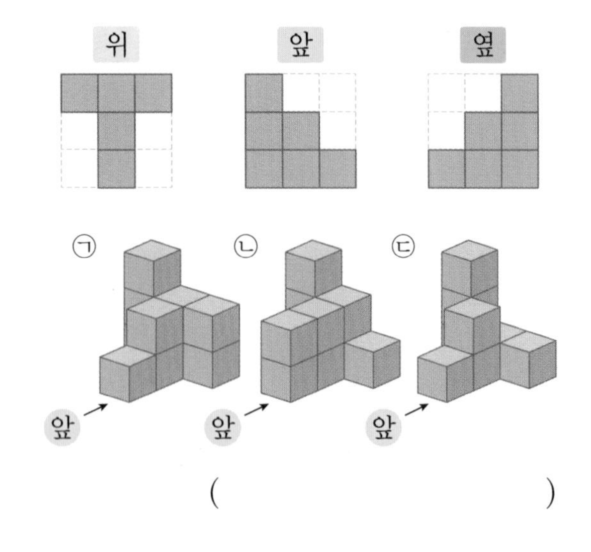

( )

▶정답 및 풀이 30쪽

16 직각삼각형 모양의 종이를 한 변을 기준으로 돌려서 원뿔을 만들었습니다. 종이의 넓이는 몇 cm^2입니까?

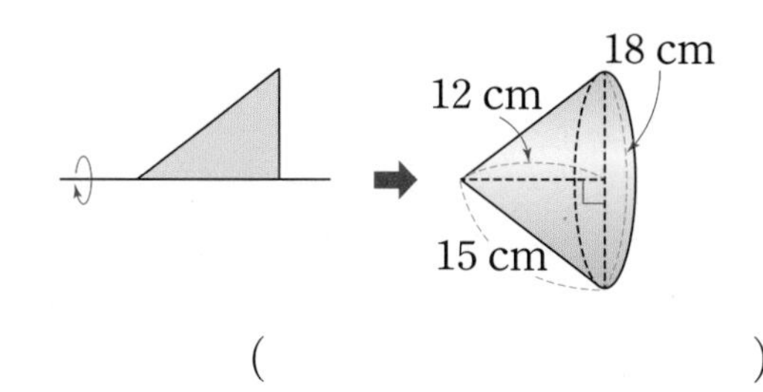

( )

17 쌓기나무로 쌓은 모양을 층별로 나타낸 모양입니다. 앞에서 본 모양을 그리시오.

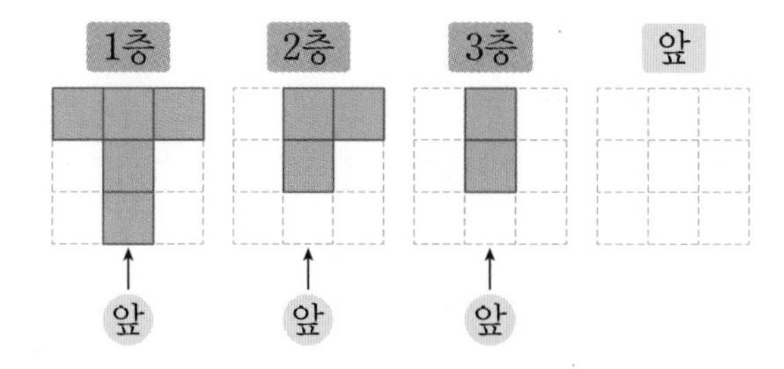

18 원기둥과 전개도를 보고 □ 안에 알맞은 수를 써넣으시오. (원주율: 3.14)

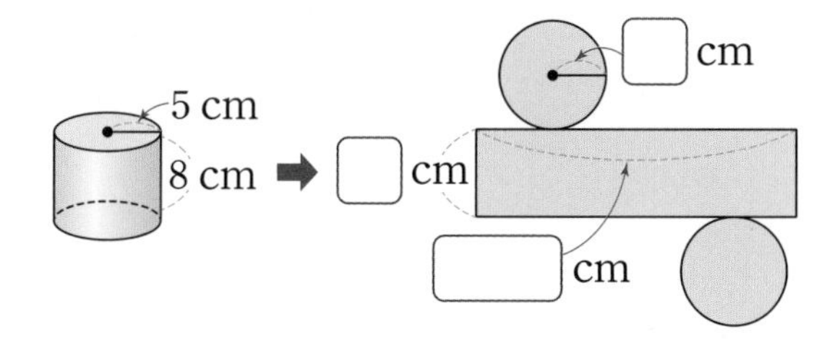

19 쌓기나무로 쌓은 모양을 위, 앞, 옆에서 본 모양입니다. 똑같은 모양으로 쌓는 데 필요한 쌓기나무는 몇 개입니까?

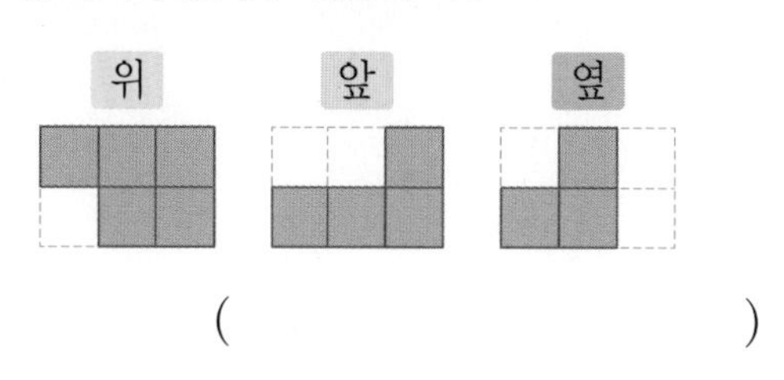

( )

20 원기둥 모양의 통의 옆면에 색 도화지를 빈틈없이 붙이려고 합니다. 겹치지 않게 한 바퀴를 붙일 때 필요한 색 도화지의 넓이는 몇 cm^2입니까? (원주율: 3)

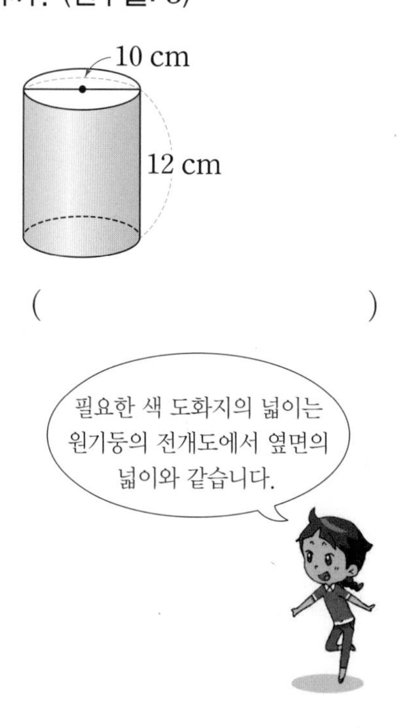

( )

메모

초등생의 필수 학습!
탄탄하게 다져두자!

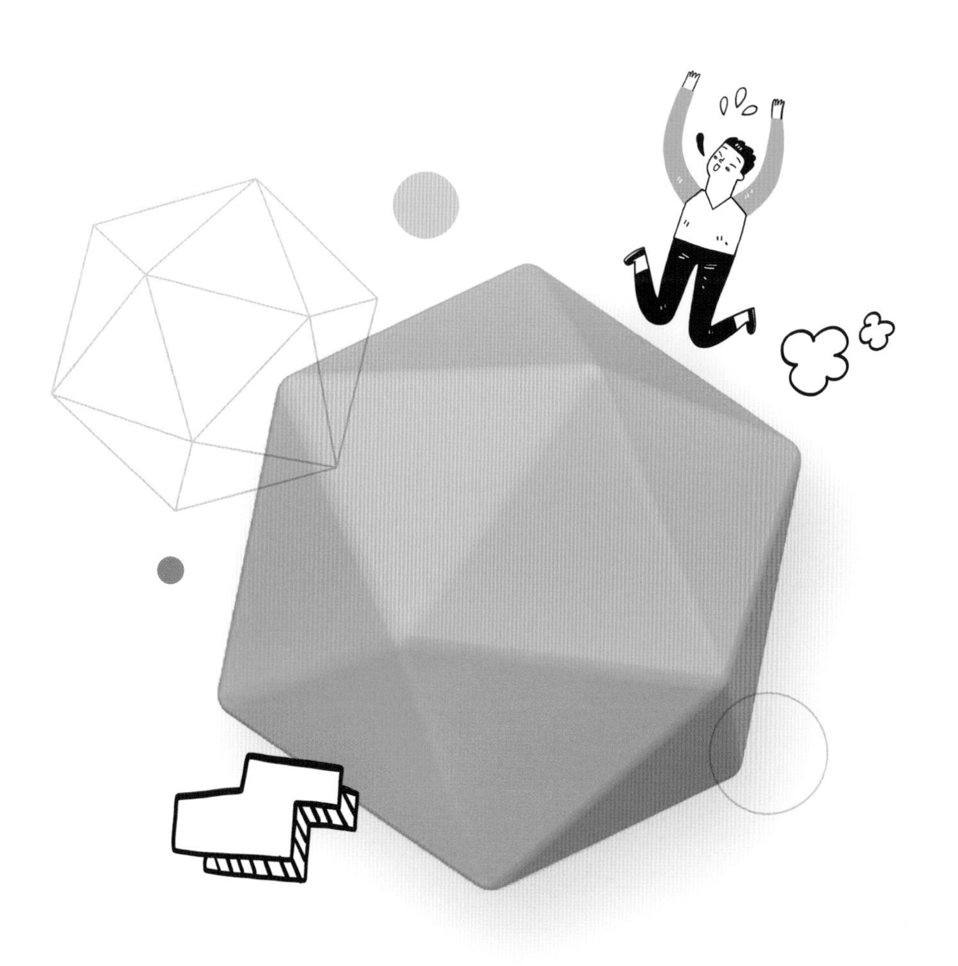

초등 **수학**

천재교육

초등생의 필수 학습!
탄탄하게 다져두자!

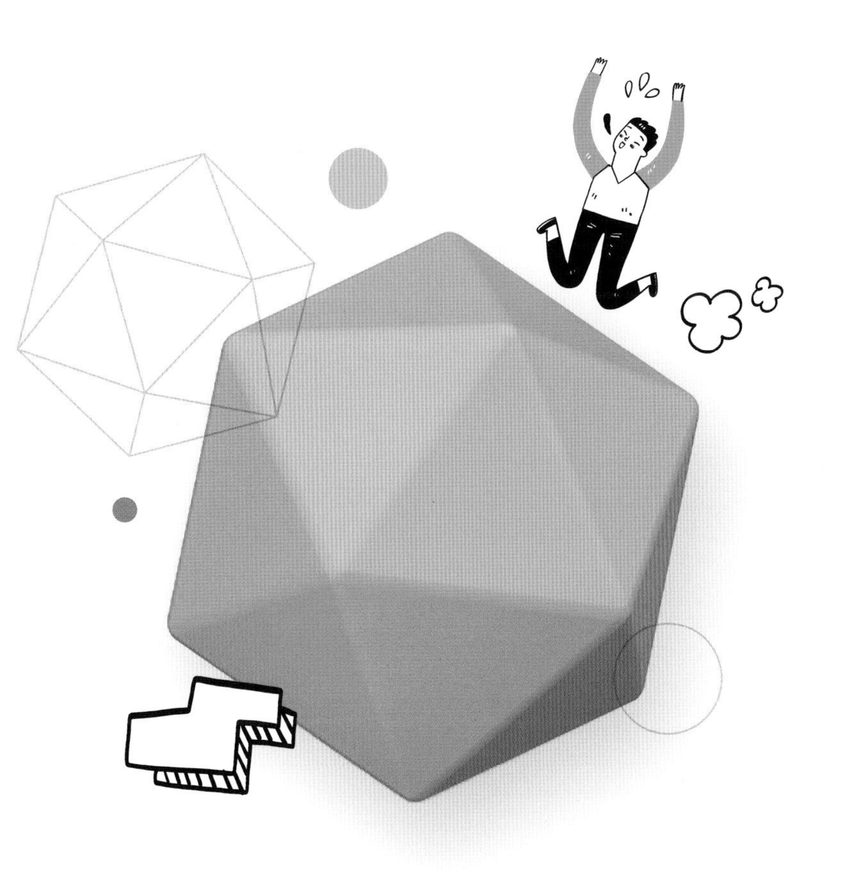

초등 **수학**

핵심개념 & 연산 집중연습

6·2

천재교육

6·2

목차

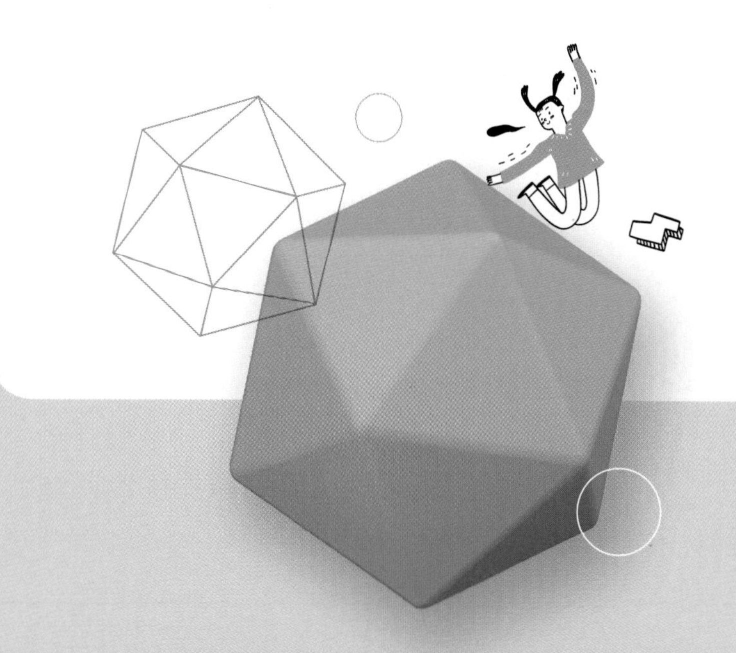

1 분모가 같은 (분수)÷(분수) 알아보기

- $\frac{3}{4}\div\frac{1}{4}$의 계산

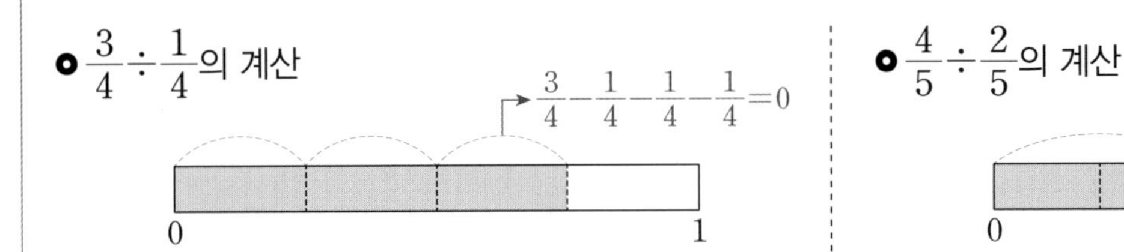

$\frac{3}{4}$에서 $\frac{1}{4}$을 3번 덜어 낼 수 있습니다.

➡ $\frac{3}{4}\div\frac{1}{4}=$ ❶

- $\frac{4}{5}\div\frac{2}{5}$의 계산

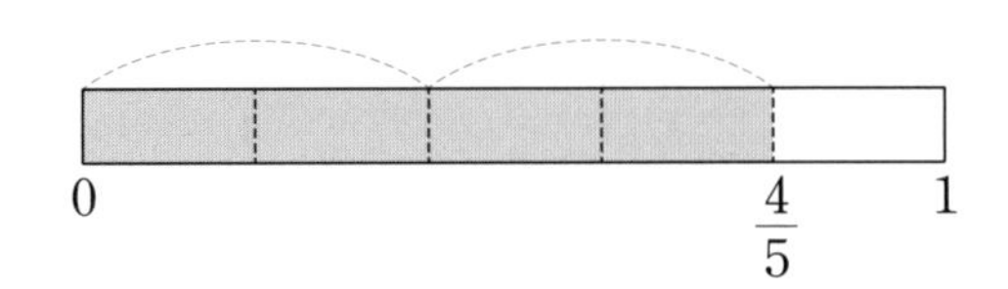

$\frac{4}{5}$는 $\frac{1}{5}$이 4개이고 $\frac{2}{5}$는 $\frac{1}{5}$이 2개이므로 4개를 2개로 나누는 것과 같습니다.

➡ $\frac{4}{5}\div\frac{2}{5}=4\div2=2$

- $\frac{5}{6}\div\frac{2}{6}$의 계산

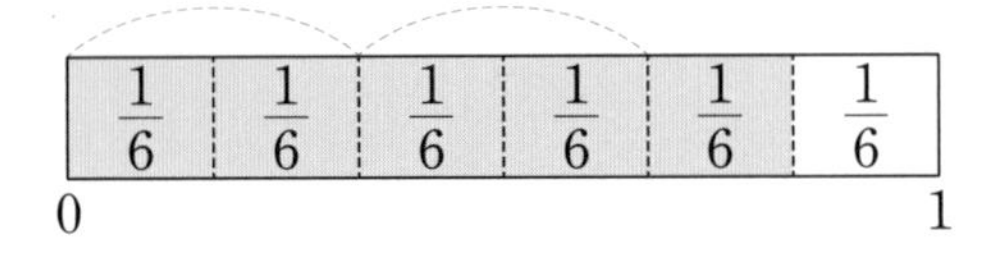

$\frac{5}{6}$를 $\frac{2}{6}$씩 잘라보면 $\frac{2}{6}$가 2조각이 나오고 $\frac{2}{6}$의 반$\left(\frac{1}{2}\right)$이 남습니다.

➡ $\frac{5}{6}\div\frac{2}{6}=$ ❷

- $\frac{5}{7}\div\frac{3}{7}$의 계산

$\frac{5}{7}\div\frac{3}{7}$ 0 1

$5\div3$

$\frac{5}{7}$는 $\frac{1}{7}$이 5개이고 $\frac{3}{7}$은 $\frac{1}{7}$이 3개이므로 5개를 3개로 나누는 것과 같습니다.

➡ $\frac{5}{7}\div\frac{3}{7}=5\div3=\frac{5}{3}=1\frac{2}{3}$

[답] ❶ 3 ❷ $2\frac{1}{2}$

핵심 체크

1 $\frac{3}{5}\div\frac{1}{5}$에서 $\frac{3}{5}$은 $\frac{1}{5}$이 3개이므로 $\frac{3}{5}$에서 $\frac{1}{5}$을 (2 , 3)번 덜어 낼 수 있습니다.

2 $\frac{4}{7}\div\frac{2}{7}$에서 $\frac{4}{7}$는 $\frac{1}{7}$이 4개, $\frac{2}{7}$는 $\frac{1}{7}$이 2개이므로 ($4\div2$, $2\div1$)을/를 계산한 결과와 같습니다.

2 분모가 다른 (분수)÷(분수) 알아보기

• $\frac{3}{4}\div\frac{1}{8}$의 계산

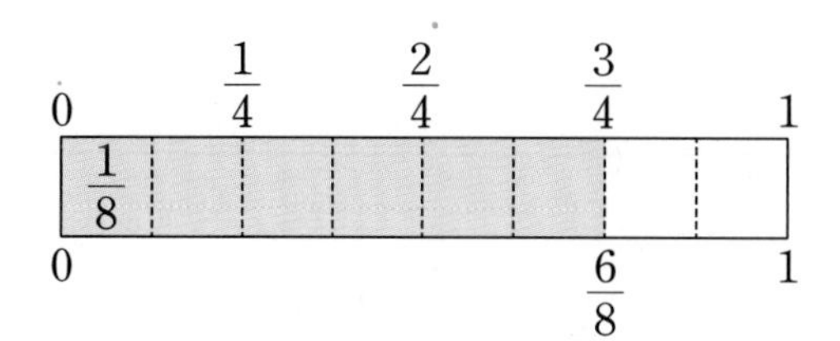

$\frac{3}{4}$에는 $\frac{1}{8}$이 6번 들어 있습니다.

➡ $\frac{3}{4}\div\frac{1}{8}=6$

• $\frac{3}{5}\div\frac{3}{10}$의 계산

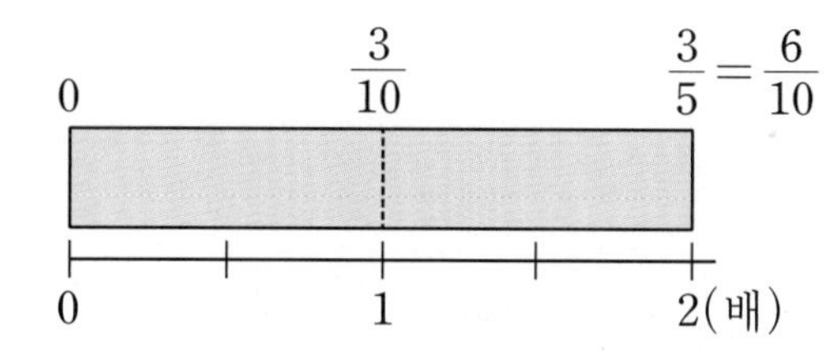

$\frac{3}{5}$은 $\frac{6}{10}$과 같습니다.

$\frac{6}{10}$은 $\frac{3}{10}$이 2개이므로 $\frac{3}{5}\div\frac{3}{10}=2$입니다.

➡ $\frac{3}{5}\div\frac{3}{10}=\frac{6}{10}\div\frac{3}{10}=6\div3=$ ❶ ☐

• $\frac{1}{2}\div\frac{1}{3}$의 계산

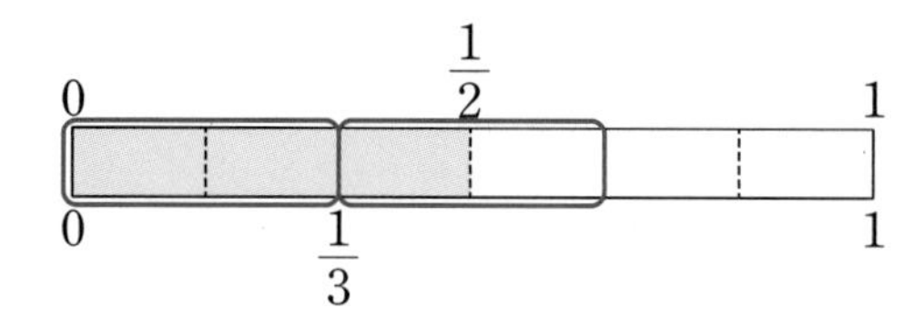

$\frac{1}{2}$에는 $\frac{1}{3}$이 1번 들어가고 $\frac{1}{3}$의 반$\left(\frac{1}{2}\right)$이 남습니다.

➡ $\frac{1}{2}\div\frac{1}{3}=$ ❷ ☐

• $\frac{5}{6}\div\frac{2}{5}$의 계산

$\frac{5}{6}\div\frac{2}{5}=\frac{25}{30}\div\frac{12}{30}$ … 분모를 같게 통분합니다.

$=25\div12$ … 분자끼리 나눕니다.

$=\frac{25}{12}$ … 몫을 분수로 나타냅니다.

$=2\frac{1}{12}$

[답] ❶ 2 ❷ $1\frac{1}{2}$

핵심 체크

1 분모가 다른 분수의 나눗셈은 분모를 같게 (약분 , 통분)하여 계산합니다.

2 $\frac{3}{10}\div\frac{5}{8}$에서 분모를 10과 8의 최소공배수인 (40 , 50)으로 통분하여 계산합니다.

3 (자연수)÷(분수) 알아보기

● 굵기가 일정한 나무 $\frac{3}{4}$ m의 무게가 6 kg일 때 나무 1 m의 무게 구하기

① $\frac{1}{4}$ m의 무게 구하기

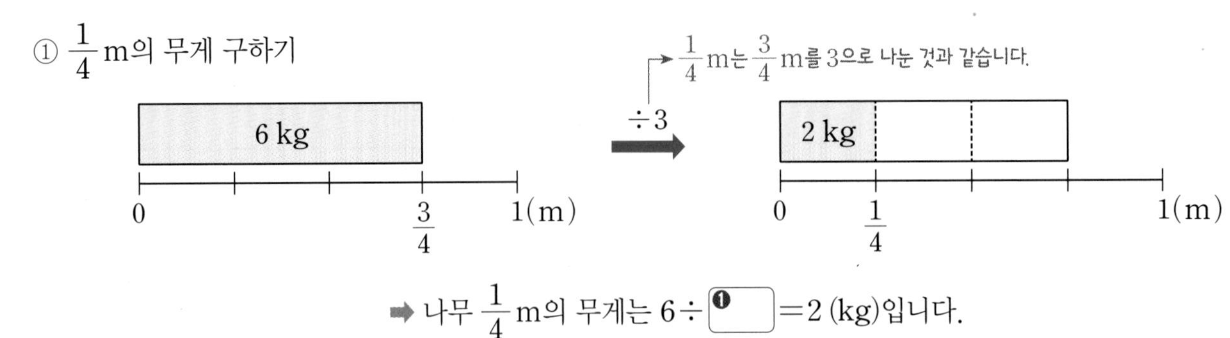

➡ 나무 $\frac{1}{4}$ m의 무게는 6÷ ❶ =2 (kg)입니다.

② 1 m의 무게 구하기

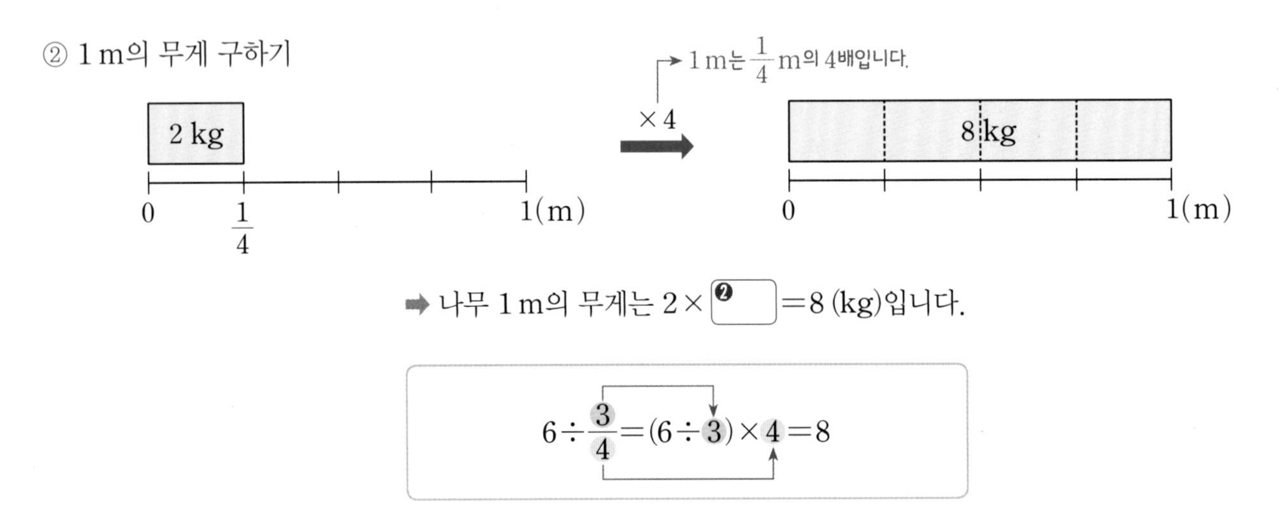

➡ 나무 1 m의 무게는 2× ❷ =8 (kg)입니다.

$$6 \div \frac{3}{4} = (6 \div 3) \times 4 = 8$$

[답] ❶ 3 ❷ 4

핵심 체크

1 $8 \div \frac{2}{5}$는 $(8 \div 5) \times 2$로 나타내어 계산합니다. (○ , ×)

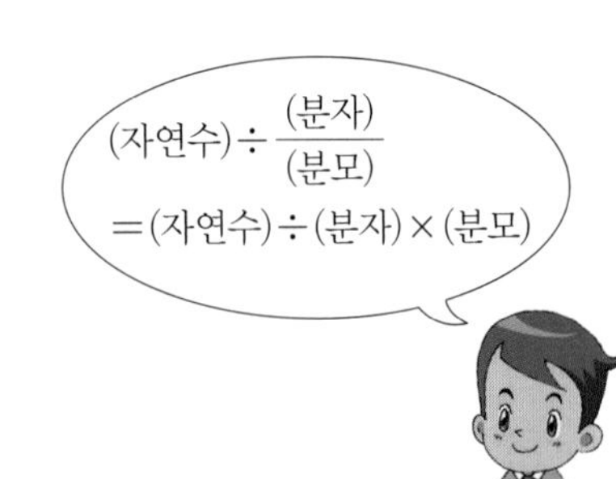

2 $9 \div \frac{3}{4}$은 ($(9 \div 3) \times 4$, $(9 \div 4) \times 3$)(으)로 계산하면 (10 , 12)입니다.

4 (분수)÷(분수)를 (분수)×(분수)로 나타내기

• $\frac{4}{5}$ km를 걸어가는 데 $\frac{2}{3}$시간이 걸릴 때 같은 빠르기로 1시간 동안 걸을 수 있는 거리 구하기

① $\frac{1}{3}$시간 동안 걸을 수 있는 거리 구하기

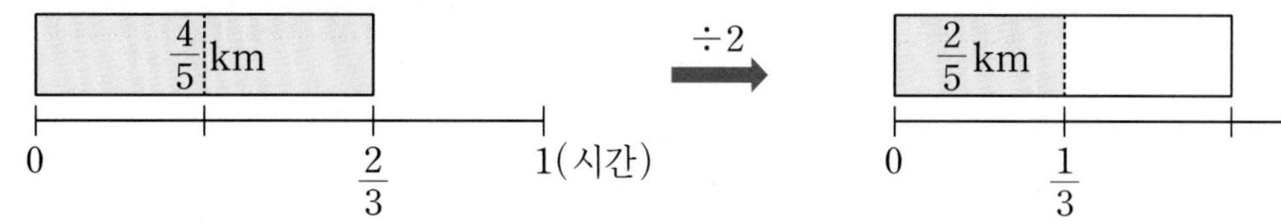

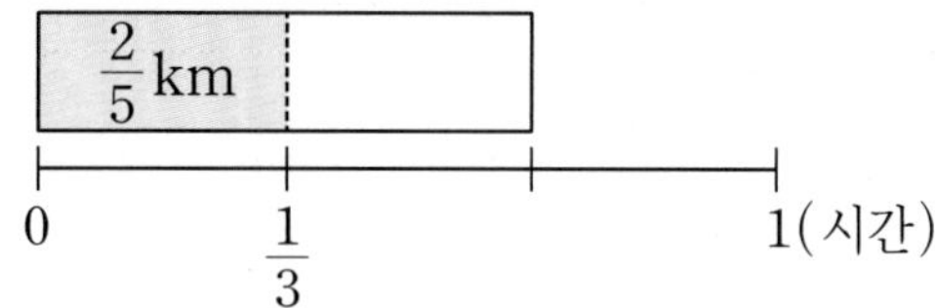

➡ $\frac{1}{3}$시간 동안 걸을 수 있는 거리는 $\frac{4}{5}\div$ ❶☐ $=\left(\frac{4}{5}\times\frac{1}{2}\right)$ (km)입니다.

② 1시간 동안 걸을 수 있는 거리 구하기

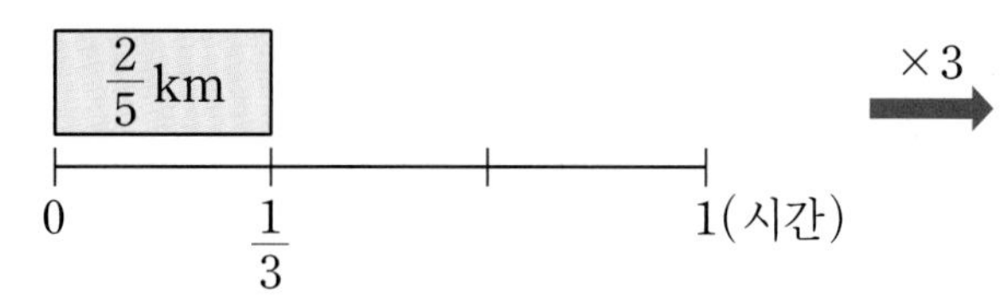

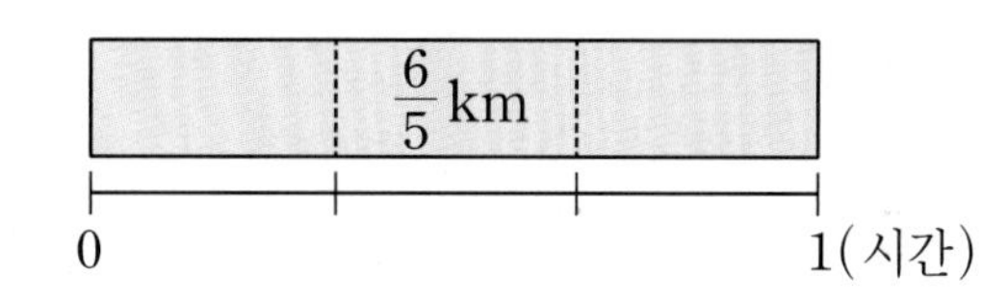

➡ 1시간 동안 걸을 수 있는 거리는 $\left(\frac{4}{5}\times\frac{1}{2}\times\right.$ ❷☐ $\left.\right)$ km입니다.

$\frac{4}{5}\div\frac{2}{3}$는 $\frac{4}{5}$에 $\frac{1}{2}$을 곱하고 3배 하였으므로 $\frac{4}{5}\div\frac{2}{3}=\frac{4}{5}\times\frac{3}{2}$입니다.

[답] ❶ 2 ❷ 3

핵심 체크

1 (분수)÷(분수)의 계산은 나눗셈을 곱셈으로 바꾸고 (나누어지는 , 나누는) 분수의 분모와 분자를 바꾸어 줍니다.

2 $\frac{6}{7}\div\frac{2}{3}$는 $\left(\frac{7}{6}\times\frac{2}{3}, \frac{6}{7}\times\frac{3}{2}\right)$(으)로 나타내어 계산합니다.

5 (자연수)÷(분수), (가분수)÷(분수) 계산하기

- 넓이가 3 m^2인 직사각형의 세로가 $\frac{4}{5}$ m일 때 가로 구하기

3 m^2	$\frac{4}{5}$ m

(가로)=(직사각형의 넓이)÷(세로)

$=3\div\frac{4}{5}=3\times\frac{5}{4}=\frac{15}{4}=$ ❶ ☐ (m)

- $\frac{7}{4}\div\frac{7}{10}$의 계산

방법1 통분하여 계산하기

$\frac{7}{4}\div\frac{7}{10}=\frac{35}{20}\div\frac{14}{20}=35\div14=\frac{35}{14}=\frac{5}{2}=$ ❷ ☐

분모 4와 10의 최소공배수인 20을 공통분모로 하여 통분합니다.

방법2 나눗셈을 곱셈으로 바꾸어 계산하기

$\frac{7}{4}\div\frac{7}{10}=\frac{\cancel{7}^{1}}{\cancel{4}_{2}}\times\frac{\cancel{10}^{5}}{\cancel{7}_{1}}=\frac{5}{2}=$ ❸ ☐

나눗셈을 곱셈으로 바꾸고 나누는 수의 분모와 분자를 바꿉니다.

[답] ❶ $3\frac{3}{4}$ ❷ $2\frac{1}{2}$ ❸ $2\frac{1}{2}$

핵심 체크

1 $3\div\frac{7}{8}$은 ($3\times\frac{8}{7}$, $\frac{1}{3}\times\frac{7}{8}$)로 나타내어 계산합니다.

2 $\frac{10}{9}\div\frac{2}{3}$는 분모를 (9 , 12)로 통분하여 계산할 수 있습니다.

6 (대분수)÷(분수) 계산하기

- $2\frac{1}{3}\div\frac{2}{5}$의 계산

방법1 대분수를 가분수로 바꾼 후 통분하여 계산하기

$2\frac{1}{3}\div\frac{2}{5}=\frac{7}{3}\div\frac{2}{5}$ … 대분수를 가분수로 바꿉니다.

$=\frac{35}{15}\div\frac{6}{15}$ … 분모를 같게 ❶ ☐ 합니다.

$=35\div6$ … ❷ ☐ 끼리 나눕니다.

$=\frac{35}{6}=5\frac{5}{6}$ … 몫을 분수로 나타냅니다.

방법2 대분수를 가분수로 바꾼 후 나눗셈을 곱셈으로 바꾸어 계산하기

$2\frac{1}{3}\div\frac{2}{5}=\frac{7}{3}\div\frac{2}{5}$ … 대분수를 가분수로 바꿉니다.

$=\frac{7}{3}\times\frac{5}{2}$ … 나눗셈을 ❸ ☐ 으로 바꿉니다.

$=\frac{35}{6}=5\frac{5}{6}$

분수의 나눗셈에서
대분수가 있으면 먼저
대분수를 가분수로 바꾼 후
계산합니다.

[답] ❶ 통분 ❷ 분자 ❸ 곱셈

핵심 체크

1 $2\frac{3}{4}\div\frac{5}{6}$는 $2\frac{3}{4}\div\frac{5}{6}=\frac{11}{4}\div\frac{5}{6}=\frac{33}{12}\div\frac{10}{12}=33\div10=\frac{33}{10}=3\frac{3}{10}$으로 계산할 수 있습니다.

(○ , ×)

2 $1\frac{3}{7}\div\frac{3}{5}$은 $1\frac{3}{7}\div\frac{3}{5}=1\frac{\overset{1}{\cancel{3}}}{7}\times\frac{5}{\underset{1}{\cancel{3}}}=1\frac{5}{7}$로 계산할 수 있습니다. (○ , ×)

집중 연습

[01~08] □ 안에 알맞은 수를 써넣으시오.

01 $\frac{4}{7} \div \frac{1}{7} = \square \div \square = \square$

02 $\frac{4}{5} \div \frac{2}{15} = \frac{\square}{15} \div \frac{\square}{15}$

$= \square \div \square = \square$

03 $14 \div \frac{7}{10} = (14 \div \square) \times \square = \square$

04 $6 \div 4\frac{2}{8} = 6 \div \frac{\square}{\square} = 6 \times \frac{\square}{\square}$

$= \frac{\square}{17} = \square\frac{\square}{\square}$

05 $\frac{3}{8} \div \frac{9}{7} = \frac{3}{8} \times \frac{\square}{\square} = \frac{\square}{\square}$

06 $\frac{1}{2} \div 5\frac{3}{4} = \frac{1}{2} \div \frac{\square}{\square} = \frac{1}{2} \times \frac{\square}{\square}$

$= \frac{\square}{\square}$

07 $8\frac{1}{8} \div \frac{5}{6} = \frac{\square}{8} \div \frac{5}{6} = \frac{\square}{8} \times \frac{\square}{\square}$

$= \frac{\square}{4} = \square\frac{\square}{\square}$

08 $3\frac{3}{4} \div 1\frac{2}{3} = \frac{\square}{4} \div \frac{\square}{3}$

$= \frac{\square}{4} \times \frac{3}{\square}$

$= \frac{\square}{4} = \square\frac{\square}{\square}$

[09~16] 계산을 하시오.

09 $\frac{8}{9} \div \frac{2}{9}$

10 $\frac{3}{4} \div \frac{2}{3}$

11 $2 \div \frac{9}{5}$

12 $\frac{3}{14} \div \frac{8}{7}$

13 $\frac{8}{3} \div \frac{7}{12}$

14 $\frac{11}{9} \div 4\frac{2}{5}$

15 $3\frac{3}{5} \div \frac{6}{7}$

16 $4\frac{4}{9} \div \frac{10}{3}$

7 자연수의 나눗셈을 이용한 (소수)÷(소수) 알아보기

- 16.8÷0.8을 168÷8을 이용하여 계산하기

16.8 cm=168 mm, 0.8 cm=8 mm입니다. 1 cm=10 mm

끈 16.8 cm를 0.8 cm씩 자르는 것은 끈 168 mm를 8 mm씩 자르는 것과 같습니다.

16.8÷0.8=168÷8

168÷8=21

16.8÷0.8= ❶ [ ]

- 1.68÷0.08을 168÷8을 이용하여 계산하기

1.68 m=168 cm, 0.08 m=8 cm입니다. 1 m=100 cm

끈 1.68 m를 0.08 m씩 자르는 것은 끈 168 cm를 8 cm씩 자르는 것과 같습니다.

1.68÷0.08=168÷8

168÷8=21

1.68÷0.08= ❷ [ ]

- 자연수의 나눗셈을 이용하여 소수의 나눗셈 계산하기

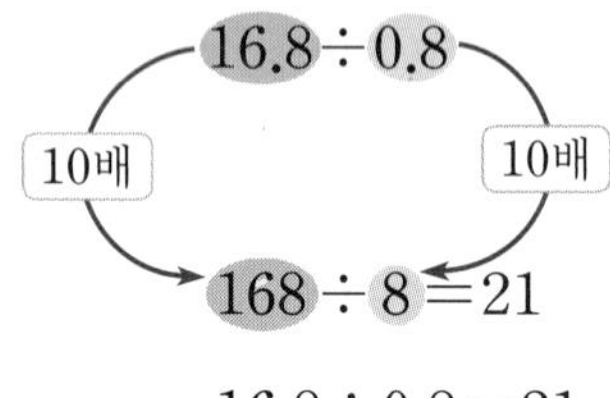

16.8÷0.8=21

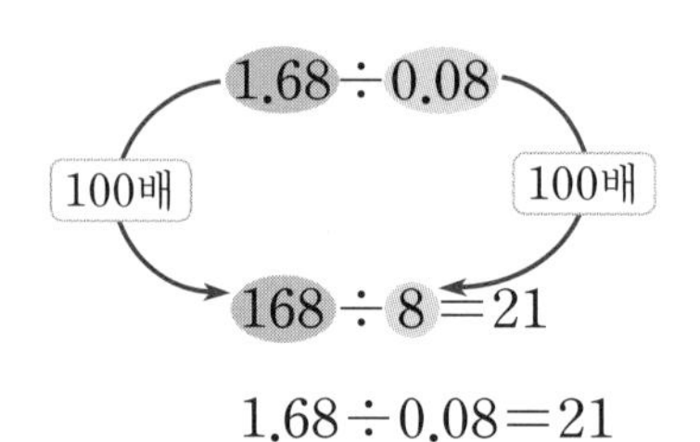

1.68÷0.08=21

[답] ❶ 21 ❷ 21

핵심 체크

1 138÷6=23이므로 13.8÷0.6은 (2.3 , 23)입니다.

2 368÷8=46이므로 3.68÷0.08은 (0.46 , 46)입니다.

8 자릿수가 같은 (소수)÷(소수) 알아보기

● 8.4÷0.6의 계산

① 분수의 나눗셈으로 계산하기

$8.4 \div 0.6 = \frac{84}{10} \div \frac{6}{10} = 84 \div 6 =$ ❶ ☐

② 세로로 계산하기

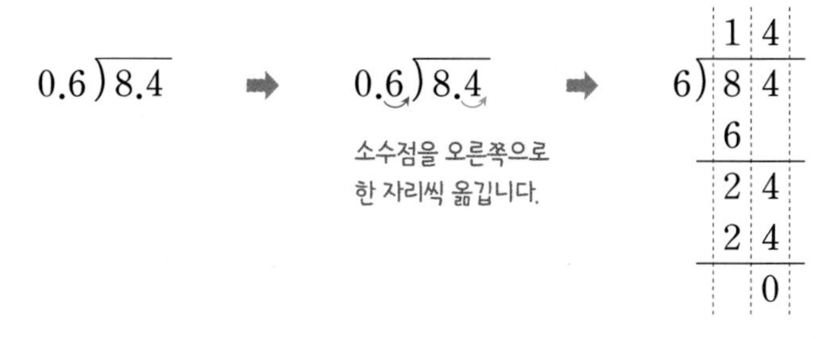

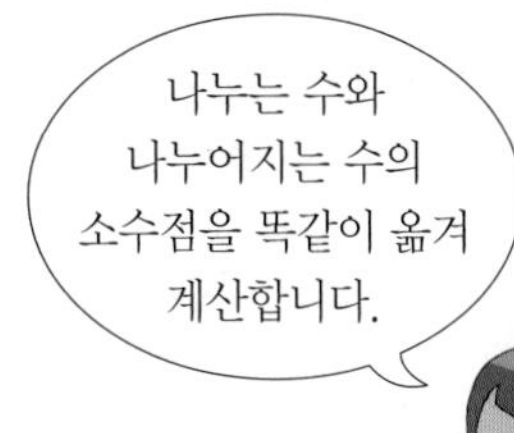

● 1.35÷0.15의 계산

① 분수의 나눗셈으로 계산하기

$1.35 \div 0.15 = \frac{135}{100} \div \frac{15}{100} = 135 \div 15 =$ ❷ ☐

② 세로로 계산하기

0.15)1.35 ➡ 0.15)1.35 ➡ 15)135

소수점을 오른쪽으로 두 자리씩 옮깁니다.

$$\begin{array}{r} 9 \\ 15\,\overline{)\,135} \\ 135 \\ \hline 0 \end{array}$$

[답] ❶ 14 ❷ 9

핵심 체크

1 (소수 한 자리 수)÷(소수 한 자리 수)는 나누는 수와 나누어지는 수의 소수점을 각각 오른쪽으로 (한 , 두) 자리씩 옮겨서 (자연수)÷(자연수)로 계산합니다.

2 (소수 두 자리 수)÷(소수 두 자리 수)는 나누는 수와 나누어지는 수의 소수점을 각각 오른쪽으로 (한 , 두) 자리씩 옮겨서 (자연수)÷(자연수)로 계산합니다.

9 자릿수가 다른 (소수)÷(소수) 알아보기

● 3.38÷2.6을 338÷260을 이용하여 계산하기

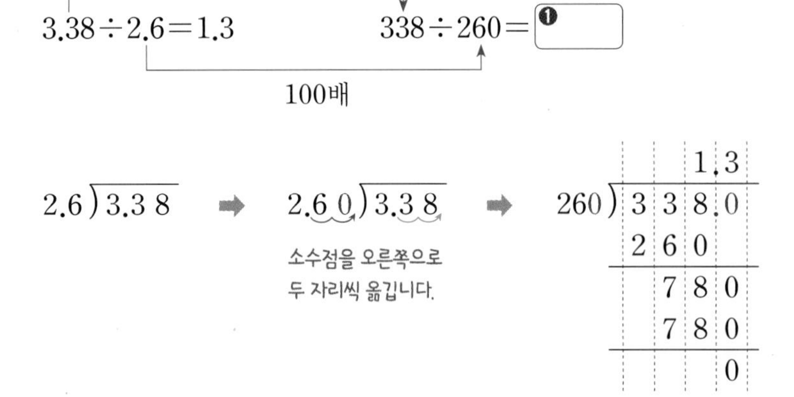

나누는 수와
나누어지는 수가
모두 자연수가 되도록
소수점을 똑같이
옮겨야 합니다.

● 3.38÷2.6을 33.8÷26을 이용하여 계산하기

10배

$3.38 \div 2.6 = 1.3$ → $33.8 \div 26 =$ ❷ ☐

10배

2.6)3.3 8 ➡ 2.6)3.3 8 ➡ 26)3 3.8

소수점을 오른쪽으로
한 자리씩 옮깁니다.

```
     1.3
26)3 3.8
   2 6
     7 8
     7 8
       0
```

[답] ❶ 1.3 ❷ 1.3

핵심 체크

1 (소수 두 자리 수)÷(소수 한 자리 수)는 나누는 수와 나누어지는 수의 소수점을 각각 (왼쪽 , 오른쪽)으로 한 자리씩 옮겨서 계산할 수 있습니다.

2 $6 \div 1.5 = \frac{600}{10} \div \frac{15}{10} = 600 \div 15 = 40$으로 계산할 수 있습니다. (○ , ×)

10 (자연수)÷(소수) 알아보기

● 36÷1.8의 계산

① 분수의 나눗셈으로 계산하기

$36 \div 1.8 = \frac{360}{10} \div \frac{18}{10} = 360 \div 18 =$ ❶ [ ]

② 세로로 계산하기

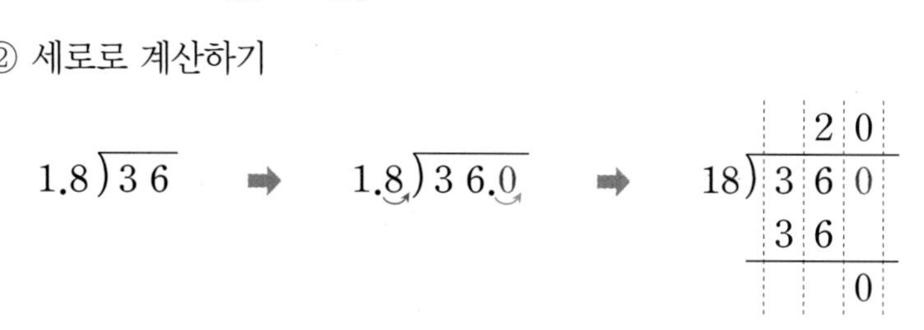

● 81÷2.25의 계산

① 분수의 나눗셈으로 계산하기

$81 \div 2.25 = \frac{8100}{100} \div \frac{225}{100} = 8100 \div 225 =$ ❷ [ ]

② 세로로 계산하기

2.25)81 ➡ 2.25)81.00 ➡

```
        36
225)8100
     675
     1350
     1350
        0
```

[답] ❶ 20 ❷ 36

핵심 체크

1 35÷1.75를 계산할 때 35와 1.75를 각각 (10 , 100)배 하여 자연수의 나눗셈으로 계산합니다.

2

```
       2 9
1.8)5.2 2
    3 6
    1 6 2
    1 6 2
        0
```

5.22÷1.8의 몫은 (0.29 , 2.9)입니다.

11 몫을 반올림하여 나타내기

- 12÷7의 몫을 반올림하여 나타내기

$$\begin{array}{r} 1.714 \\ 7\overline{)12.000} \\ 7 \\ \hline 50 \\ 49 \\ \hline 10 \\ 7 \\ \hline 30 \\ 28 \\ \hline 2 \end{array}$$

① 몫을 반올림하여 일의 자리까지 나타내기

12÷7=1.7…… ⇨ ❶ [ ]

② 몫을 반올림하여 소수 첫째 자리까지 나타내기

12÷7=1.71…… ⇨ 1.7

③ 몫을 반올림하여 소수 둘째 자리까지 나타내기

12÷7=1.714…… ⇨ ❷ [ ]

몫을 반올림하여 나타낼 때에는 구하려는 자리 바로 아래 자리의 숫자를 알아봅니다.

참고 구하려는 자리 바로 아래 자리의 숫자가 0, 1, 2, 3, 4이면 버리고, 5, 6, 7, 8, 9이면 올려서 나타내는 방법을 반올림이라고 합니다.

[답] ❶ 2 ❷ 1.71

핵심 체크

1 1.4÷3=0.4666……에서 몫을 반올림하여 소수 첫째 자리까지 나타내면 (0.4 , 0.5)입니다.

2 7.9÷7=1.1285……에서 몫을 반올림하여 소수 둘째 자리까지 나타내면 (1.12 , 1.13)입니다.

나눗셈의 몫을 반올림하여 소수 둘째 자리까지 나타내려면 소수 셋째 자리 숫자를 알아봅니다.

12 나누어 주고 남는 양 알아보기

- 물 8.2 L를 한 사람에 2 L씩 나누어 주기

① 어림하기

2 L씩 4명에게 나누어 줄 때 필요한 물은 $2\times4=8$ (L)이고, 5명에게 나누어 줄 때 필요한 물은 $2\times5=10$ (L)입니다.

따라서 최대 ❶ [ ] 명에게 나누어 줄 수 있습니다.

② 그림으로 알아보기

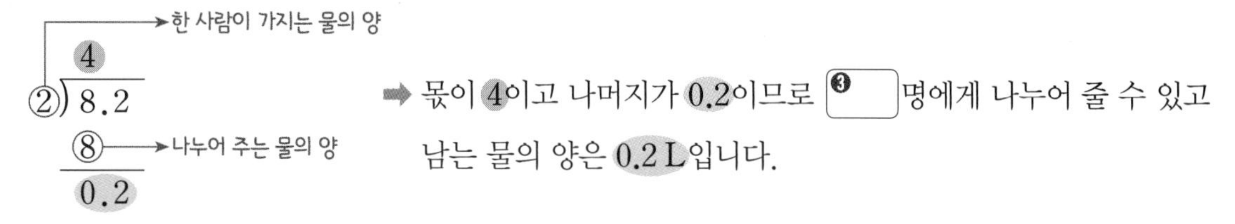

$8.2-2-2-2-2=0.2$

➡ 8.2에서 2를 4번 빼면 0.2가 남으므로 ❷ [ ] 명에게 나누어 주고 남는 물은 0.2 L입니다.

③ 세로로 계산하기

$$\begin{array}{r} 4 \\ 2\overline{)\,8.2} \\ 8 \\ \hline 0.2 \end{array}$$

4 → 한 사람이 가지는 물의 양

8 → 나누어 주는 물의 양

➡ 몫이 4이고 나머지가 0.2이므로 ❸ [ ] 명에게 나누어 줄 수 있고 남는 물의 양은 0.2 L입니다.

[답] ❶ 4 ❷ 4 ❸ 4

핵심 체크

[1~2] 끈 12.5 m를 한 사람에 3 m씩 나누어 주려고 합니다. 물음에 답하시오.

$$\begin{array}{r} 4 \\ 3\overline{)\,12.5} \\ 12 \\ \hline 0.5 \end{array}$$

1 나누어 줄 수 있는 사람은 (4 , 5)명입니다.

2 남는 끈의 길이는 (0.5 , 5) m입니다.

집중 연습

[01~08] □ 안에 알맞은 수를 써넣으시오.

01 $1.2 \div 0.3 = \frac{\square}{10} \div \frac{\square}{10}$

$= \square \div \square = \square$

02 $6.4 \div 0.4 = \frac{\square}{10} \div \frac{\square}{10}$

$= \square \div \square = \square$

03 $7.92 \div 0.33 = \frac{\square}{100} \div \frac{\square}{100}$

$= \square \div \square = \square$

04 $9.63 \div 1.07 = \frac{\square}{100} \div \frac{\square}{100}$

$= \square \div \square = \square$

05 $14 \div 2.8 = \frac{\square}{10} \div \frac{\square}{10}$

$= \square \div \square = \square$

06 $90 \div 3.6 = \frac{\square}{10} \div \frac{\square}{10}$

$= \square \div \square = \square$

07 $48 \div 0.64 = \frac{\square}{100} \div \frac{\square}{100}$

$= \square \div \square = \square$

08 $36 \div 0.45 = \frac{\square}{100} \div \frac{\square}{100}$

$= \square \div \square = \square$

[09~16] 계산을 하시오.

09 $2.4 \div 0.4$

10 $2.07 \div 0.23$

11 $27.72 \div 0.84$

12 $58.38 \div 1.39$

13 $5.16 \div 0.6$

14 $39 \div 7.8$

15 $63 \div 4.2$

16 $35 \div 1.25$

나누는 수와
나누어지는 수의
소수점을 똑같이 옮겨
계산합니다.

13 어느 방향에서 보았는지 알아보기

◉ 사진을 보고 찍은 방향 찾아보기

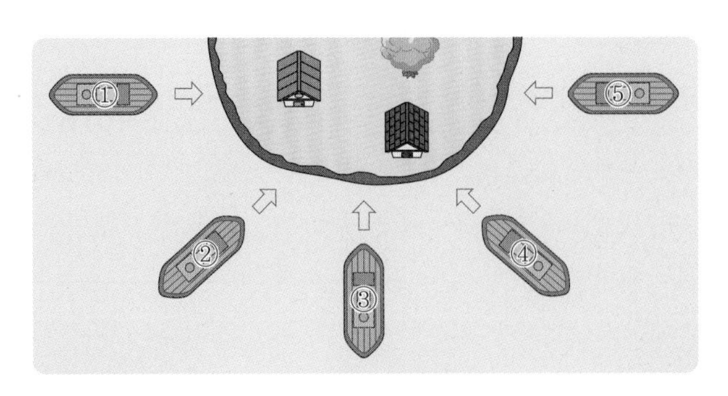

가 나  다  라  마 

- 가 사진은 나무가 왼쪽에 있으므로 [❶]에서 찍은 사진입니다.
- 나 사진은 나무가 두 집 사이에 있으므로 ②에서 찍은 사진입니다.
- 다 사진은 나무줄기가 집에 가려서 보이지 않으므로 ③에서 찍은 사진입니다.
- 라 사진은 집 하나가 다른 집에 가려서 보이지 않으므로 [❷]에서 찍은 사진입니다.
- 마 사진은 나무가 오른쪽에 있으므로 [❸]에서 찍은 사진입니다.

[답] ❶ ① ❷ ④ ❸ ⑤

핵심 체크

1 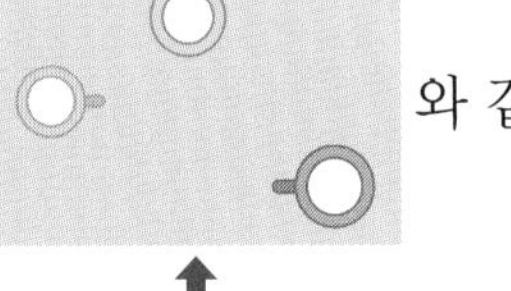 와 같이 컵이 놓여 있을 때 가 방향에서 찍은 사진은

가

( , )입니다.

14 쌓은 모양과 쌓기나무의 개수 알아보기(1)

● 쌓기나무로 쌓은 모양과 위에서 본 모양을 보고 쌓은 모양과 쌓기나무의 개수 구하기

(1) 쌓은 모양에서 보이는 위의 면들과 위에서 본 모양이 같은 경우

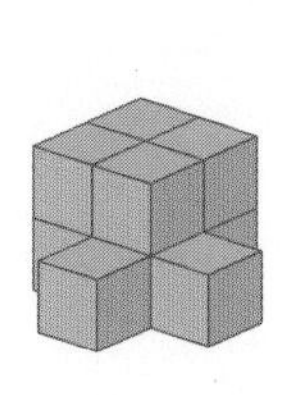

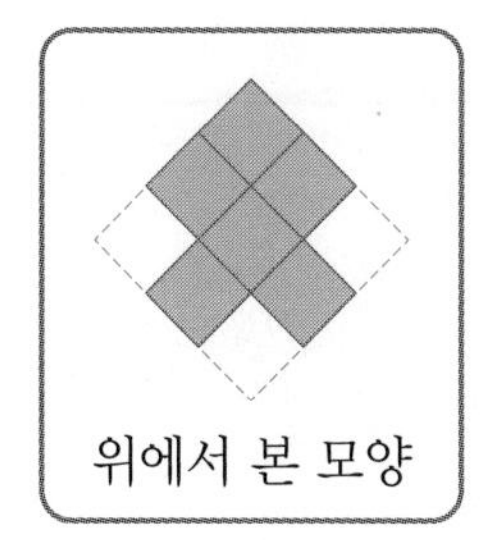

위에서 본 모양

위에서 본 모양에서 보이지 않는 부분에 쌓기나무가 없습니다.
1층 6개, 2층 4개이므로 똑같은 모양으로 쌓는 데 필요한 쌓기나무는 ❶ ☐개입니다.

(2) 쌓은 모양에서 보이는 위의 면들과 위에서 본 모양이 다른 경우

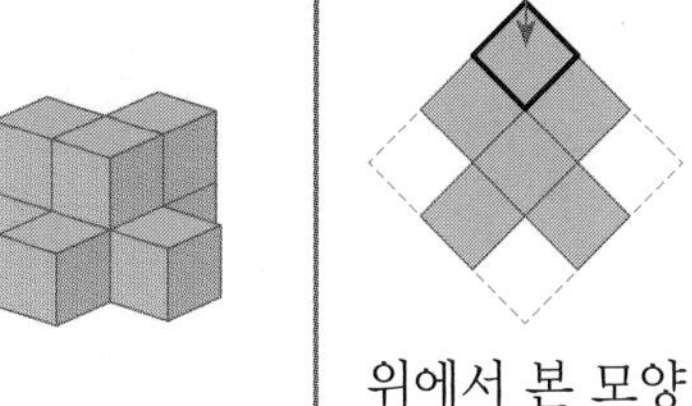

위에서 본 모양

위에서 본 모양에서 보이지 않는 부분(◇)에 쌓기나무가 있습니다.
1층 6개, 2층 3개이므로 똑같은 모양으로 쌓는 데 필요한 쌓기나무는 ❷ ☐개입니다.

[답] ❶ 10 ❷ 9

핵심 체크

1 위에서 본 모양이 같을 때 쌓기나무로 쌓은 모양은 항상 같습니다. (○ , ×)

2

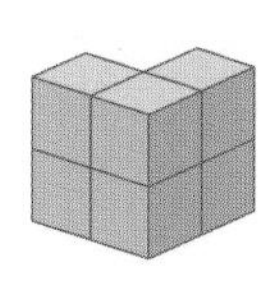

위에서 본 모양

쌓기나무로 쌓은 모양과 위에서 본 모양이 왼쪽과 같을 때 보이지 않는 부분에 쌓기나무가 (없습니다 , 있습니다).

15 쌓은 모양과 쌓기나무의 개수 알아보기(2)

● 쌓기나무로 쌓은 모양을 보고 위, 앞, 옆에서 본 모양 그리기

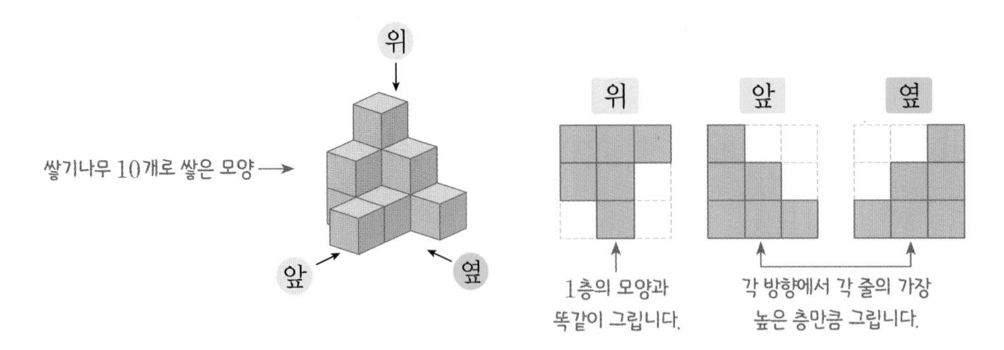

● 위, 앞, 옆에서 본 모양을 보고 쌓은 모양을 추측하고 쌓기나무의 개수 구하기

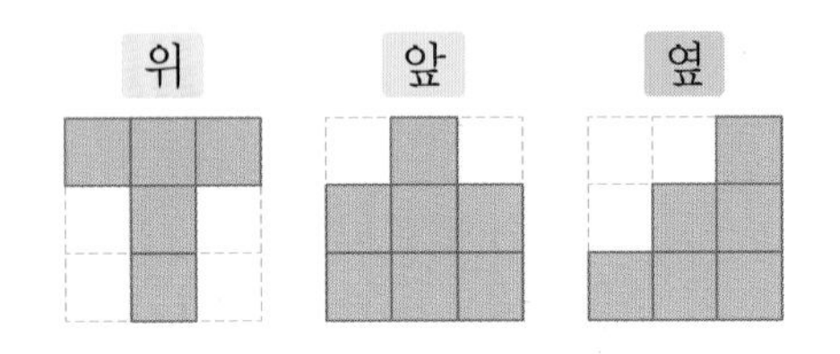

• 1층은 ❶ ☐ 개입니다.

• 앞에서 보면 왼쪽에서부터 2층, 3층, 2층으로 보입니다.

• 옆에서 보면 왼쪽에서부터 1층, 2층, ❷ ☐ 층으로 보입니다.

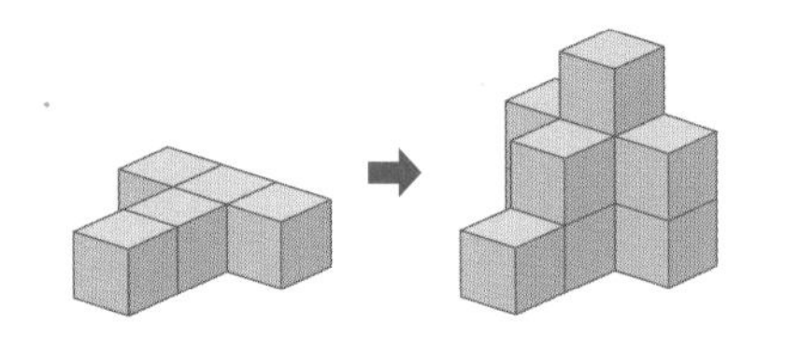

똑같은 모양으로 쌓는 데 필요한 쌓기나무는 ❸ ☐ 개입니다.

[답] ❶ 5 ❷ 3 ❸ 10

핵심 체크

1 쌓기나무로 쌓은 모양을 위에서 본 모양은 (1 , 2)층의 모양과 같습니다.

2 앞에서 본 모양을 보면 각 줄의 가장 (낮은 , 높은) 층을 알 수 있습니다.

16 쌓은 모양과 쌓기나무의 개수 알아보기(3)

● 쌓기나무로 쌓은 모양을 보고 위에서 본 모양에 수를 써서 나타내기

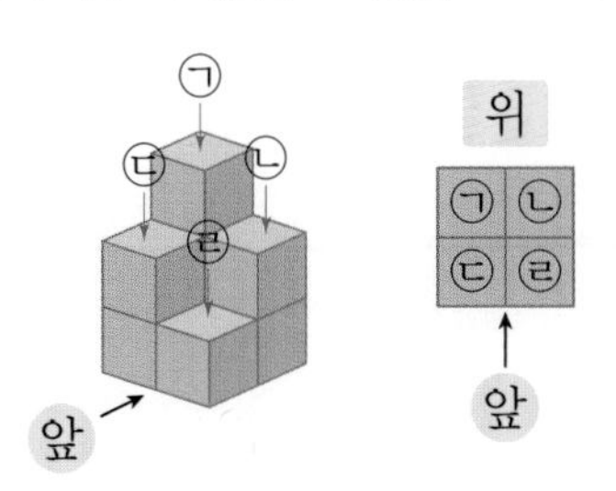

위에서 본 모양의 각 자리에 쌓기나무가 각각 몇 개씩 쌓여 있는지 알아보면
㉠ 3개, ㉡ 2개, ㉢ [❶]개, ㉣ [❷]개입니다.

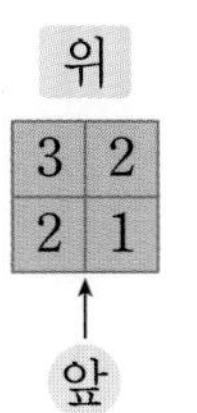

위에서 본 모양의 각 자리에 쌓은 쌓기나무의 개수를 쓰면 왼쪽과 같습니다.
따라서 똑같은 모양으로 쌓는 데 필요한 쌓기나무는 $3+2+2+1=$ [❸](개)입니다.

● 위에서 본 모양에 수를 쓴 것을 보고 쌓은 모양 알기

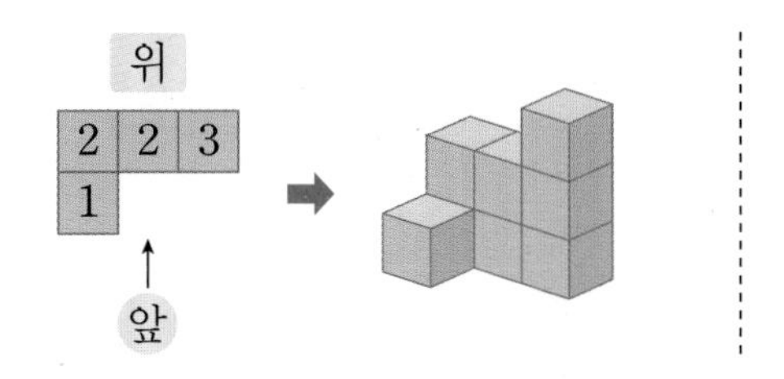

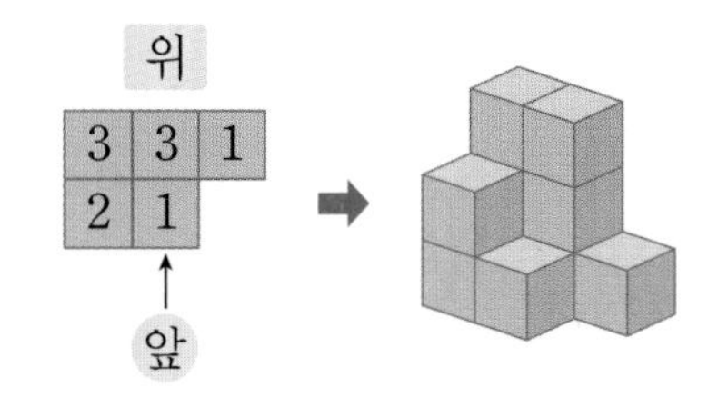

[답] ❶ 2 ❷ 1 ❸ 8

핵심 체크

[1~2] 쌓기나무로 쌓은 모양과 위에서 본 모양을 보고 물음에 답하시오.

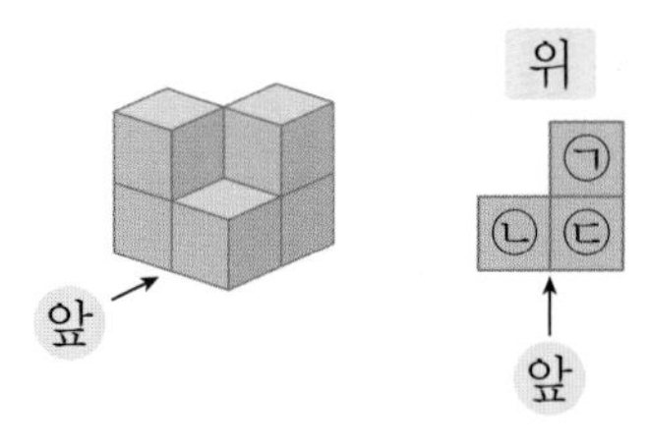

1 ㉠에 쌓은 쌓기나무는 (1 , 2)개, ㉡에 쌓은 쌓기나무는 (1 , 2)개, ㉢에 쌓은 쌓기나무는 1개입니다.

2 쌓은 쌓기나무는 모두 (3 , 5)개입니다.

17 쌓은 모양과 쌓기나무의 개수 알아보기(4)

● 쌓기나무로 쌓은 모양을 보고 층별로 나타낸 모양 그리기

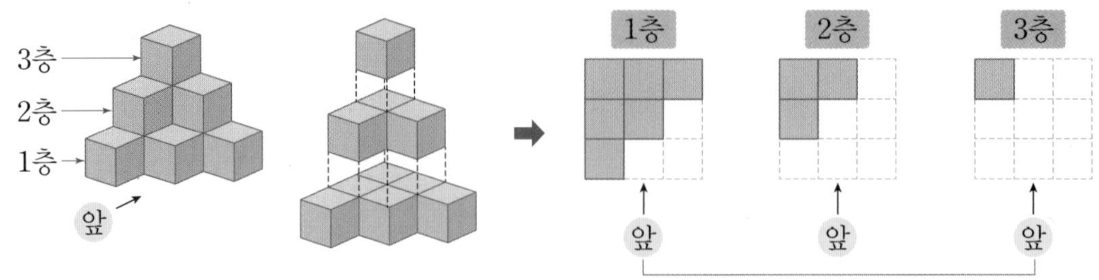

위에서 본 모양에서 같은 위치에 있는 층은 같은 위치에 그림을 그립니다.

● 층별로 나타낸 모양을 보고 쌓기나무로 쌓은 모양과 개수 알아보기

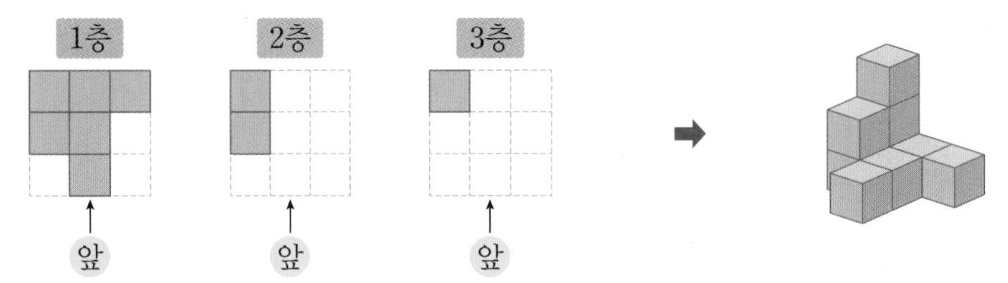

➡ 1층에 6개, 2층에 2개, 3층에 ❶☐개이므로 똑같은 모양으로 쌓는 데 필요한 쌓기나무는 ❷☐개입니다.

[답] ❶ 1 ❷ 9

핵심 체크

1 1층의 모양은 위에서 본 모양과 (같습니다 , 다릅니다).

2

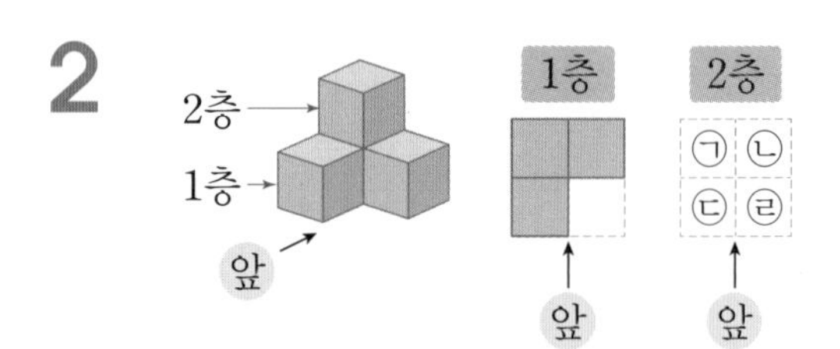

2층의 쌓기나무는 (㉠ , ㉡ , ㉢ , ㉣) 자리에 놓아야 합니다.

18 여러 가지 모양 만들기

◘ 쌓기나무 4개로 만들 수 있는 서로 다른 모양 찾기

쌓기나무 3개로 만들 수 있는 모양에 쌓기나무를 1개 더 붙여서 만들어 봅니다.

① 모양에 쌓기나무 1개를 더 붙여서 만들기

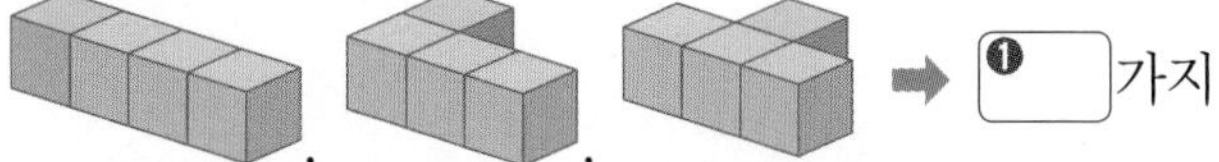
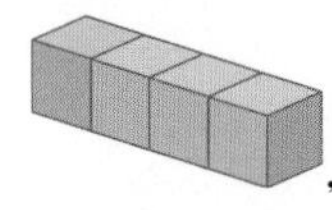, 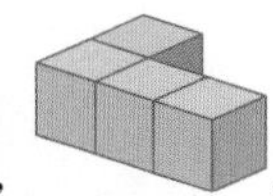,  ➡ ❶ ☐가지

② 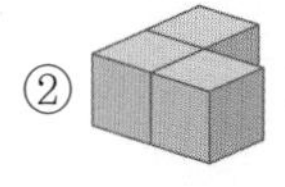 모양에 쌓기나무 1개를 더 붙여서 만들기

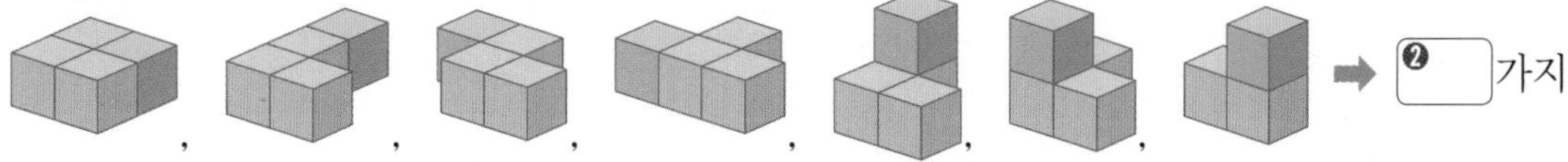
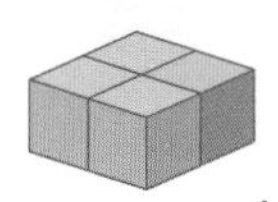, 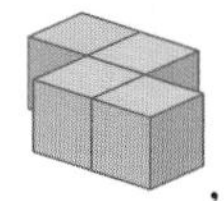, 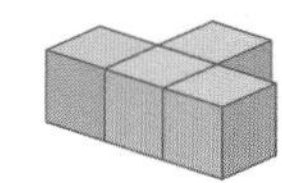, 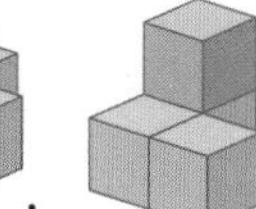, 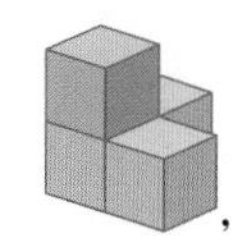, 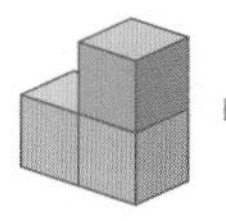,  ➡ ❷ ☐가지

위 ①과 ②에서 만든 모양 중에서 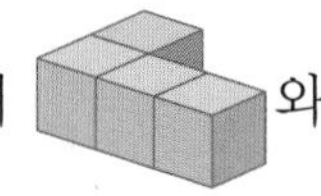와 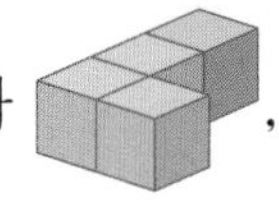, 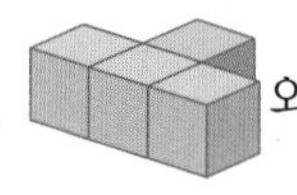와 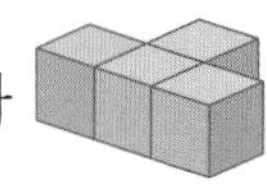는 같은 모양이므로

쌓기나무 4개로 만들 수 있는 서로 다른 모양은 모두 ❸ ☐가지입니다.

[답] ❶ 3 ❷ 7 ❸ 8

핵심 체크

1 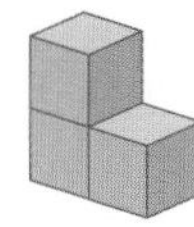 모양과 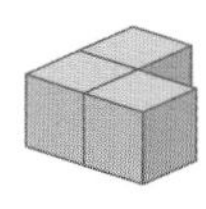 모양은 (같은 , 다른) 모양입니다.

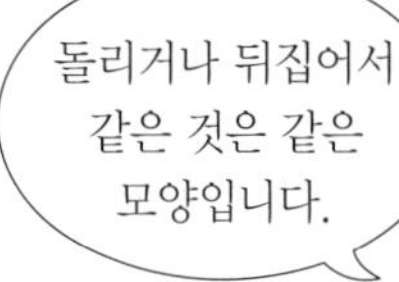

2 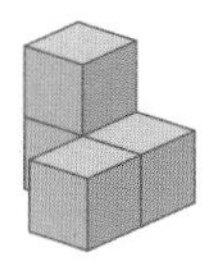 모양과 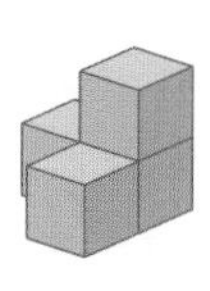 모양은 (같은 , 다른) 모양입니다.

집중 연습

[01~04] 주어진 모양과 똑같이 쌓는 데 필요한 쌓기나무의 개수를 구하시오.

01

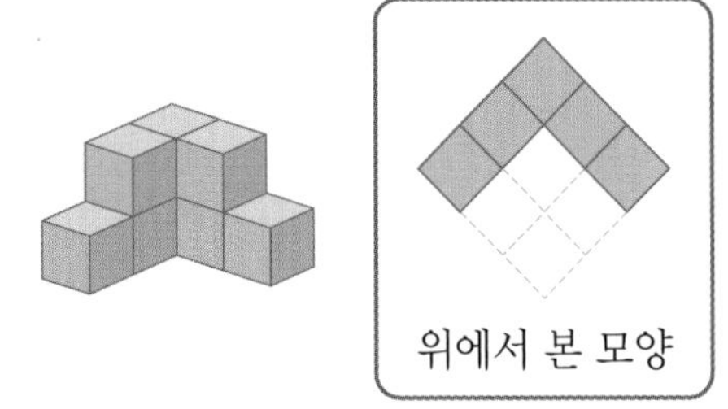

(　　　　　　　　　　)

02

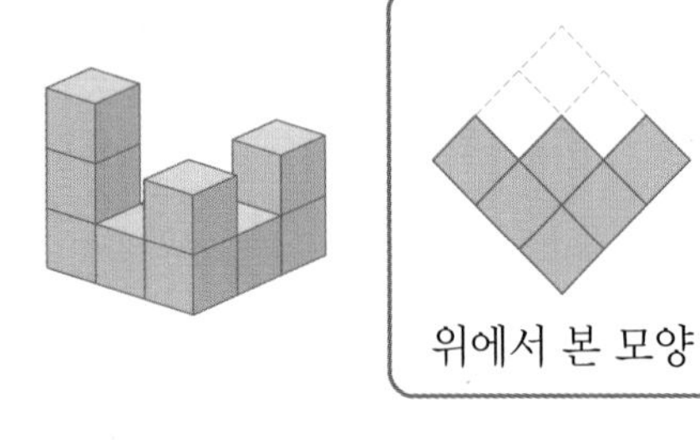

(　　　　　　　　　　)

03

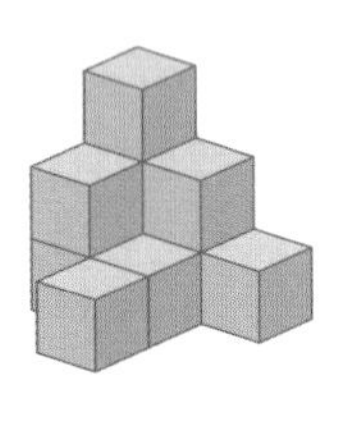

위에서 본 모양

(　　　　　　　　　　)

04

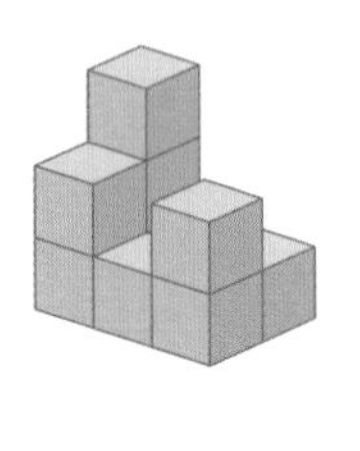

위에서 본 모양

(　　　　　　　　　　)

[05~08] 쌓기나무로 쌓은 모양과 위에서 본 모양입니다. 앞이나 옆에서 본 모양을 그리시오.

05

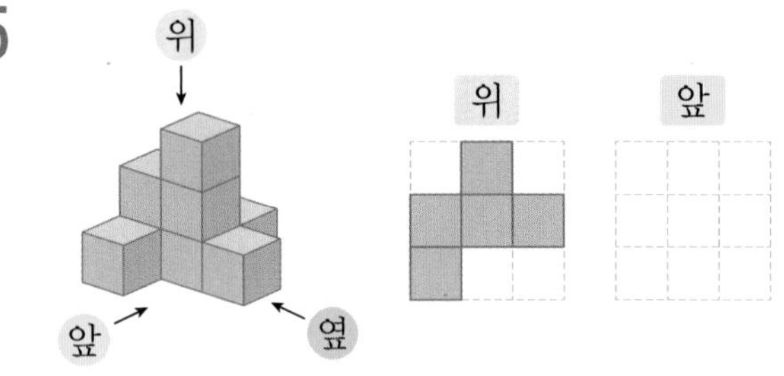

06

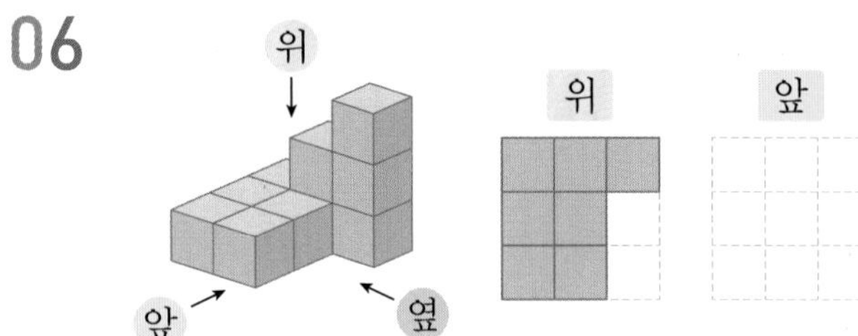

07

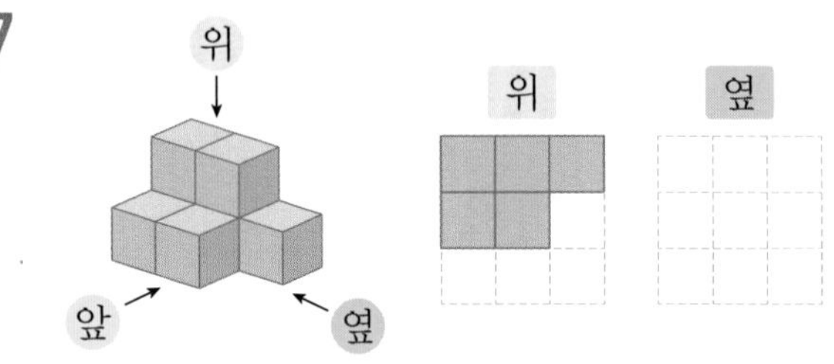

08

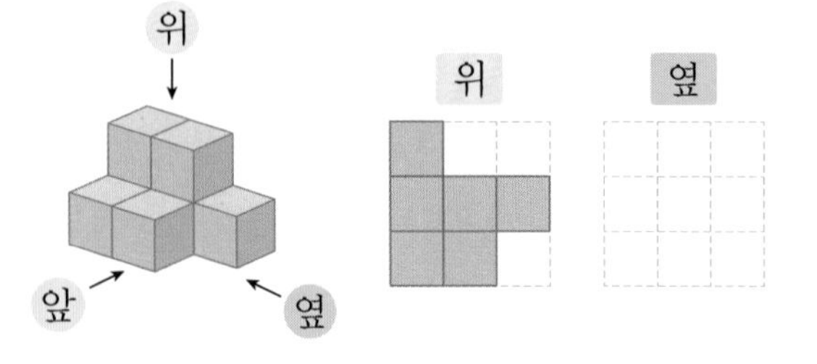

[09~12] 쌓기나무로 쌓은 모양을 보고 위에서 본 모양에 수를 쓰시오.

09

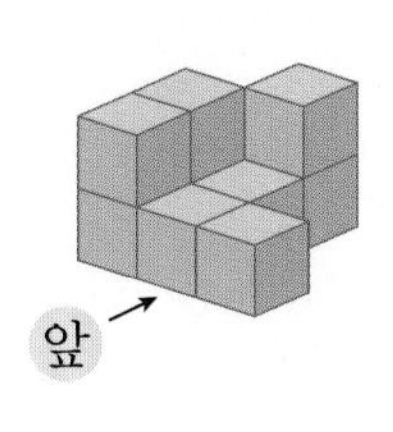

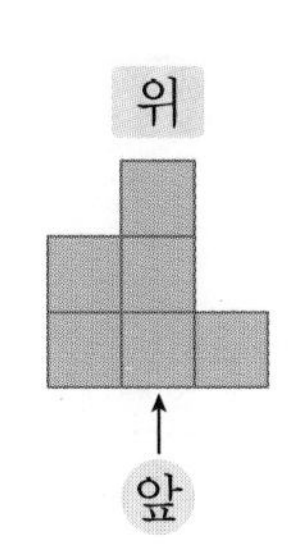

10

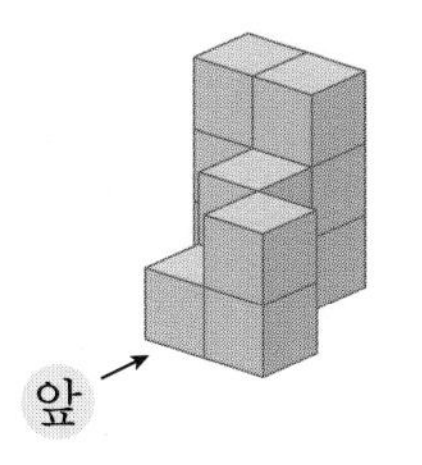

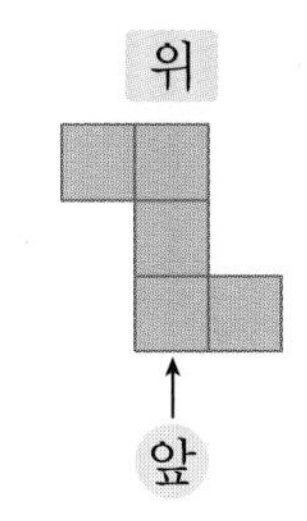

11

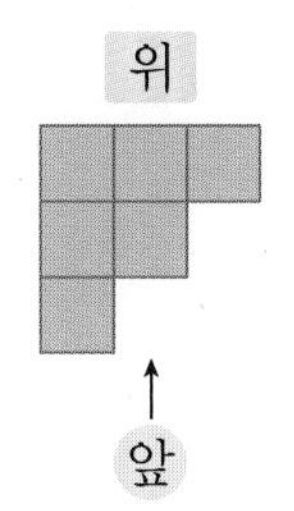

12

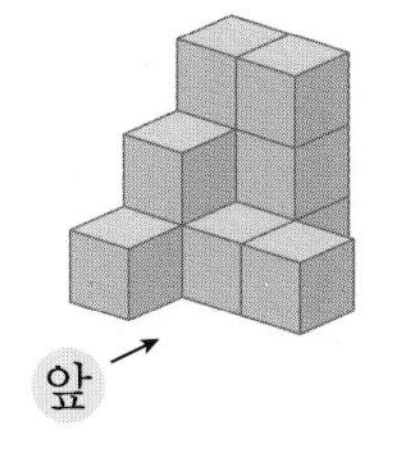

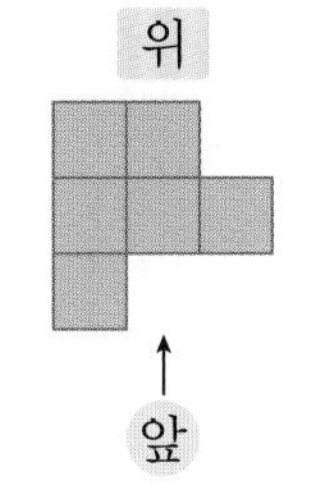

[13~16] 쌓기나무로 쌓은 모양을 보고 1층과 2층 모양을 각각 그리시오.

13

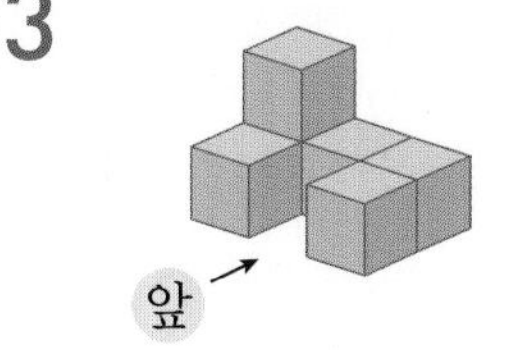

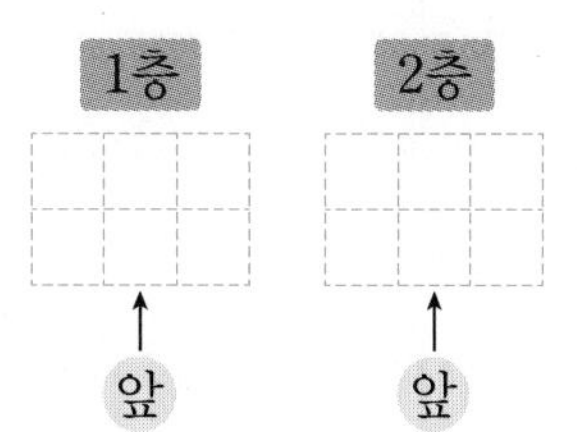

14

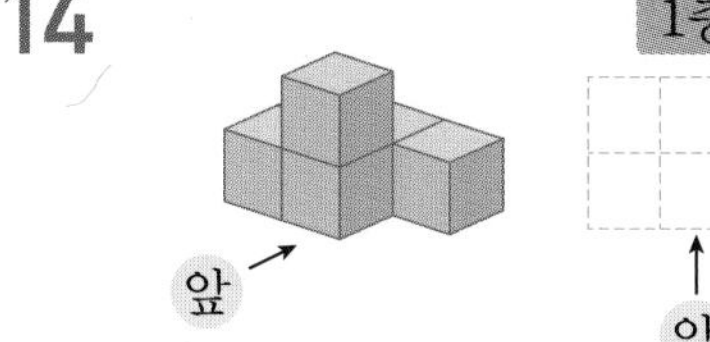

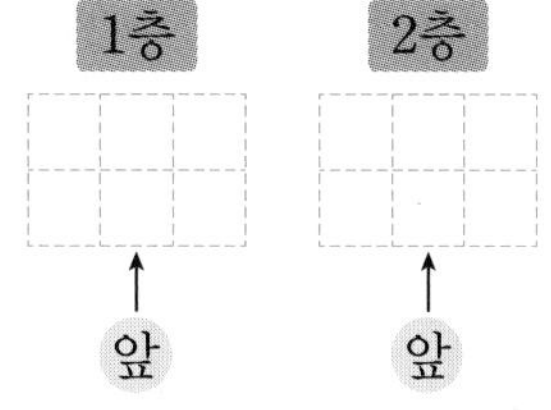

15

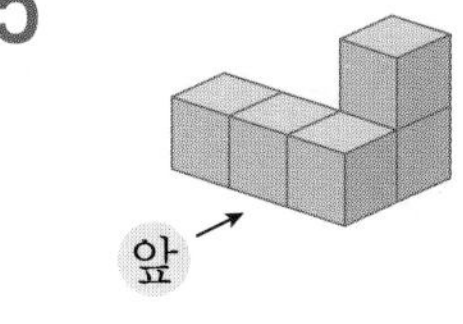

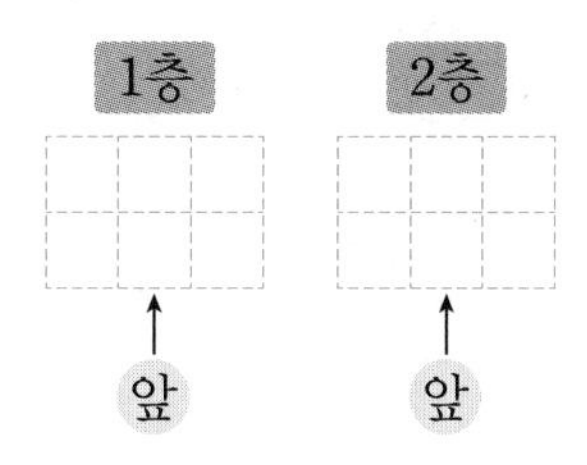

16

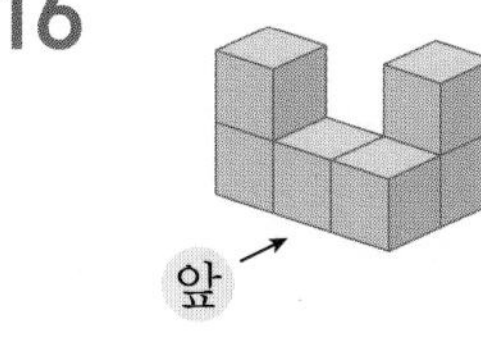

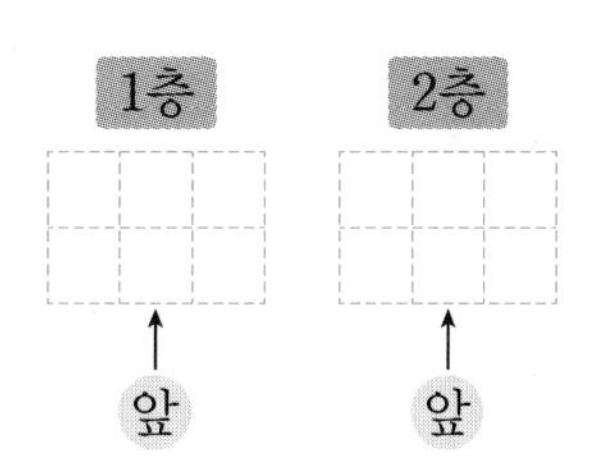

19 비의 성질 알아보기

전항과 후항

비 2 : 3에서 기호 ' : ' 앞에 있는 2를 전항, 뒤에 있는 3을 후항이라고 합니다.

비의 성질(1)

예 2 : 3과 4 : 6 비교하기

비 2 : 3　　비율 $\frac{2}{3}$

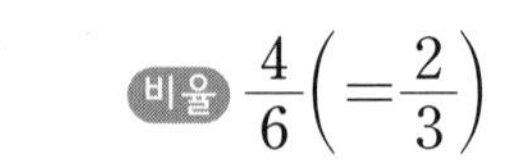

비 4 : 6　　비율 $\frac{4}{6}\left(=\frac{2}{3}\right)$

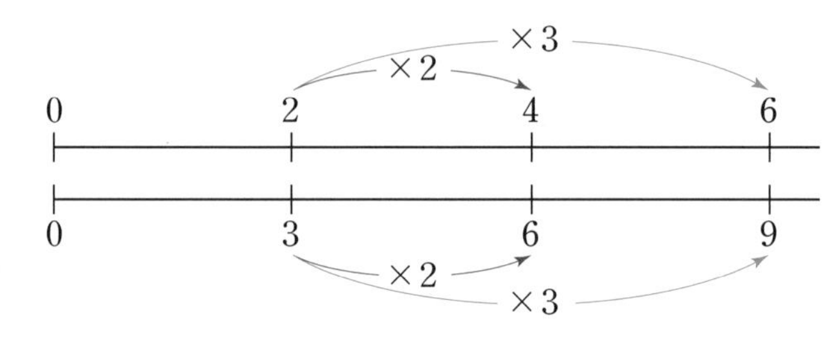

2 : 3은 전항과 후항에 ❶ 를 곱한 4 : 6과 비율이 같습니다.

비의 전항과 후항에 0이 아닌 같은 수를 곱하여도 비율은 같습니다.

비의 성질(2)

예 30 : 24와 10 : 8 비교하기

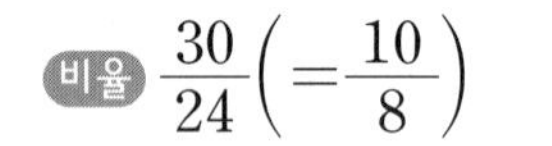

비 30 : 24　　비율 $\frac{30}{24}\left(=\frac{10}{8}\right)$

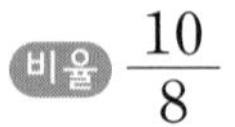

비 10 : 8　　비율 $\frac{10}{8}$

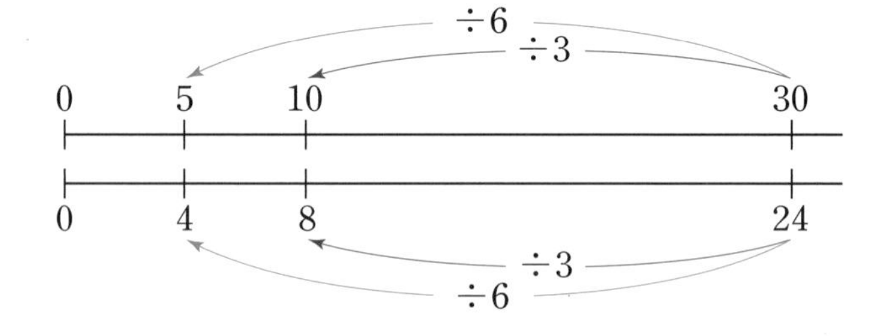

30 : 24는 전항과 후항을 ❷ 으로 나눈 10 : 8과 비율이 같습니다.

비의 전항과 후항을 0이 아닌 같은 수로 나누어도 비율은 같습니다.

[답] ❶ 2 ❷ 3

핵심 체크

1 비 5 : 4에서 전항은 (5 , 4)이고, 후항은 (5 , 4)입니다.

2 5 : 4의 전항과 후항에 4를 곱하여도 비율은 (같습니다 , 다릅니다).

20 간단한 자연수의 비로 나타내기(1)

◉ 2.8 : 1.9를 간단한 자연수의 비로 나타내기

비의 성질을 이용하여 전항과 후항에 10을 곱하여 소수를 자연수로 나타냅니다.

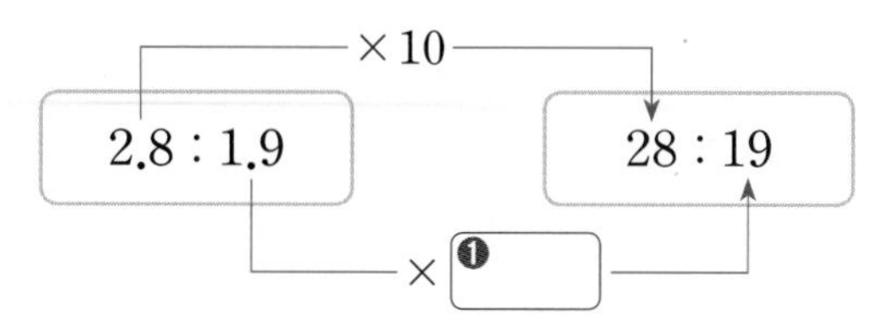

◉ 0.14 : 0.17을 간단한 자연수의 비로 나타내기

비의 성질을 이용하여 전항과 후항에 100을 곱하여 소수를 자연수로 나타냅니다.

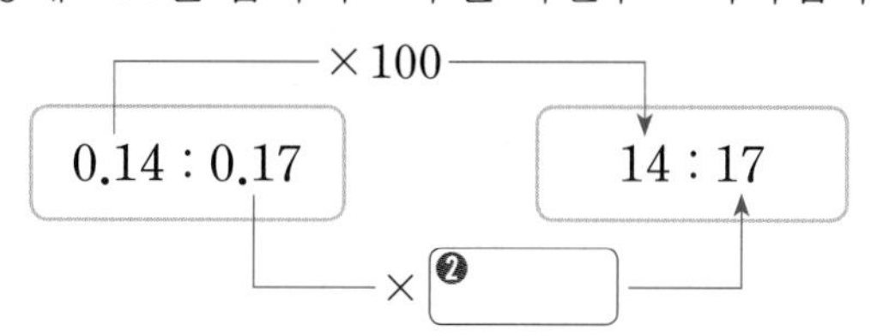

전항과 후항이 소수 두 자리 수이면 전항과 후항에 100을 곱하여 자연수의 비로 나타냅니다.

◉ 3.6 : 0.06을 간단한 자연수의 비로 나타내기

① 자연수의 비로 나타냅니다.

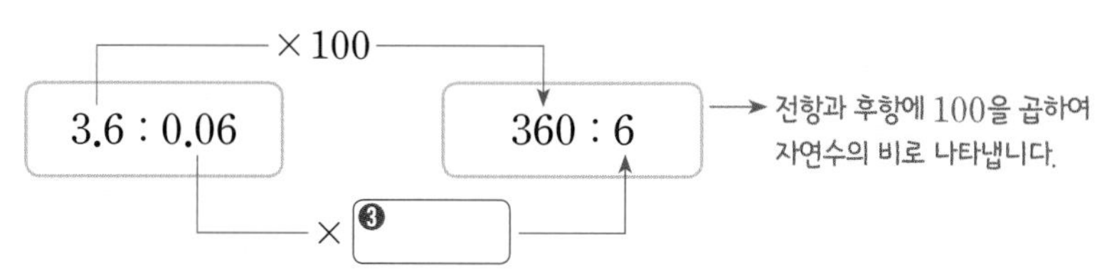

① 간단한 자연수의 비로 나타냅니다.

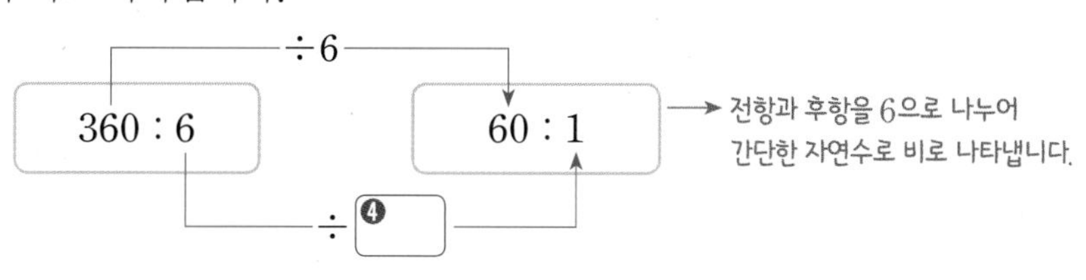

[답] ❶ 10 ❷ 100 ❸ 100 ❹ 6

핵심 체크

1 0.2 : 0.3에서 전항과 후항에 (5 , 10)을/를 곱하여 간단한 자연수의 비로 나타낼 수 있습니다.

2 1.4 : 0.9를 간단한 자연수의 비로 나타내면 (14 : 90 , 14 : 9)입니다.

21 간단한 자연수의 비로 나타내기(2)

- $\frac{1}{5}:\frac{1}{3}$을 간단한 자연수의 비로 나타내기

비의 성질을 이용하여 전항과 후항에 5와 3의 최소공배수 15를 곱하여 분수를 자연수로 나타냅니다.

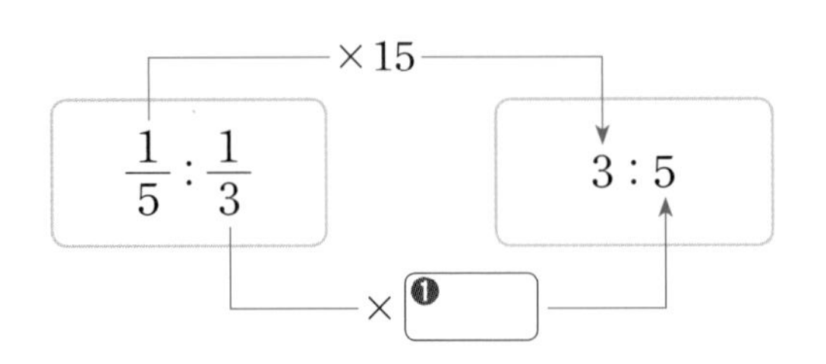

- $0.9:\frac{1}{5}$을 간단한 자연수의 비로 나타내기

방법1 후항을 소수로 바꾸어 간단한 자연수의 비로 나타내기

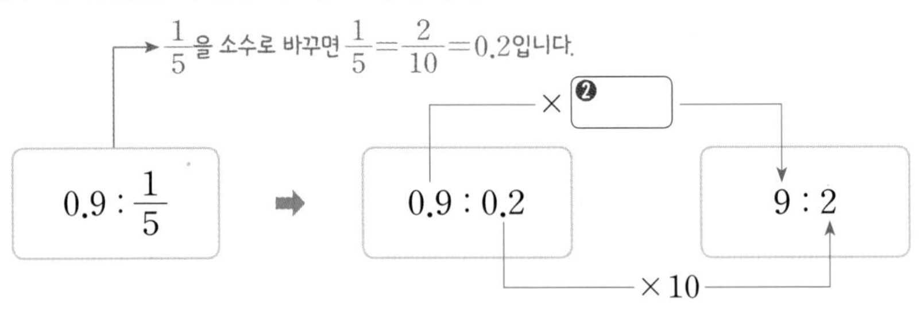

방법2 전항을 분수로 바꾸어 간단한 자연수의 비로 나타내기

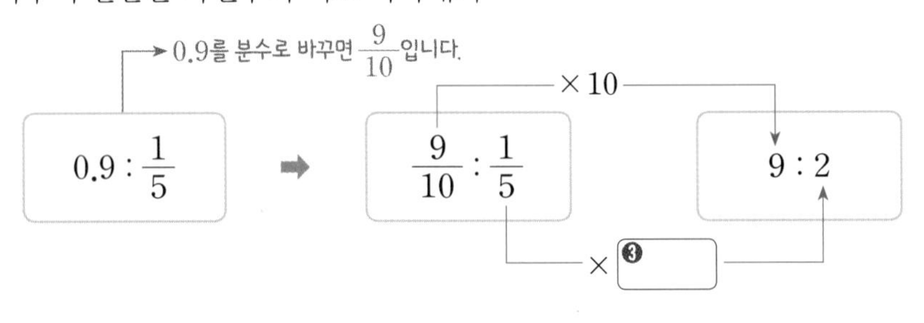

[답] ❶ 15 ❷ 10 ❸ 10

핵심 체크

1 분수의 비를 간단한 자연수의 비로 나타내려면 전항과 후항에 두 분모의 (공약수 , 공배수)를 곱합니다.

2 $0.3:\frac{1}{2}$을 간단한 자연수의 비로 나타내려면 $\frac{3}{10}:\frac{1}{2}$로 바꾼 다음 전항과 후항에 (2 , 10)을/를 곱합니다.

22 비례식과 비례식의 성질 알아보기

비례식 알아보기

비율이 같은 두 비를 기호 '='를 사용하여 5 : 7=10 : 14와 같이 나타낼 수 있습니다.
이와 같은 식을 비례식이라고 합니다.

예 4 : 9는 전항과 후항에 ❶ ☐를 곱한 8 : 18과 그 비율이 같습니다.

×2
4 : 9=8 : 18
×2

15 : 33은 전항과 후항을 3으로 나눈 5 : 11과 그 비율이 같습니다.

÷3
15 : 33=5 : 11
÷3

외항과 내항 알아보기

비례식 2 : 3=4 : 6에서 바깥쪽에 있는 2와 6을 외항,
안쪽에 있는 3과 4를 ❷ ☐이라 합니다.

외항
2 : 3=4 : 6
내항

비례식의 성질 알아보기

예 3 : 5=6 : 10
외항의 곱: 3×10=30
내항의 곱: 5×6=30
곱이 같습니다.

비례식에서 외항의 곱과 내항의 곱은 같습니다.
3×10
3 : 5=6 : 10
5×6

[답] ❶ 2 ❷ 내항

핵심 체크

1 비례식 1 : 3= 2 : 6에서 외항은 1과 (2 , 6)입니다.

2 비례식에서 외항의 곱과 내항의 곱은 (같습니다 , 다릅니다).

23 비례식 활용하기

• 비례식의 성질을 이용하여 □의 값 구하기(1)

예 프린터로 6초에 3장을 출력할 수 있습니다. 21장을 출력하려면 시간이 얼마나 걸리는지 구하시오.

21장을 출력하는 데 걸리는 시간을 □초라 하고 비례식을 세워 보면 $6:3=\square:21$입니다.

$6\times21=3\times\square$, $3\times\square=126$, $\square=42$

따라서 21장을 출력하려면 ❶ 초가 걸립니다.

• 비례식의 성질을 이용하여 □의 값 구하기(2)

예 만두소를 만들려면 김치 400 g에 돼지고기가 300 g 필요합니다. 김치가 40 g 있다면 돼지고기는 몇 g 필요한지 구하시오.

김치 40 g에 필요한 돼지고기를 □g이라 하고 비례식을 세워 보면 $400:300=40:\square$입니다.

$400\times\square=300\times40$, $400\times\square=12000$, $\square=30$

따라서 필요한 돼지고기는 ❷ g입니다.

참고 비의 성질을 이용하여 문제를 해결할 수도 있습니다.

[답] ❶ 42 ❷ 30

핵심 체크

1 $7:1=■:2$에서 $7\times2=1\times■$이므로 ■는 (2 , 14)입니다.

2 $2:5=4:▲$에서 $2\times▲=5\times4$이므로 ▲는 (5 , 10)입니다.

24 비례배분하기

- 주어진 비로 나누어 가지기

예 진우와 선아가 빵 12개를 2 : 4로 나누어 가지는 방법

① 그림으로 나타내기

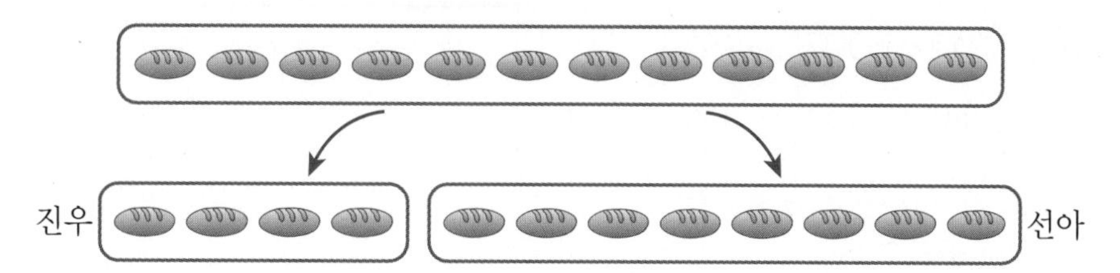

② 수직선으로 알아보기

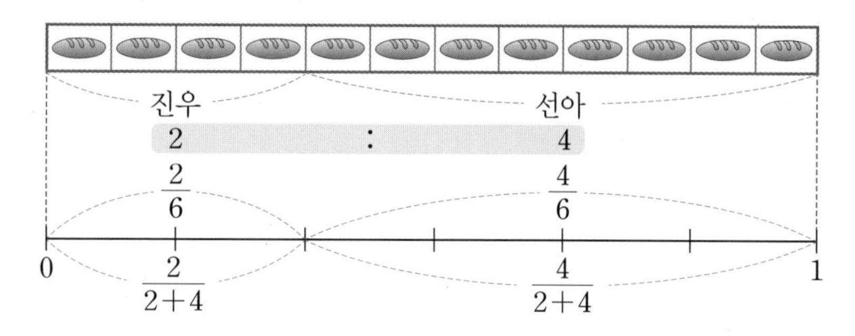

③ 식으로 나타내기

진우: $12\times\frac{2}{2+4}=$ ❶ □(개)　　선아: $12\times\frac{4}{2+4}=$ ❷ □(개)

- 비례배분: 전체를 주어진 비로 배분하는 것

[답] ❶ 4 ❷ 8

핵심체크

1 10을 3 : 2로 비례배분하면 $10\times\frac{3}{㉠}$, $10\times\frac{2}{㉠}$입니다.

㉠에 알맞은 식은 (3+2 , 3×2)입니다.

2 초콜릿을 재희와 미소가 6 : 7로 나누어 가지기로 했을 때 재희가 가지는 초콜릿은

전체의 ($\frac{6}{6+7}$, $\frac{7}{6+7}$)입니다.

집중 연습

[01~04] 비의 성질을 이용하여 비율이 같은 비를 알아보시오.

01 $4:3 \Rightarrow 8:\square$

$\Rightarrow \square:9$

$\Rightarrow 16:\square$

02 $6:7 \Rightarrow \square:14$

$\Rightarrow 18:\square$

$\Rightarrow \square:28$

03 $12:30 \Rightarrow 6:\square$

$\Rightarrow \square:10$

$\Rightarrow 2:\square$

04 $15:45 \Rightarrow \square:15$

$\Rightarrow 3:\square$

$\Rightarrow \square:3$

[05~08] 간단한 자연수의 비로 나타내시오.

05 $28:36$ (　　　　　　)

06 $1.5:1.4$ (　　　　　　)

07 $\frac{5}{6}:\frac{2}{9}$ (　　　　　　)

08 $2.6:\frac{4}{5}$ (　　　　　　)

[09~12] 비례식의 성질을 이용하여 □ 안에 알맞은 수를 써넣으시오.

09 □ : 9=8 : 18

10 7 : □=56 : 40

11 2 : 3=□ : 27

12 64 : 24=□ : 3

[13~16] □ 안에 알맞은 수를 써넣으시오.

13 9를 1 : 2로 나누면

$9\times\frac{1}{\square+\square}=9\times\frac{\square}{\square}=\square$,

$9\times\frac{2}{\square+\square}=9\times\frac{\square}{\square}=\square$입니다.

14 20을 3 : 2로 나누면

$20\times\frac{3}{\square+\square}=20\times\frac{\square}{\square}=\square$,

$20\times\frac{2}{\square+\square}=20\times\frac{\square}{\square}=\square$입니다.

15 65를 6 : 7로 나누면

$65\times\frac{6}{\square+\square}=65\times\frac{\square}{\square}=\square$,

$65\times\frac{7}{\square+\square}=65\times\frac{\square}{\square}=\square$

입니다.

16 77을 9 : 2로 나누면

$77\times\frac{9}{\square+\square}=77\times\frac{\square}{\square}=\square$,

$77\times\frac{2}{\square+\square}=77\times\frac{\square}{\square}=\square$

입니다.

25 원주와 지름의 관계, 원주율 알아보기

● 원주 알아보기

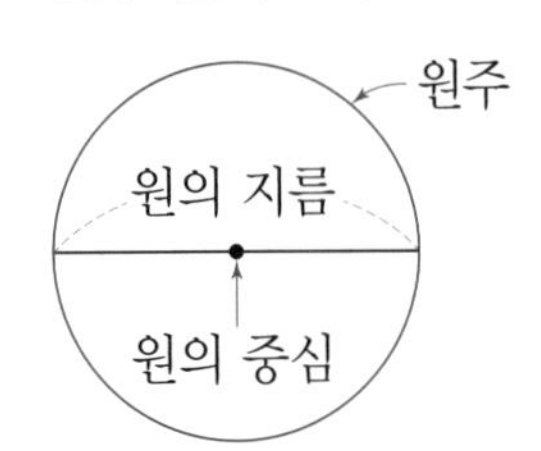

원의 ❶ [　　] 를 원주라고 합니다.

● 원주와 지름의 관계

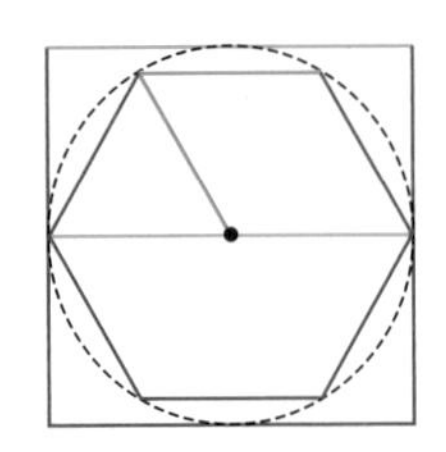

(정육각형의 둘레)=(원의 반지름)×6
=(원의 지름)×3 ➡ (원주)>(정육각형의 둘레)
(정사각형의 둘레)=(원의 지름)×4 ➡ (원주)<(정사각형의 둘레)

원주는 원의 지름의 3배보다 길고, 원의 지름의 4배보다 짧습니다.

● 원주율

원주(cm)	지름(cm)	(원주)÷(지름)
6.28	2	3.14
12.56	4	3.14
18.84	6	3.14

원의 지름에 대한 원주의 비율을 원주율이라고 합니다.

(원주율)=(원주)÷(❷ [　　])

원주율을 소수로 나타내면 3.1415926535897932……와 같이 끝없이 이어집니다. 따라서 필요에 따라 3, 3.1, 3.14 등으로 어림하여 사용하기도 합니다.

[답] ❶ 둘레 ❷ 지름

핵심 체크

1 원의 둘레를 (원주 , 원주율)(이)라고 합니다.

2 원의 크기와 상관없이 (원주)÷(지름)은 (일정합니다 , 달라집니다).

26 원주와 지름 구하기

● 지름을 알 때 원주율을 이용하여 원주 구하기

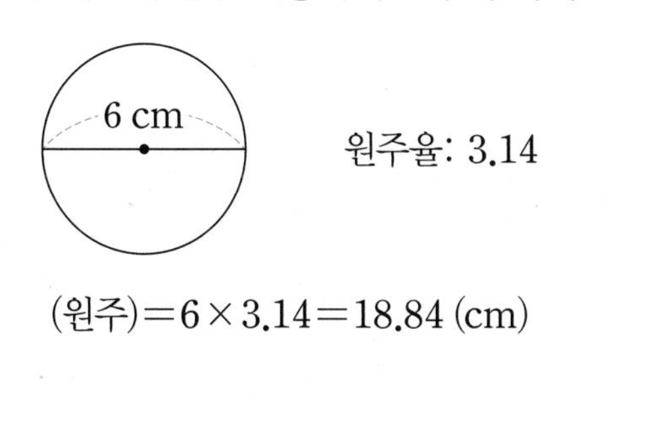

원주율: 3.14

(원주)$=6\times3.14=18.84$ (cm)

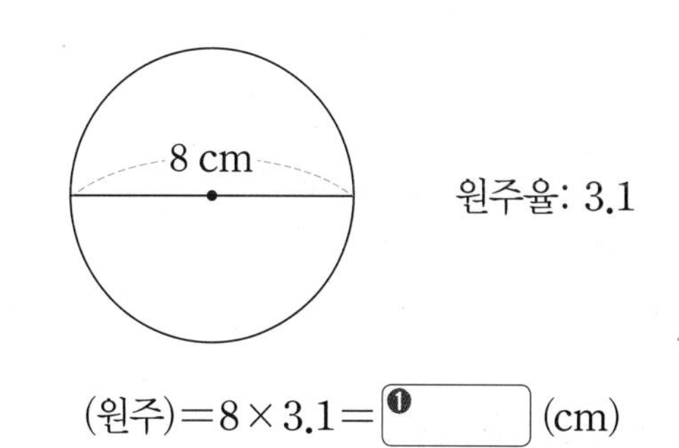

원주율: 3.1

(원주)$=8\times3.1=$ ❶ ☐ (cm)

(원주)$=$(지름)$\times$(원주율)

● 원주를 알 때 원주율을 이용하여 지름 구하기

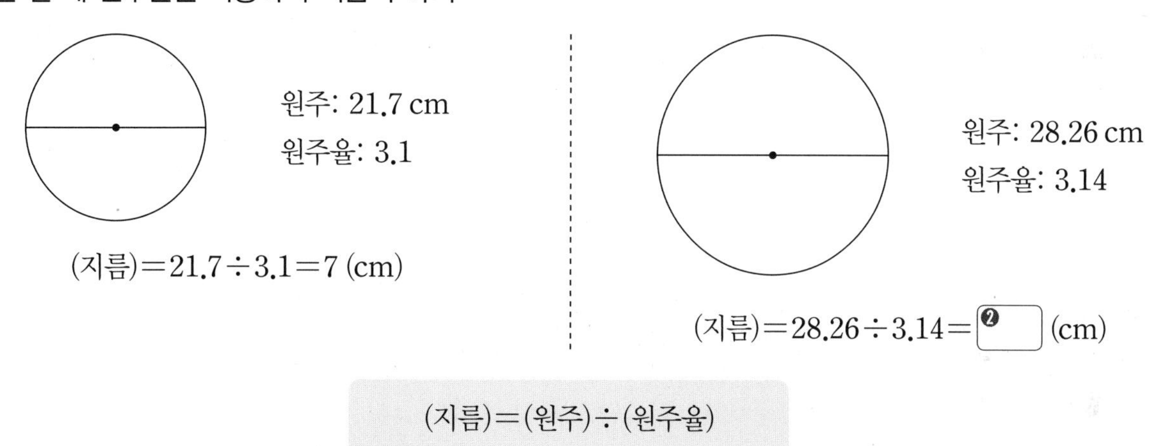

원주: 21.7 cm
원주율: 3.1

(지름)$=21.7\div3.1=7$ (cm)

원주: 28.26 cm
원주율: 3.14

(지름)$=28.26\div3.14=$ ❷ ☐ (cm)

(지름)$=$(원주)$\div$(원주율)

[답] ❶ 24.8 ❷ 9

핵심 체크

1 원주는 원의 (반지름 , 지름)과 원주율의 곱으로 구할 수 있습니다.

2 원주가 18이고 원주율이 3일 때, 원의 지름은 ($18\div3$, $18\div3\div2$)(으)로 구할 수 있습니다.

27 원의 넓이 어림하기, 원의 넓이 구하는 방법 알아보기

● 정사각형으로 원의 넓이 어림하기

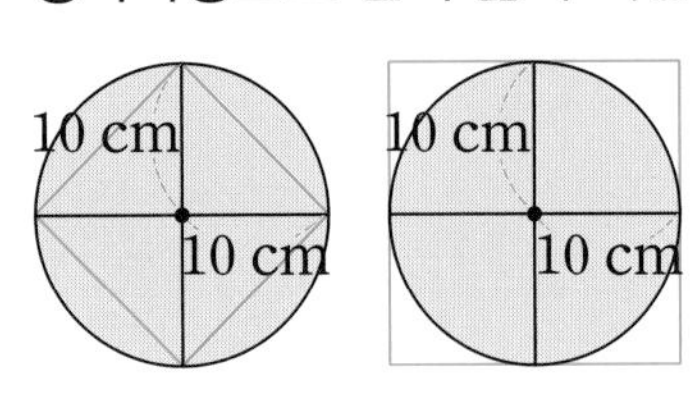

(원 안에 있는 정사각형의 넓이)$=20\times20\div2=200$ (cm^2)

→ 마름모

→ (한 대각선의 길이) × (다른 대각선의 길이) ÷ 2

(원 밖에 있는 정사각형의 넓이)$=20\times20=400$ (cm^2)

➡ ❶ [　　] cm^2 < (반지름이 10 cm인 원의 넓이)

(반지름이 10 cm인 원의 넓이) < ❷ [　　] cm^2

→ 200 cm^{2}보다는 넓고, 400 cm^{2}보다는 좁습니다.

● 모눈종이를 이용하여 원의 넓이 어림하기

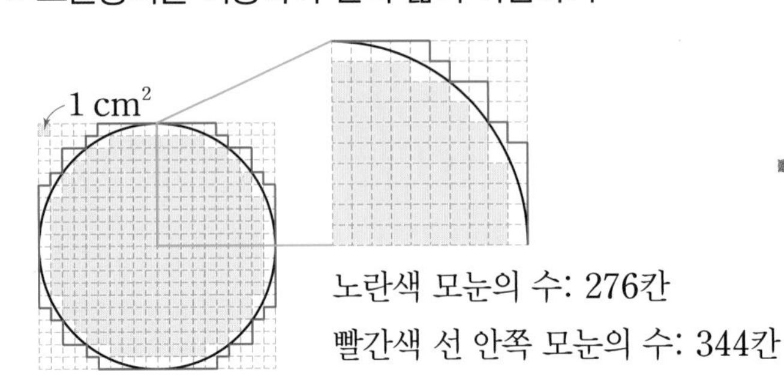

➡ ❸ [　　] cm^2 < (반지름이 10 cm인 원의 넓이)

(반지름이 10 cm인 원의 넓이) < ❹ [　　] cm^2

● 원의 넓이 구하는 방법

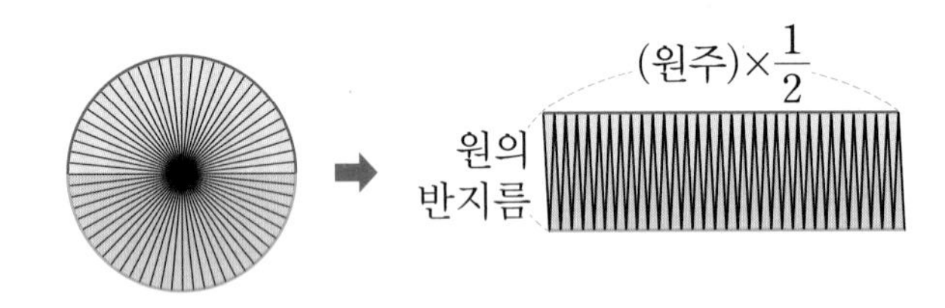

(원의 넓이)$=$(원주)$\times\frac{1}{2}\times$(반지름)

$=$(원주율)$\times$(지름)$\times\frac{1}{2}\times$(반지름)

→ 반지름

$=$(반지름)$\times$(반지름)$\times$(원주율)

[답] ❶ 200 ❷ 400 ❸ 276 ❹ 344

핵심 체크

1 원의 넓이는 (지름)×(지름)×(원주율)로 구합니다. (○ , ×)

2 반지름이 2 cm이고, 원주율이 3.1일 때 원의 넓이는 (2×2×3.1 , 2×3.1×3.1)로 구합니다.

28 여러 가지 원의 넓이 구하기

● 반지름을 이용하여 원의 넓이 구하기 (원주율: 3.1)

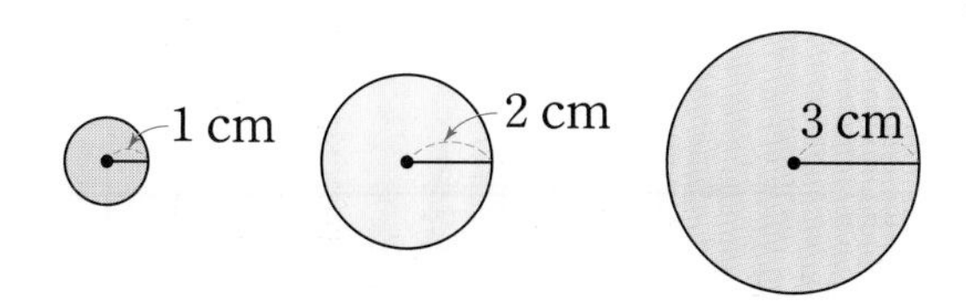

빨간색 원: $1\times1\times3.1=3.1$ (cm²)
노란색 원: $2\times2\times3.1=12.4$ (cm²)
연두색 원: $3\times3\times3.1=$ ❶ (cm²)

반지름이 2배가 되면 넓이는 4배가 됩니다.
반지름이 3배가 되면 넓이는 9배가 됩니다.

➡ 반지름이 길어지면 원의 넓이도 넓어집니다.

● 색칠한 부분의 넓이 구하기 (원주율: 3)
→ 큰 원의 넓이에서 작은 원의 넓이를 뺍니다.

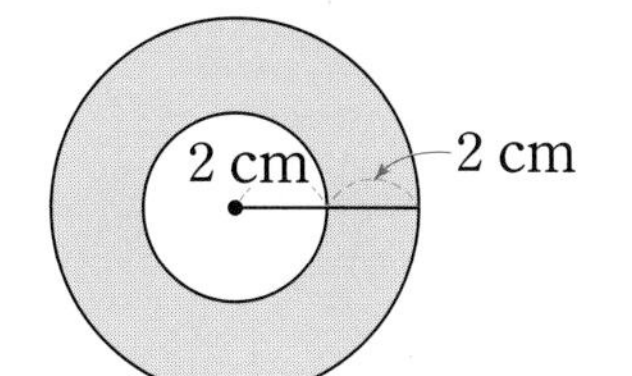

(색칠한 부분의 넓이)
=(큰 원의 넓이)−(작은 원의 넓이)
=(반지름이 (2+2) cm인 원의 넓이)−(반지름이 2 cm인 원의 넓이)
$=4\times4\times3-2\times2\times3$
$=48-12$
= ❷ (cm²)

[답] ❶ 27.9 ❷ 36

핵심 체크

1 반지름이 길어지면 원의 넓이는 (좁아집니다 , 넓어집니다).

원의 넓이 구하는 방법을 이용하여 여러 가지 모양의 넓이를 구할 수 있습니다.

2 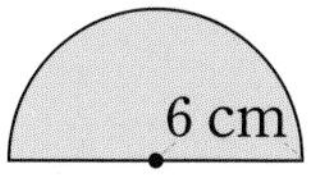

원주율: 3.1

반원의 넓이는 ($6\times6\times3.1$, $6\times6\times3.1\div2$)로 구합니다.

집중 연습

[01~08] 원주를 구하시오.

01

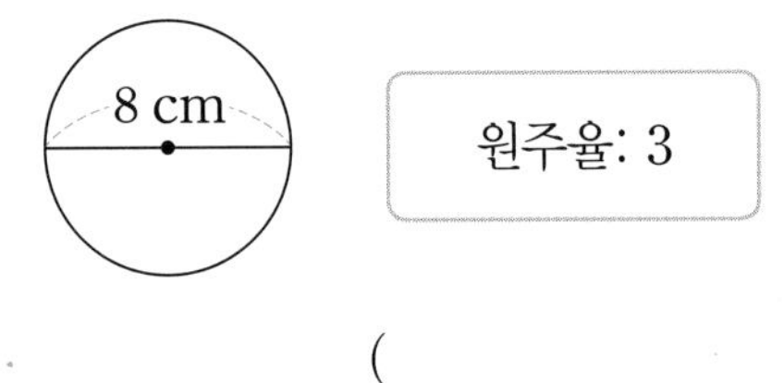

(   )

02

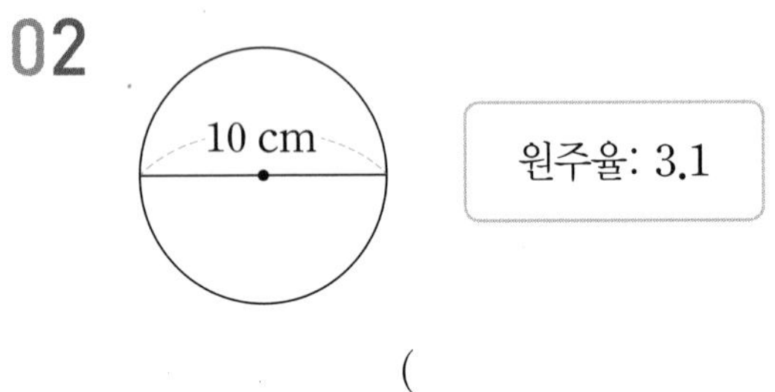

(   )

03

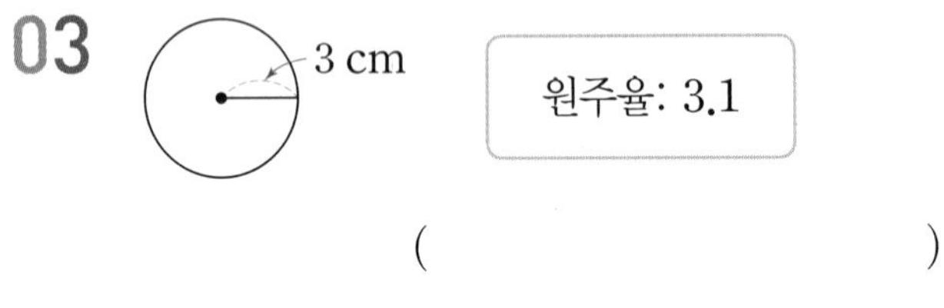

(   )

04

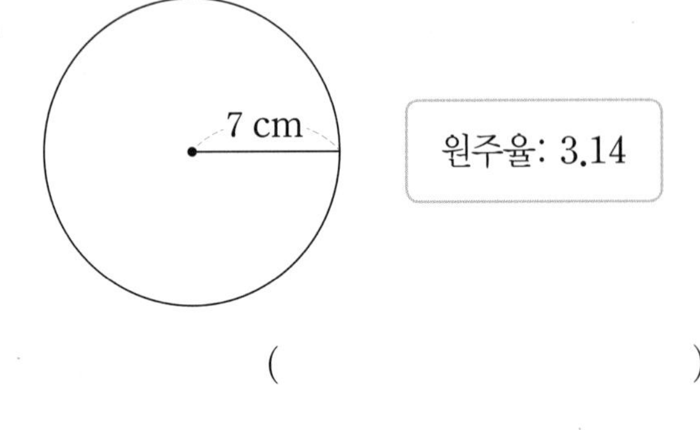

(   )

05

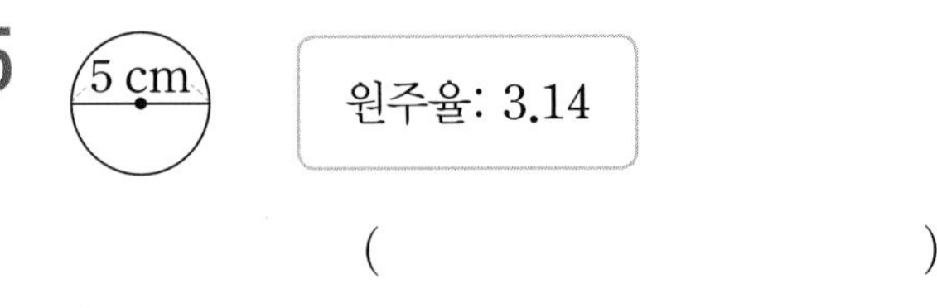

(   )

06

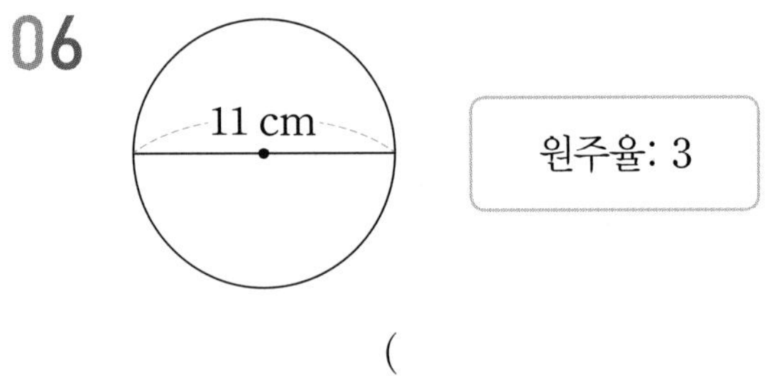

(   )

07

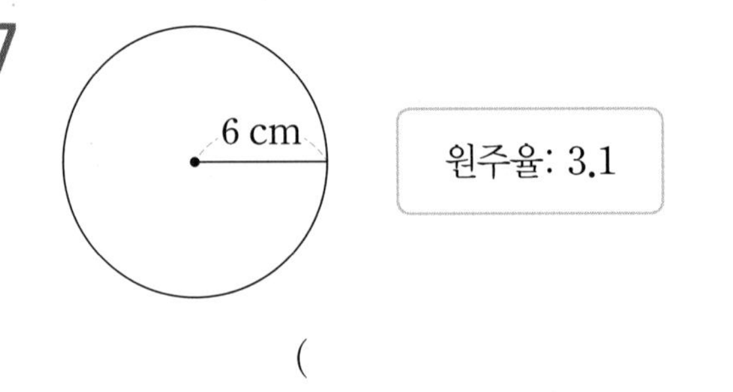

(   )

08

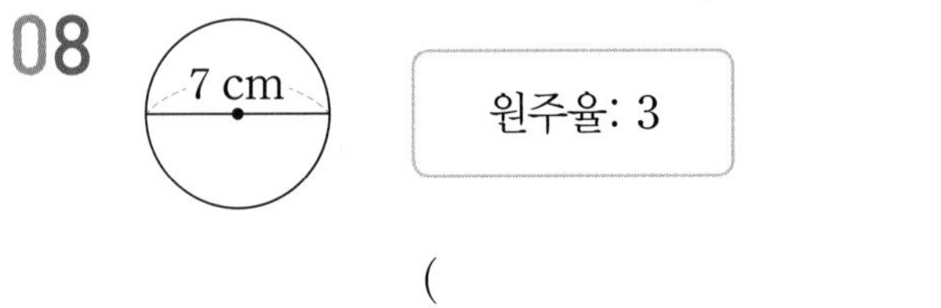

(   )

[09~16] 원의 넓이를 구하시오.

09

(   )

10

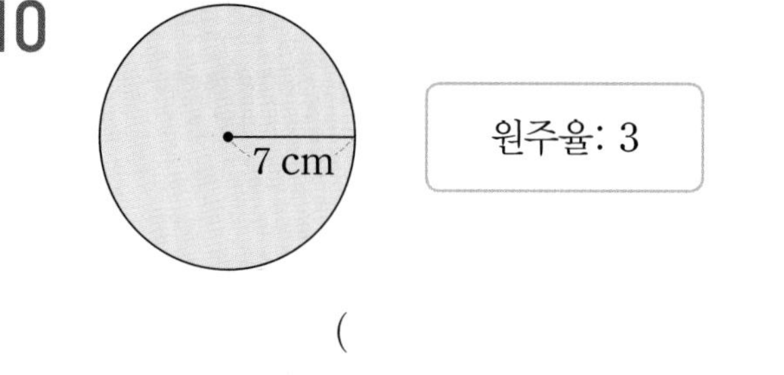

(   )

11

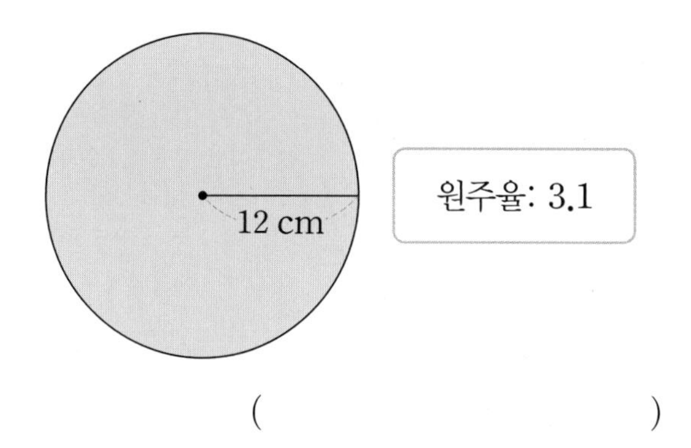

(   )

12

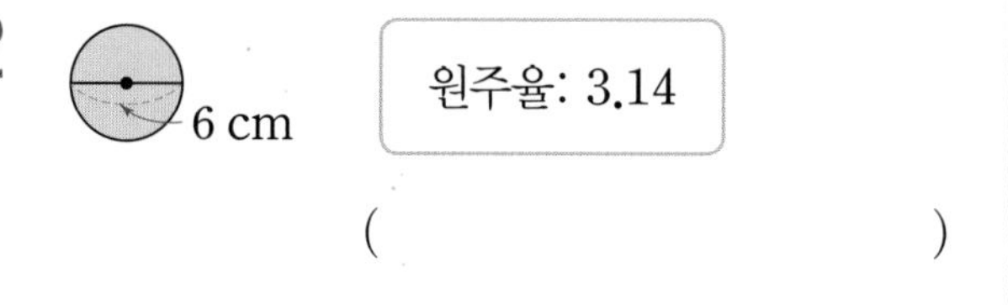

(   )

13

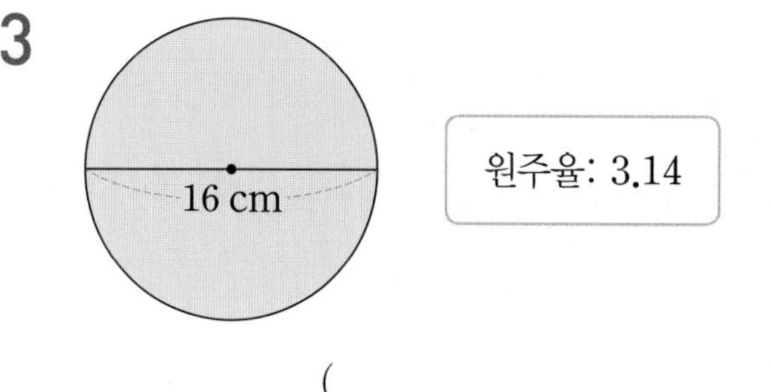

(   )

14

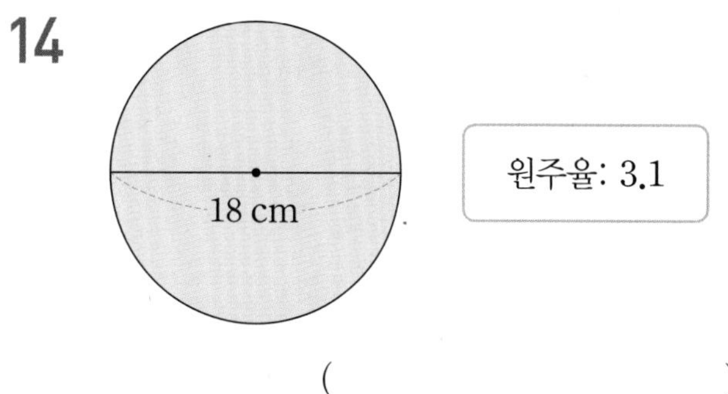

(   )

15

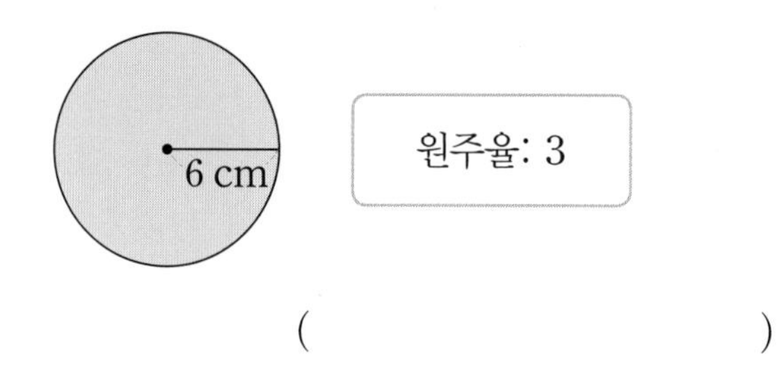

(   )

16

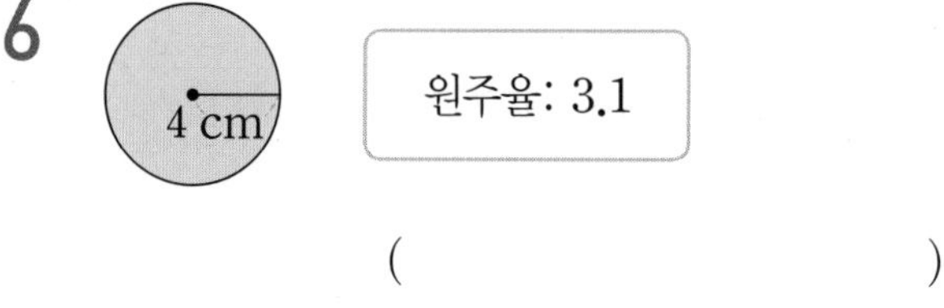

(   )

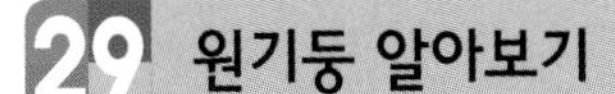

29 원기둥 알아보기

● 원기둥: (그림), (그림), (그림) 등과 같은 입체도형

● 원기둥의 구성 요소

밑면: 원기둥에서 서로 평행하고 ❶ ☐ 인 두 면

옆면: 두 밑면과 만나는 면

높이: 두 밑면에 ❷ ☐ 인 선분의 길이

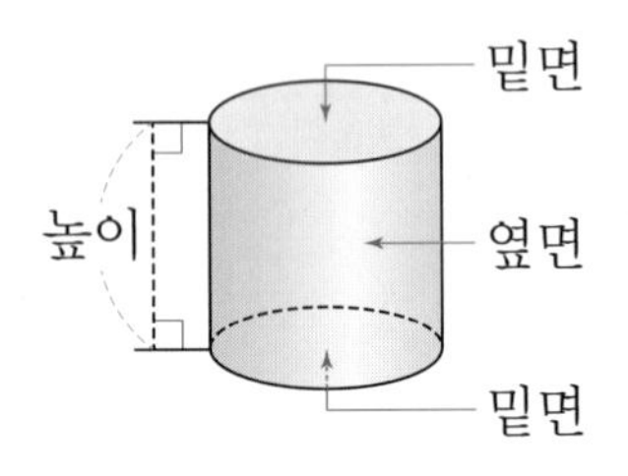

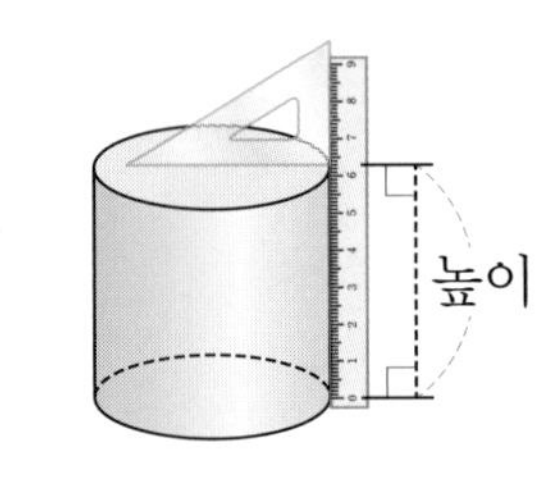

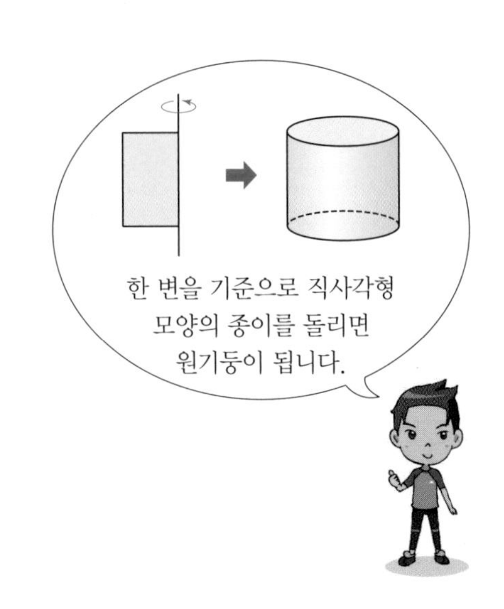

● 원기둥의 특징

① 두 밑면은 평평한 원입니다.

② 두 밑면은 서로 ❸ ☐ 하고 합동입니다.

③ 옆면은 굽은 면입니다.

④ 굴리면 잘 굴러갑니다.

[답] ❶ 합동 ❷ 수직 ❸ 평행

핵심 체크

1 원기둥에서 서로 평행하고 합동인 두 면을 (밑면 , 옆면)이라고 합니다.

2 원기둥에서 두 밑면과 만나는 굽은 면을 (밑면 , 옆면)이라고 합니다.

30 원기둥의 전개도 알아보기

- 원기둥의 전개도: 원기둥을 잘라서 펼쳐 놓은 그림

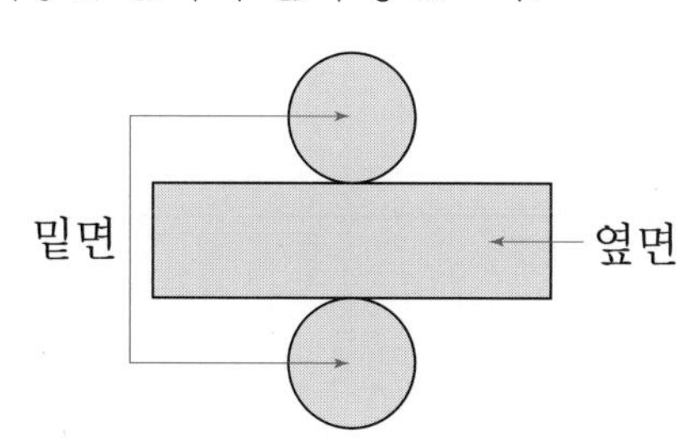

밑면은 원 모양이고,
옆면은 직사각형
모양입니다.

- 전개도의 각 부분의 길이 알아보기 (원주율: 3)

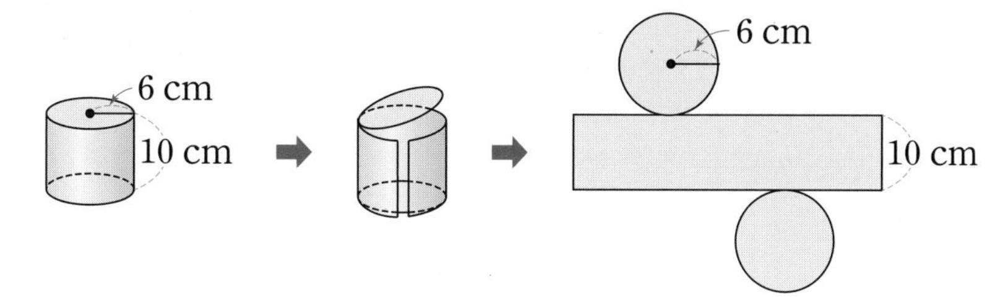

밑면의 반지름은 6 cm입니다.

옆면의 세로의 길이는 원기둥의 ❶ [ ] 와 같습니다.

옆면의 가로의 길이는 밑면의 ❷ [ ] 와 같습니다.

[**답**] ❶ 높이 ❷ 둘레

핵심 체크

1 원기둥의 전개도에서 옆면의 모양은 (원 , 직사각형)입니다.

2

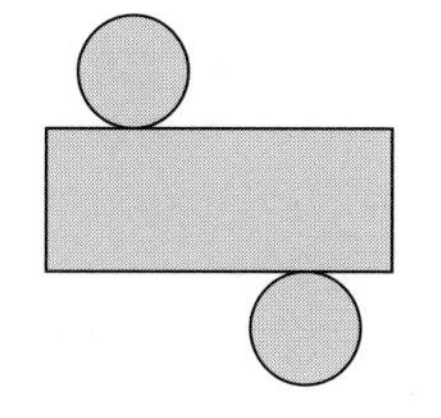

원기둥의 전개도에서 옆면의 가로의 길이는 밑면의 (지름 , 둘레)와/과 같습니다.

31 원뿔 알아보기

- 원뿔: 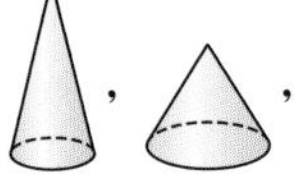 , , 등과 같은 입체도형

- 원뿔의 구성 요소

밑면: 원뿔에서 ❶ ______ 한 면

옆면: 옆을 둘러싼 굽은 면

원뿔의 꼭짓점: 원뿔에서 뾰족한 부분의 점

모선: 원뿔의 꼭짓점과 밑면인 원의 ❷ ______ 의 한 점을 이은 선분

높이: 원뿔의 ❸ ______ 에서 밑면에 수직인 선분의 길이

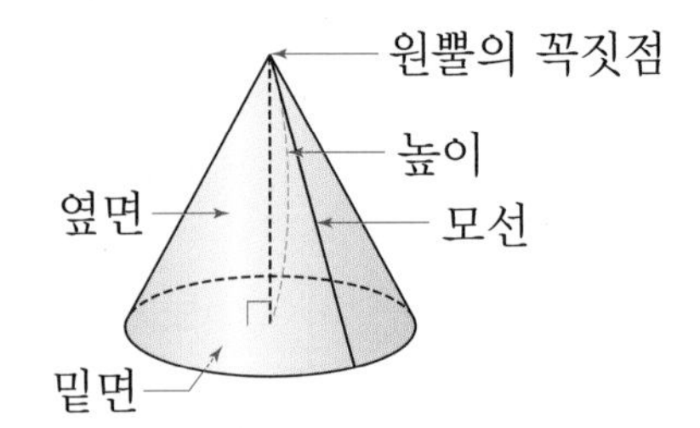

- 원뿔의 높이, 모선의 길이, 밑면의 지름을 재는 방법

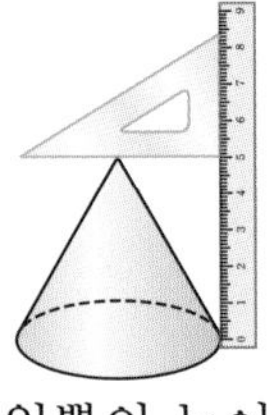
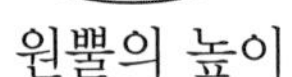
원뿔의 높이

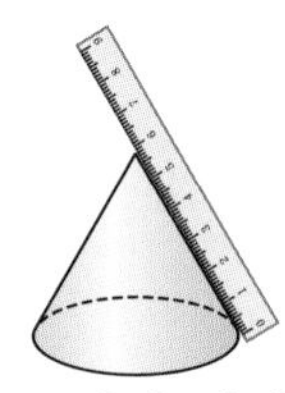
모선의 길이

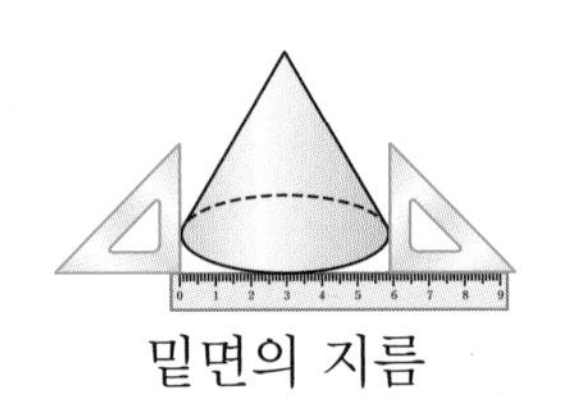
밑면의 지름

[**답**] ❶ 평평 ❷ 둘레 ❸ 꼭짓점

핵심 체크

1 원뿔에서 평평한 면을 (밑면 , 옆면)이라고 합니다.

2 원뿔의 꼭짓점에서 밑면에 수직인 선분의 길이를 (모선 , 높이)(이)라고 합니다.

32 구 알아보기

- 구: , 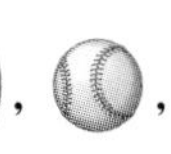,  등과 같은 입체도형

- 구의 구성 요소

구의 중심: 구에서 가장 ❶ 쪽에 있는 점

구의 반지름: 구의 ❷ 에서 구의 겉면의 한 점을 이은 선분

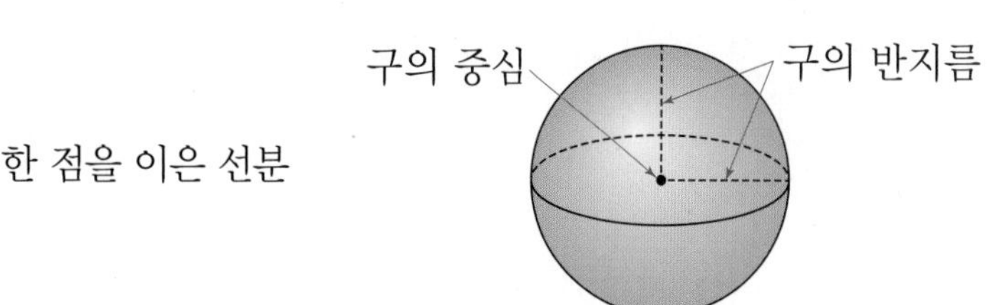

- 원기둥, 원뿔, 구를 위, 앞, 옆에서 본 모양 알아보기

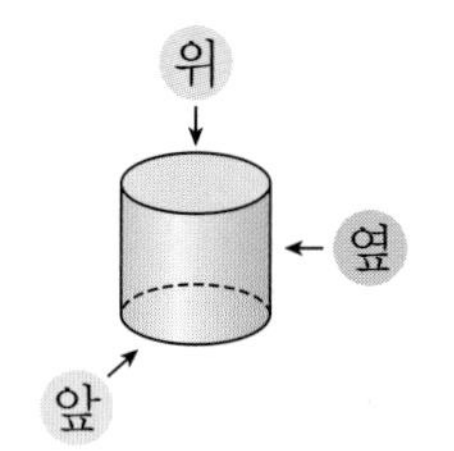

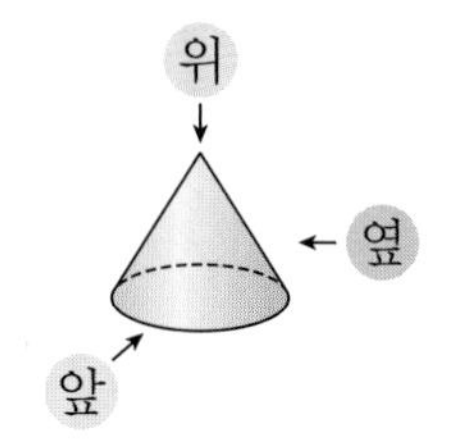

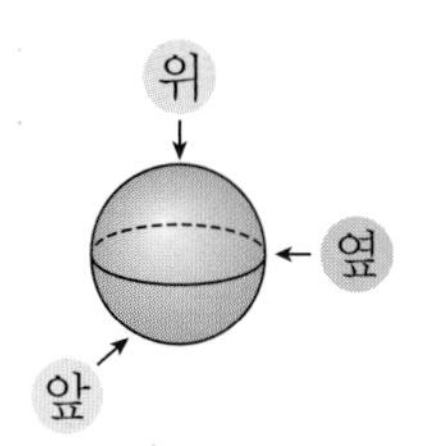

	위에서 본 모양	앞에서 본 모양	옆에서 본 모양
원기둥	○	□	□
원뿔	○	△	△
구	○	○	○

[답] ❶ 안 ❷ 중심

핵심 체크

1 구에서 가장 안쪽에 있는 점을 구의 (꼭짓점 , 중심)이라고 합니다.

2 구는 어느 방향에서 보아도 (원 , 삼각형 , 사각형) 모양입니다.

집중 연습

[01~05] 입체도형을 보고 원기둥이면 ○표, 아니면 ×표 하시오.

01

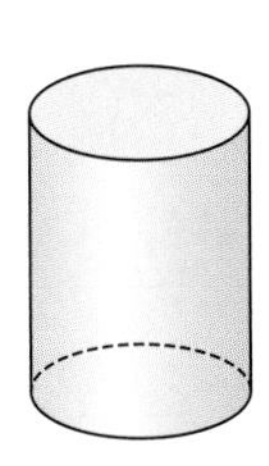

(　　　　　　　　)

02

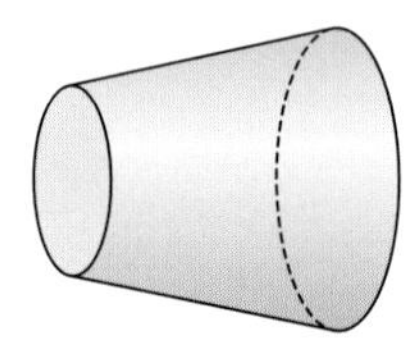

(　　　　　　　　)

03

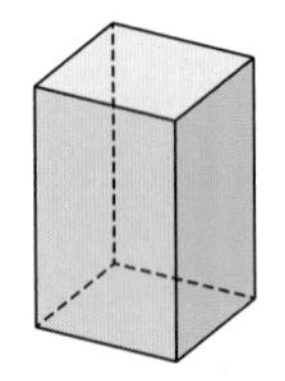

(　　　　　　　　)

04

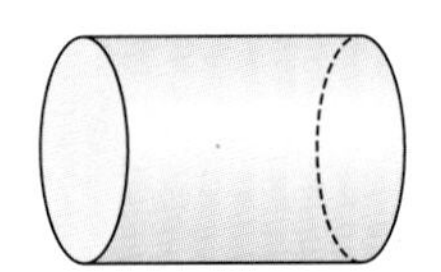

(　　　　　　　　)

05

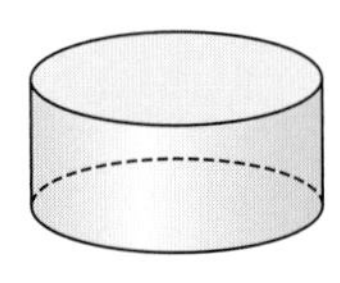

(　　　　　　　　)

[06~09] 원기둥의 전개도가 맞으면 ○표, 아니면 ×표 하시오.

06

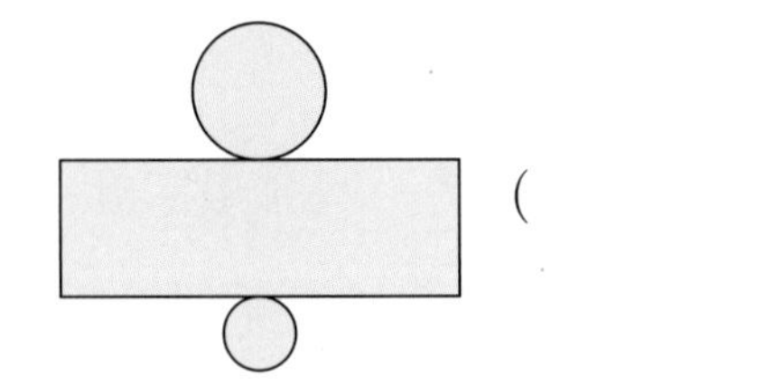

(　　　　　　　　)

07

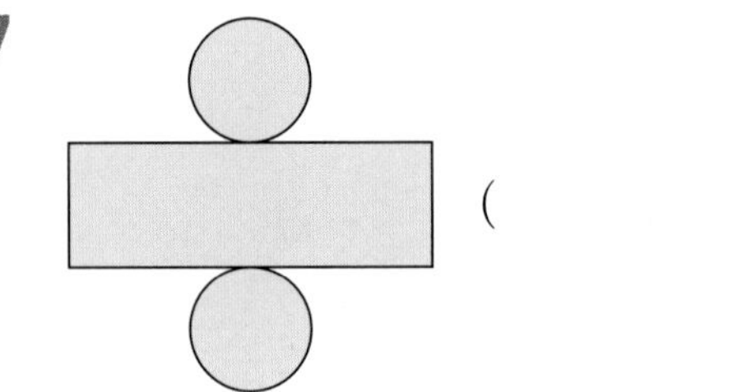

(　　　　　　　　)

08

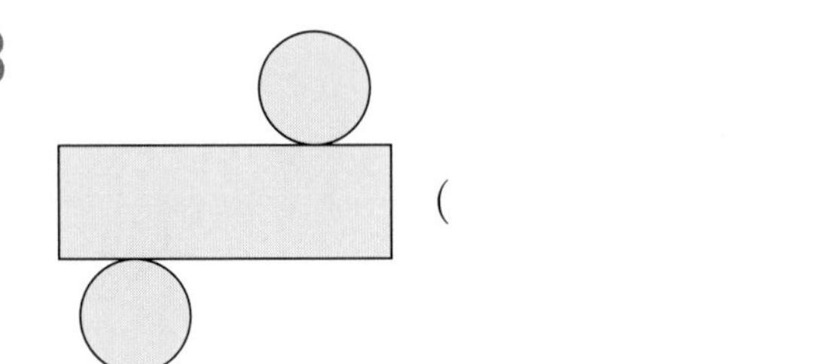

(　　　　　　　　)

09

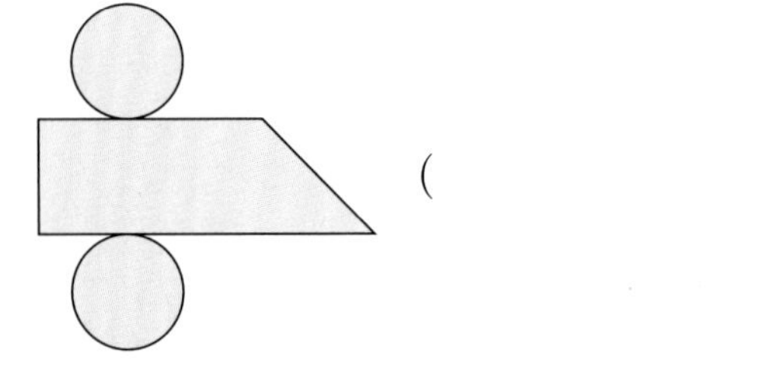

(　　　　　　　　)

[10~14] 입체도형을 보고 원뿔이면 ○표, 아니면 ×표 하시오.

10

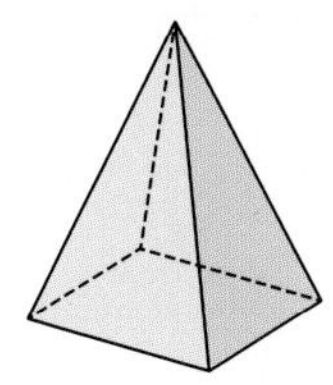

(　　　　　　　　)

11

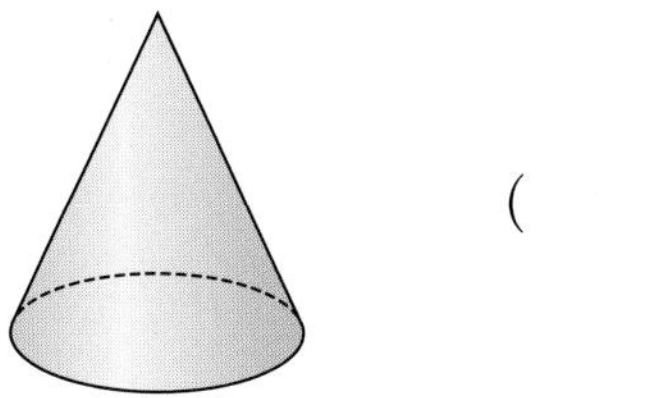

(　　　　　　　　)

12

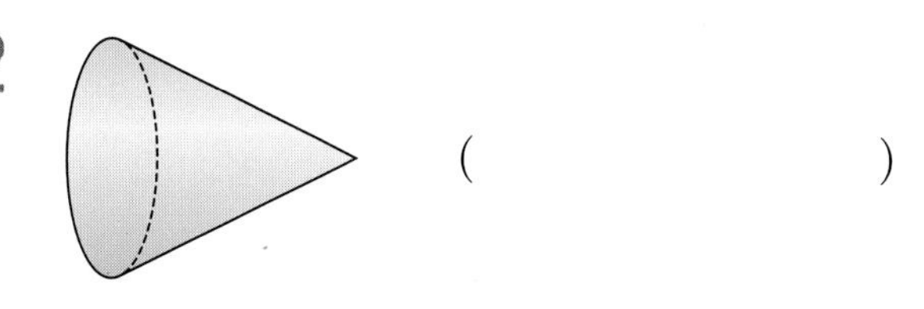

(　　　　　　　　)

13

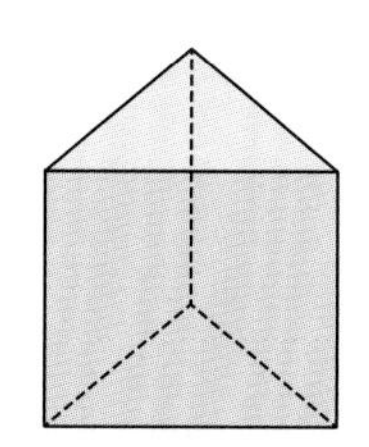

(　　　　　　　　)

14

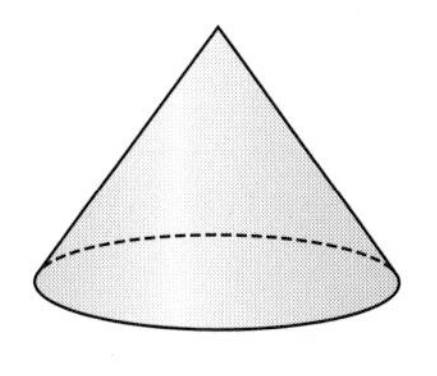

(　　　　　　　　)

[15~19] 입체도형을 보고 구이면 ○표, 아니면 ×표 하시오.

15

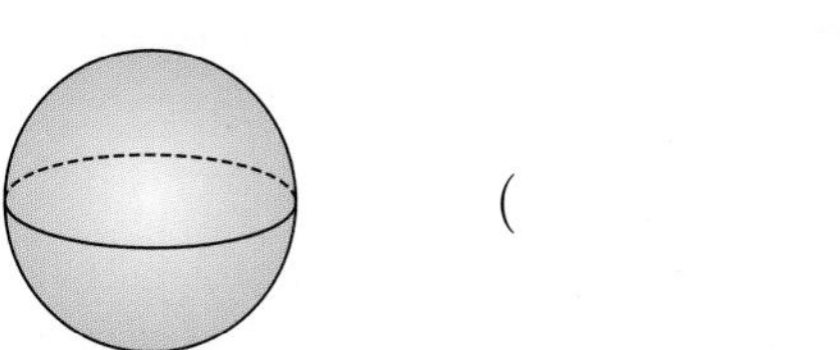

(　　　　　　　　)

16

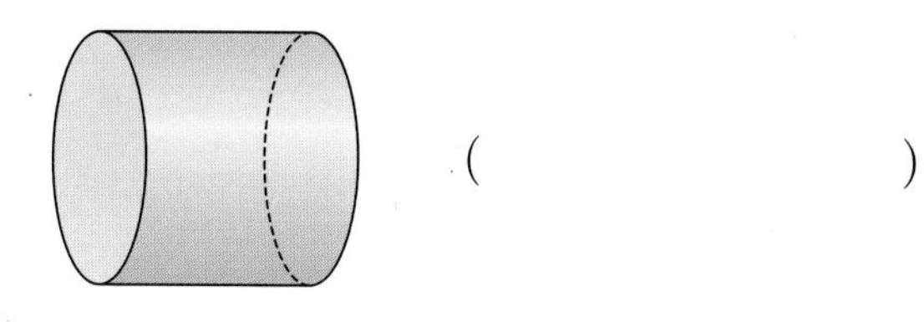

(　　　　　　　　)

17

(　　　　　　　　)

18

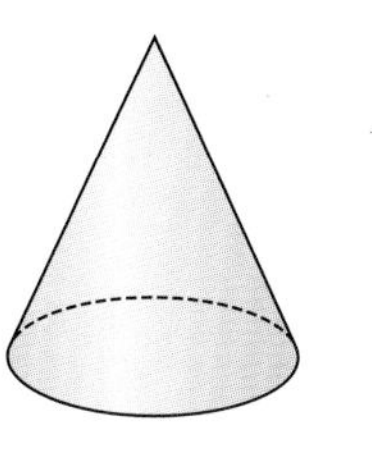

(　　　　　　　　)

19

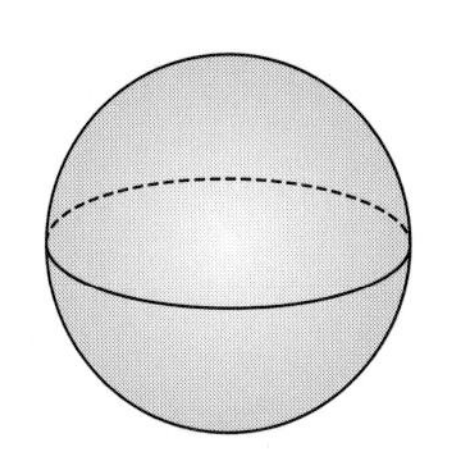

(　　　　　　　　)

정답

2쪽

1 3에 ○표　　2 4÷2에 ○표

3쪽

1 통분에 ○표　　2 40에 ○표

4쪽

1 ×에 ○표

2 (9÷3)×4에 ○표, 12에 ○표

5쪽

1 나누는에 ○표　　2 $\frac{6}{7}\times\frac{3}{2}$에 ○표

6쪽

1 $3\times\frac{8}{7}$에 ○표　　2 9에 ○표

7쪽

1 ○에 ○표　　2 ×에 ○표

8쪽

01 4, 1, 4

02 12, 2, 12, 2, 6

03 7, 10, 20

04 $\frac{\boxed{34}}{\boxed{8}}$, $\frac{\boxed{8}}{\boxed{34}}$, 24, $\boxed{1}\frac{\boxed{7}}{\boxed{17}}$

05 $\frac{\boxed{7}}{\boxed{9}}$, $\frac{\boxed{7}}{\boxed{24}}$

06 $\frac{\boxed{23}}{\boxed{4}}$, $\frac{\boxed{4}}{\boxed{23}}$, $\frac{\boxed{2}}{\boxed{23}}$

07 65, 65, $\frac{\boxed{6}}{\boxed{5}}$, 39, $\boxed{9}\frac{\boxed{3}}{\boxed{4}}$

08 15, 5, 15, 5, 9, $\boxed{2}\frac{\boxed{1}}{\boxed{4}}$

9쪽

09 4　　13 $4\frac{4}{7}$

10 $1\frac{1}{8}$　　14 $\frac{5}{18}$

11 $1\frac{1}{9}$　　15 $4\frac{1}{5}$

12 $\frac{3}{16}$　　16 $1\frac{1}{3}$

10쪽

1 23에 ○표　　2 46에 ○표

11쪽

1 한에 ○표　　2 두에 ○표

12쪽

1 오른쪽에 ○표　　2 ×에 ○표

13쪽

1 100에 ○표　　2 2.9에 ○표

14쪽

1 0.5에 ○표　　2 1.13에 ○표

15쪽

1 4에 ○표　　2 0.5에 ○표

16쪽

01 12, 3, 12, 3, 4

02 64, 4, 64, 4, 16

03 792, 33, 792, 33, 24

04 963, 107, 963, 107, 9

05 140, 28, 140, 28, 5

06 900, 36, 900, 36, 25

07 4800, 64, 4800, 64, 75

08 3600, 45, 3600, 45, 80

정답

17쪽

09 6
10 9
11 33
12 42
13 8.6
14 5
15 15
16 28

18쪽

1  에 ○표

19쪽

1 ×에 ○표
2 있습니다에 ○표

20쪽

1 1에 ○표
2 높은에 ○표

21쪽

1 2에 ○표, 2에 ○표
2 5에 ○표

22쪽

1 같습니다에 ○표
2 ㉠에 ○표

23쪽

1 같은에 ○표
2 다른에 ○표

24쪽

01 8개
02 10개
03 10개
04 10개
05
06
07
08

25쪽

09

	2	
2	1	
2	1	1

10

3	3	
	2	
	1	2

11

2	3	2
1	1	
1		

12

3	3	
2	1	1
1		

13
14
15
16

26쪽

1 5에 ○표, 4에 ○표
2 같습니다에 ○표

27쪽

1 10에 ○표
2 14 : 9에 ○표

28쪽

1 공배수에 ○표
2 10에 ○표

29쪽

1 6에 ○표
2 같습니다에 ○표

30쪽

1 14에 ○표
2 10에 ○표

31쪽

1 $3+2$에 ○표
2 $\frac{6}{6+7}$에 ○표

32쪽

01 6, 12, 12
02 12, 21, 24
03 15, 4, 5
04 5, 9, 1
05 예 7 : 9
06 예 15 : 14
07 예 15 : 4
08 예 13 : 4

정답

33쪽

09 4
10 5
11 18
12 8
13 1, 2, $\frac{\boxed{1}}{\boxed{3}}$, 3, 1, 2, $\frac{\boxed{2}}{\boxed{3}}$, 6
14 3, 2, $\frac{\boxed{3}}{\boxed{5}}$, 12, 3, 2, $\frac{\boxed{2}}{\boxed{5}}$, 8
15 6, 7, $\frac{\boxed{6}}{\boxed{13}}$, 30, 6, 7, $\frac{\boxed{7}}{\boxed{13}}$, 35
16 9, 2, $\frac{\boxed{9}}{\boxed{11}}$, 63, 9, 2, $\frac{\boxed{2}}{\boxed{11}}$, 14

34쪽

1 원주에 ○표 2 일정합니다에 ○표

35쪽

1 지름에 ○표 2 18÷3에 ○표

36쪽

1 ×에 ○표 2 2×2×3.1에 ○표

37쪽

1 넓어집니다에 ○표
2 6×6×3.1÷2에 ○표

38쪽

01 24 cm
02 31 cm
03 18.6 cm
04 43.96 cm
05 15.7 cm
06 33 cm
07 37.2 cm
08 21 cm

39쪽

09 75 cm^2
10 147 cm^2
11 446.4 cm^2
12 28.26 cm^2
13 200.96 cm^2
14 251.1 cm^2
15 108 cm^2
16 49.6 cm^2

40쪽

1 밑면에 ○표 2 옆면에 ○표

41쪽

1 직사각형에 ○표 2 둘레에 ○표

42쪽

1 밑면에 ○표 2 높이에 ○표

43쪽

1 중심에 ○표 2 원에 ○표

44쪽

01 ○
02 ×
03 ×
04 ○
05 ○
06 ×
07 ○
08 ○
09 ×

45쪽

10 ×
11 ○
12 ○
13 ×
14 ○
15 ○
16 ×
17 ×
18 ×
19 ○

핵심개념
유형연습
탄탄하게!

수학
전략

축구 선수, 래퍼, 선생님, 요리사, …
배움을 통해 아이들은 꿈을 꿉니다.

학교에서 공부하고, 뛰어놀고 싶은 마음을
잠시 미뤄 둔 친구들이 있습니다.
어린이 병동에 입원해 있는 아이들.

이 아이들도 똑같이 공부하고
맘껏 꿈 꿀 수 있어야 합니다.
천재교육 학습봉사단은
직접 병원으로 찾아가
같이 공부하고 얘기를 나눕니다.

함께 하는 시간이
아이들이 꿈을 키우는 밑바탕이 되길 바라며
천재교육은 앞으로도
나눔을 실천하며 세상과 소통하겠습니다.

초등생의 필수 학습!
탄탄하게 다져두자!

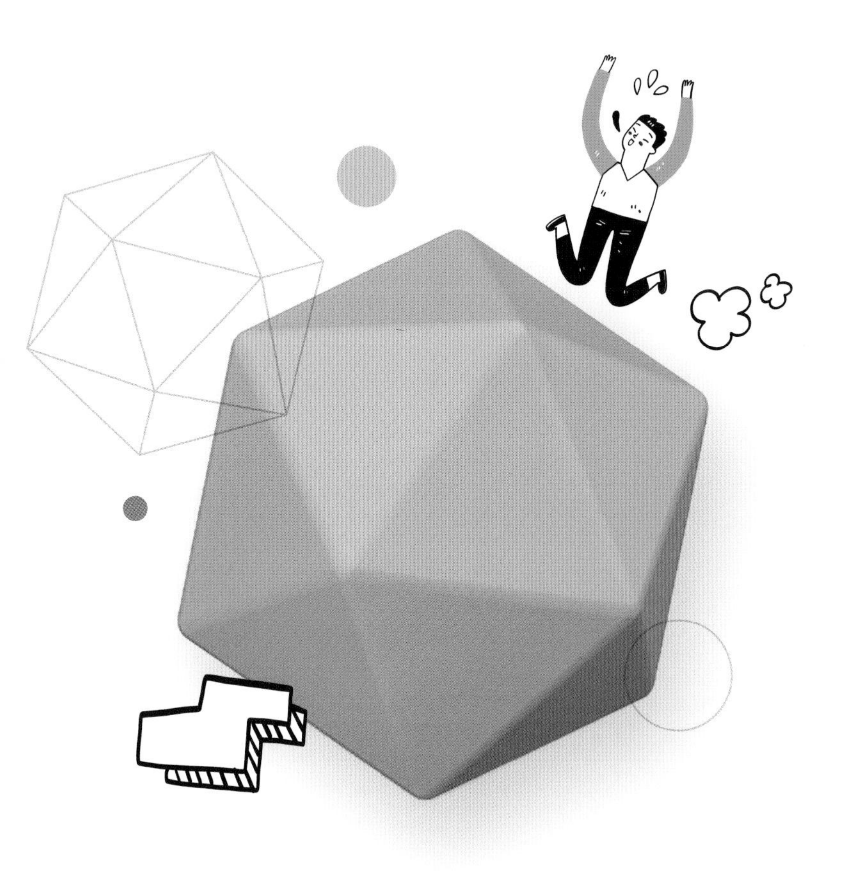

초등 **수학**

정답 및 풀이

6·2

천재교육

모르는 문제는
확실하게
알고 가자!

정답 및 풀이

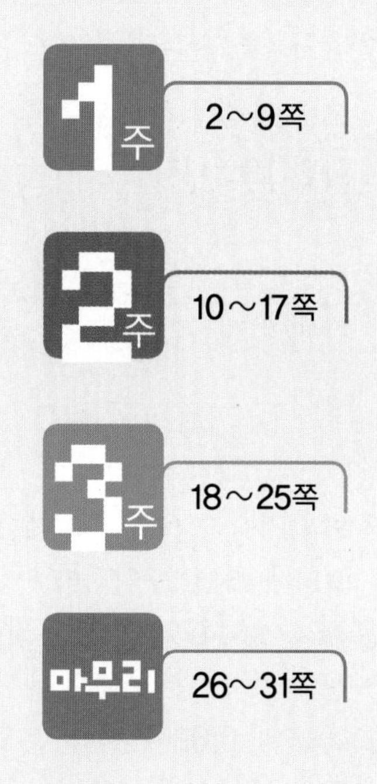

초등 수학 6-2

정답 및 풀이

1주 01일

개념 돌파 전략❶ 개념 기초 확인 9, 11쪽

1-1 2, 2, 4　　1-2 5, 5, 2
2-1 5, 3, 5, 15　　2-2 9, 2, 9, 18
3-1 9, 7, 21, 5, 1　　3-2 14, 9, 18, 3, 3
4-1 8, 7　　4-2 27, 16
5-1 $\frac{96}{10}\div\frac{4}{10}=96\div4=24$
5-2 744, 62, 744, 62, 12
6-1 둘째, 1.3　　6-2 셋째, 1.67

1-2 $\frac{10}{13}\div\frac{5}{13}$는 10개를 5개로 나누는 것과 같으므로 $10\div5=2$입니다.

2-2 자연수를 분수의 분자로 나눈 결과에 분수의 분모를 곱해야 하므로 14를 7로 나눈 몫에 9를 곱하면 18입니다.

3-2 대분수를 가분수로 바꾸고 분수의 곱셈으로 나타내어 계산합니다.
➡ $2\frac{4}{5}=\frac{14}{5}$, $\div\frac{7}{9}=\times\frac{9}{7}$

4-2 나누어지는 수를 100배 했으므로 나누는 수를 100배 하면 27입니다.
➡ $4.32\div0.27$의 몫은 $432\div27=16$입니다.

5-2 7.44와 0.62를 각각 분모가 100인 분수로 바꾸고 분자끼리 나눕니다.

6-2 소수 셋째 자리 숫자가 6이므로 올리면 1.67입니다.

개념 돌파 전략❷ 12~13쪽

1 (1) 3　(2) 5　(3) 7　(4) 10
2 $1\frac{1}{4}$, $\frac{8}{15}$
3 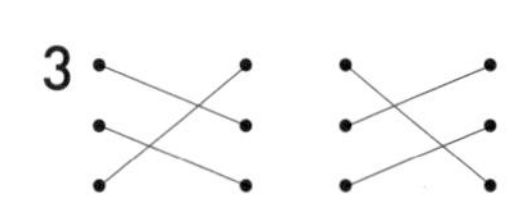
4 (1) 10 ; 9, 51 ; 51　(2) 100 ; 4, 208 ; 208
5 8, 24, 1.9 ; 8, 1.9　　6 3.3

1 (1) $\frac{3}{4}\div\frac{1}{4}=3\div1=3$
(2) $\frac{5}{6}\div\frac{1}{6}=5\div1=5$
(3) $\frac{7}{10}\div\frac{1}{10}=7\div1=7$
(4) $\frac{10}{13}\div\frac{1}{13}=10\div1=10$

2 (1) $\frac{5}{7}\div\frac{4}{7}=5\div4=\frac{5}{4}=1\frac{1}{4}$
(2) $\frac{2}{5}\div\frac{3}{4}=\frac{8}{20}\div\frac{15}{20}=8\div15=\frac{8}{15}$

3 $3\div\frac{4}{7}=3\times\frac{7}{4}=\frac{21}{4}=5\frac{1}{4}$,
$5\div\frac{2}{3}=5\times\frac{3}{2}=\frac{15}{2}=7\frac{1}{2}$,
$\frac{5}{3}\div\frac{6}{7}=\frac{5}{3}\times\frac{7}{6}=\frac{35}{18}=1\frac{17}{18}$

4 (1) 나누어지는 수와 나누는 수에 똑같이 10배를 하여 계산합니다.
➡ $45.9\div0.9=459\div9=51$
(2) 나누어지는 수와 나누는 수에 똑같이 100배를 하여 계산합니다.
➡ $8.32\div0.04=832\div4=208$

5 몫은 자연수까지 구하고, 나머지는 나누어지는 수의 소수점 위치에서 소수점을 찍습니다.

6

$$\begin{array}{r} 3.2\cancel{8} \\ 0.7\overline{)2.3\,0\,0} \\ \underline{2\,1} \\ 2\,0 \\ \underline{1\,4} \\ 6\,0 \\ \underline{5\,6} \\ 4 \end{array} \Rightarrow 3.3$$

몫을 소수 둘째 자리까지 구한 후 소수 둘째 자리에서 반올림하면 3.28…… ➡ 3.3입니다.

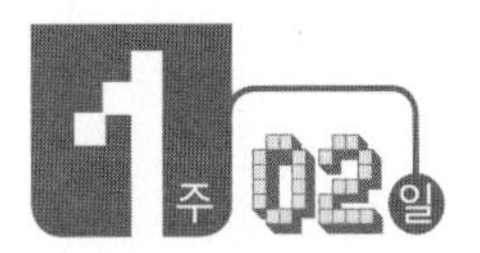

필수 체크 전략❶ 14~17쪽

필수 예제 01 ㉠
확인 1-1 <
확인 1-2 >
필수 예제 02 $6\frac{1}{8}$
확인 2-1 $3\frac{4}{7}$
확인 2-2 $1\frac{13}{15}$
필수 예제 03 4.5
확인 3-1 9.5
확인 3-2 10.5
필수 예제 04 4, 3, 2, 5.4
확인 4-1 0, 2, 5, 0.5
확인 4-2 9, 5, 4, 31.8

확인 1-1 $\frac{11}{6}\div\frac{3}{4}=\frac{11}{\cancel{6}_3}\times\frac{\cancel{4}^2}{3}=\frac{22}{9}=2\frac{4}{9}$,

$\frac{8}{3}\div\frac{4}{5}=\frac{\cancel{8}^2}{3}\times\frac{5}{\cancel{4}_1}=\frac{10}{3}=3\frac{1}{3}$

➡ $2\frac{4}{9}<3\frac{1}{3}$

확인 1-2 $2\frac{1}{6}\div\frac{2}{3}=\frac{13}{6}\div\frac{2}{3}=\frac{13}{\cancel{6}_2}\times\frac{\cancel{3}^1}{2}$

$=\frac{13}{4}=3\frac{1}{4}$,

$1\frac{3}{4}\div\frac{7}{9}=\frac{7}{4}\div\frac{7}{9}=\frac{\cancel{7}^1}{4}\times\frac{9}{\cancel{7}_1}=\frac{9}{4}=2\frac{1}{4}$

➡ $3\frac{1}{4}>2\frac{1}{4}$

확인 2-1 $6\frac{3}{7}>3\frac{5}{6}>1\frac{4}{5}$이므로 가장 큰 수는 $6\frac{3}{7}$, 가장 작은 수는 $1\frac{4}{5}$입니다.

➡ $6\frac{3}{7}\div1\frac{4}{5}=\frac{45}{7}\div\frac{9}{5}=\frac{\cancel{45}^5}{7}\times\frac{5}{\cancel{9}_1}$

$=\frac{25}{7}=3\frac{4}{7}$

확인 2-2 $7\frac{7}{9}>5\frac{6}{7}>4\frac{1}{6}$이므로 가장 큰 수는 $7\frac{7}{9}$, 가장 작은 수는 $4\frac{1}{6}$입니다.

➡ $7\frac{7}{9}\div4\frac{1}{6}=\frac{70}{9}\div\frac{25}{6}=\frac{\cancel{70}^{14}}{\cancel{9}_3}\times\frac{\cancel{6}^2}{\cancel{25}_5}$

$=\frac{28}{15}=1\frac{13}{15}$

확인 3-1 직사각형의 넓이를 구하는 식은 □×5.2=49.4입니다.

➡ □×5.2=49.4, □=49.4÷5.2, □=9.5

확인 3-2 평행사변형의 넓이를 구하는 식은 □×6.8=71.4입니다.

➡ □×6.8=71.4, □=71.4÷6.8, □=10.5

확인 4-1 작은 수부터 3장을 골라 일의 자리, 소수 첫째 자리, 소수 둘째 자리에 차례로 놓으면 0.25입니다.
➡ $0.25 \div 0.5 = 0.5$

확인 4-2 큰 수부터 3장을 골라 일의 자리, 소수 첫째 자리, 소수 둘째 자리에 차례로 놓으면 9.54입니다.
➡ $9.54 \div 0.3 = 31.8$

필수 체크 전략 ❷ 18~19쪽

1 $1\frac{5}{49}$	2 $2\frac{2}{15}$ cm
3 3배	4 285
5 41그루	6 37.65

1 $\frac{7}{9}=\frac{49}{63}<\frac{6}{7}=\frac{54}{63}$
➡ $\frac{6}{7}\div\frac{7}{9}=\frac{6}{7}\times\frac{9}{7}=\frac{54}{49}=1\frac{5}{49}$

2 (1분 동안 갈 수 있는 거리)
$=\frac{8}{9}\div\frac{5}{12}=\frac{8}{\cancel{9}_{3}}\times\frac{\cancel{12}^{4}}{5}=\frac{32}{15}=2\frac{2}{15}$ (cm)

3 (어제와 오늘 마신 물의 양)
$=1\frac{2}{5}+\frac{7}{10}=1\frac{4}{10}+\frac{7}{10}=1\frac{11}{10}=2\frac{1}{10}$ (L)
➡ $2\frac{1}{10}\div\frac{7}{10}=\frac{21}{10}\div\frac{7}{10}=21\div7=3$(배)

4 $2.52\div0.12=\frac{252}{100}\div\frac{12}{100}=252\div12=21$
→ ㉠$=12$, ㉡$=252$, ㉢$=21$
➡ ㉠+㉡+㉢$=12+252+21=285$

5 (가로수 사이의 간격 수)$=340\div8.5=40$(군데)
(필요한 가로수 수)$=40+1=41$(그루)

6 몫이 가장 크려면 나누어지는 소수 두 자리 수를 가장 크게 해야 합니다.
큰 수부터 일의 자리, 소수 첫째 자리, 소수 둘째 자리에 차례로 놓으면 7.53입니다.
➡ $7.53\div0.2=37.65$

1주 03일

필수 체크 전략 ❶ 20~23쪽

필수 예제 01 1, 2, 3, 4
확인 1-1 4
확인 1-2 2
필수 예제 02 (1) $\frac{5}{6}$시간 (2) $5\frac{1}{5}$ km
확인 2-1 7대
확인 2-2 5대
필수 예제 03 (1) 6.9 (2) 23
확인 3-1 17
확인 3-2 19
필수 예제 04 (1) 7, 2 (2) 7
확인 4-1 6
확인 4-2 8

확인 1-1 $5\frac{5}{6}\div1\frac{1}{4}=\frac{35}{6}\div\frac{5}{4}=\frac{\cancel{35}^{7}}{\cancel{6}_{3}}\times\frac{\cancel{4}^{2}}{\cancel{5}_{1}}$
$=\frac{14}{3}=4\frac{2}{3}$
➡ $4\frac{2}{3}>$□이므로 □ 안에 들어갈 수 있는 자연수는 1, 2, 3, 4입니다.
따라서 가장 큰 수는 4입니다.

확인 1-2 $2\frac{1}{4}\div1\frac{1}{5}=\frac{9}{4}\div\frac{6}{5}=\frac{\overset{3}{\cancel{9}}}{4}\times\frac{5}{\underset{2}{\cancel{6}}}$

$=\frac{15}{8}=1\frac{7}{8}$

➡ $1\frac{7}{8}<\square$이므로 $\square$ 안에 들어갈 수 있는 자연수는 2, 3, 4……입니다.

따라서 가장 작은 수는 2입니다.

확인 2-1 1시간 15분$=1\frac{15}{60}$시간$=1\frac{1}{4}$시간

(만들 수 있는 자동차 수)

$=8\frac{3}{4}\div1\frac{1}{4}=\frac{35}{4}\div\frac{5}{4}$

$=35\div5=7$(대)

확인 2-2 1시간 30분$=1\frac{30}{60}$시간$=1\frac{1}{2}$시간

(만들 수 있는 피아노 수)

$=7\frac{1}{2}\div1\frac{1}{2}=\frac{15}{2}\div\frac{3}{2}$

$=15\div3=5$(대)

확인 3-1 어떤 수를 $\square$라 하면 $\square\times0.6=6.12$, $\square=6.12\div0.6$, $\square=10.2$입니다.

따라서 바르게 계산하면 $10.2\div0.6=17$입니다.

확인 3-2 어떤 수를 $\square$라 하면 $\square\times0.7=9.31$, $\square=9.31\div0.7$, $\square=13.3$입니다.

따라서 바르게 계산하면 $13.3\div0.7=19$입니다.

확인 4-1 $0.8\div2.2=0.3636$……이므로 몫의 소수 첫째 자리부터 두 숫자 3, 6이 반복됩니다.

$10\div2=5$이므로 소수 10째 자리 숫자는 두 숫자 3, 6이 5번 반복되는 것이므로 6입니다.

확인 4-2 $1.3\div2.7=0.481481$……이므로 몫의 소수 첫째 자리부터 세 숫자 4, 8, 1이 반복됩니다.

$20\div3=6\cdots2$이므로 소수 20째 자리 숫자는 세 숫자 4, 8, 1이 6번 반복된 후 두 번째 숫자이므로 8입니다.

필수 체크 전략 ❷ 24~25쪽

1 $1\frac{2}{3}$배	**2** 4, 5, 6
3 $1\frac{5}{27}$	**4** ㉢, ㉡, ㉠
5 15분	**6** 정육각형

1 진분수는 분자가 분모보다 작은 분수이므로 민준이가 만든 분수는 $\frac{5}{8}$, 수빈이가 만든 분수는 $\frac{3}{8}$입니다.

➡ $\frac{5}{8}\div\frac{3}{8}=5\div3=\frac{5}{3}=1\frac{2}{3}$(배)

2 $3\div\frac{1}{㉠}=3\times㉠$이므로 $10<3\times㉠<20$입니다.

따라서 $3\times3=9$, $3\times4=12$, $3\times5=15$, $3\times6=18$, $3\times7=21$……이므로 ㉠이 될 수 있는 자연수는 4, 5, 6입니다.

3 (어떤 수)$\times\frac{3}{4}=\frac{2}{3}$,

(어떤 수)$=\frac{2}{3}\div\frac{3}{4}=\frac{2}{3}\times\frac{4}{3}=\frac{8}{9}$

➡ (바르게 계산한 값)

$=\frac{8}{9}\div\frac{3}{4}=\frac{8}{9}\times\frac{4}{3}=\frac{32}{27}=1\frac{5}{27}$

4 ㉠ $0.32\div0.2=1.6$, ㉡ $8.05\div3.5=2.3$, ㉢ $6.12\div1.8=3.4$

➡ $3.4>2.3>1.6$이므로 ㉢, ㉡, ㉠입니다.

5 (태운 양초의 길이)$=20-14=6$ (cm)
➡ $6\div0.4=15$(분)

6 (변의 수)$=1.5\div0.25=6$(개)
➡ 변이 6개인 정다각형의 이름은 정육각형입니다.

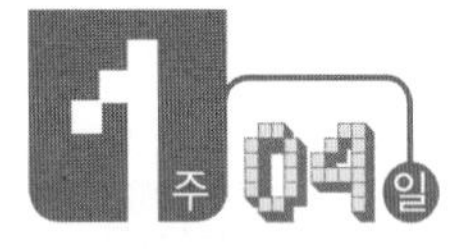

교과서 대표 전략❶ 26~29쪽

대표 예제 01 9, 3, 3
대표 예제 02 예 $\frac{5}{9}\div\frac{7}{8}=\frac{5}{9}\times\frac{8}{7}=\frac{40}{63}$
대표 예제 03 $13\frac{1}{3}$
대표 예제 04 $11\frac{7}{8}$ km
대표 예제 05 $1\frac{1}{5}$
대표 예제 06 $3\frac{3}{5}$
대표 예제 07 14명
대표 예제 08 9대
대표 예제 09 13, 130, 1300
대표 예제 10 9
대표 예제 11 9 cm
대표 예제 12 80개
대표 예제 13 6
대표 예제 14 6개, 1.5 m
대표 예제 15 35 m^2
대표 예제 16 8

대표 예제 01 $\frac{9}{10}\div\frac{3}{10}=9\div3=3$

대표 예제 02 나누는 분수인 $\frac{7}{8}$의 분모와 분자를 바꾸면 $\frac{8}{7}$입니다.

대표 예제 03 자연수: 10, 진분수: $\frac{3}{4}$
➡ $10\div\frac{3}{4}=10\times\frac{4}{3}=\frac{40}{3}=13\frac{1}{3}$

대표 예제 04 $9\frac{1}{2}\div\frac{4}{5}=\frac{19}{2}\div\frac{4}{5}=\frac{19}{2}\times\frac{5}{4}$
$=\frac{95}{8}=11\frac{7}{8}$ (km)

대표 예제 05 (어떤 수)$\times\frac{2}{3}=\frac{4}{5}$
➡ (어떤 수)$=\frac{4}{5}\div\frac{2}{3}=\frac{\overset{2}{\cancel{4}}}{5}\times\frac{3}{\underset{1}{\cancel{2}}}$
$=\frac{6}{5}=1\frac{1}{5}$

대표 예제 06 $4\frac{1}{2}>3\frac{8}{9}>1\frac{1}{4}$이므로 가장 큰 수는 $4\frac{1}{2}$, 가장 작은 수는 $1\frac{1}{4}$입니다.
➡ $4\frac{1}{2}\div1\frac{1}{4}=\frac{9}{2}\div\frac{5}{4}=\frac{9}{\underset{1}{\cancel{2}}}\times\frac{\overset{2}{\cancel{4}}}{5}$
$=\frac{18}{5}=3\frac{3}{5}$

대표 예제 07 (전체 우유의 양)$=2\times4=8$ (L)
➡ (마실 수 있는 사람 수)
$=8\div\frac{4}{7}=(8\div4)\times7=2\times7$
$=14$(명)

대표 예제 08 36분$=\frac{36}{60}$시간$=\frac{3}{5}$시간
(만들 수 있는 컴퓨터 수)
$=5\frac{2}{5}\div\frac{3}{5}=\frac{27}{5}\div\frac{3}{5}=27\div3=9$(대)

대표 예제 09 나누어지는 수는 26으로 같고 나누는 수가 2에서 0.2로 $\frac{1}{10}$배, 0.02로 $\frac{1}{100}$배가 되었으므로 몫은 10배, 100배가 됩니다.

대표 예제 10

$$\begin{array}{r} 8.8 \\ 0.6\overline{)5.3\,0} \\ 4\,8 \\ \hline 5\,0 \\ 4\,8 \\ \hline 2 \end{array} \Rightarrow 9$$

몫을 소수 첫째 자리까지 구한 후 소수 첫째 자리에서 반올림하면
8.8 ➡ 9입니다.

대표 예제 11 (직사각형의 가로)
$=52.2\div5.8=9$ (cm)

대표 예제 12 (기둥 사이의 간격 수)
$=200\div2.5=80$(군데)
➡ 필요한 기둥의 수는 기둥 사이의 간격 수와 같으므로 80개입니다.

대표 예제 13 $9.52\div1.4=6.8$
➡ $6.8>\square$이므로 $\square$ 안에 들어갈 수 있는 자연수는 1, 2, 3, 4, 5, 6입니다.
따라서 가장 큰 수는 6입니다.

대표 예제 14

$$\begin{array}{r} 6 \\ 2\overline{)1\,3.5} \\ 1\,2 \\ \hline 1.5 \end{array}$$

➡ 상자를 6개까지 묶을 수 있고, 남는 리본은 1.5 m입니다.

대표 예제 15 (사용한 페인트의 양)
$=2.5\times7=17.5$ (L)
➡ (페인트 1 L로 칠한 벽의 넓이)
$=612.5\div17.5=35$ (m^2)

대표 예제 16 $9>8>4>3>2>1$이므로 만들 수 있는 가장 큰 소수 두 자리 수는 9.84, 가장 작은 소수 두 자리 수는 1.23입니다.
➡ $9.84\div1.23=8$

교과서 대표 전략❷ 30~31쪽

1 3	**2** 9, 9, $\frac{8}{7}$, $1\frac{1}{7}$
3 3	**4** 40쪽
5 5개	**6** 63.3 km
7 36	**8** 122개

1 똑같이 8칸으로 나누었으므로 한 칸은 $\frac{1}{8}$을 나타냅니다.
㉠은 0에서 2칸 갔으므로 $\frac{2}{8}$,
㉡은 0에서 6칸 갔으므로 $\frac{6}{8}$입니다.
➡ ㉡÷㉠$=\frac{6}{8}\div\frac{2}{8}=6\div2=3$

2 $\frac{8}{\square}$과 $\frac{7}{\square}$이 모두 진분수가 되려면 $\square$는 8보다 커야 합니다. 조건에서 분모가 10보다 작다고 했으므로 $\square$는 9입니다.
➡ $\frac{8}{9}\div\frac{7}{9}=8\div7=\frac{8}{7}=1\frac{1}{7}$

3 $1\frac{7}{9}\div\frac{4}{7}=\frac{16}{9}\div\frac{4}{7}=\frac{\overset{4}{\cancel{16}}}{9}\times\frac{7}{\underset{1}{\cancel{4}}}=\frac{28}{9}=3\frac{1}{9}$
➡ $3\frac{1}{9}>\square$이므로 $\square$ 안에 들어갈 수 있는 자연수는 1, 2, 3입니다.
따라서 가장 큰 수는 3입니다.

4 남은 쪽수는 전체의 $1-\frac{3}{5}=\frac{2}{5}$입니다.
전체의 $\frac{2}{5}$가 16쪽이므로
(전체 쪽수)$\times\frac{2}{5}=16$입니다.
➡ (전체 쪽수)
$=16\div\frac{2}{5}=(16\div2)\times5=8\times5=40$(쪽)

5 ㉠ $8.55 \div 4.5 = 1.9$, ㉡ $11.7 \div 1.8 = 6.5$

➡ 1.9와 6.5 사이에 있는 자연수는 2, 3, 4, 5, 6이므로 모두 5개입니다.

6 1시간 30분$=1\frac{30}{60}$시간$=1.5$시간

➡ (한 시간 동안 간 거리)
$=94.95 \div 1.5 = 63.3$ (km)

7 (어떤 수)$\div 8 = 3 \cdots 4.8$이므로
(어떤 수)$=8 \times 3 + 4.8 = 24 + 4.8 = 28.8$입니다.
따라서 바르게 계산하면 $28.8 \div 0.8 = 36$입니다.

8 (가로등 사이의 간격 수)
$=450 \div 7.5 = 60$(군데)
(도로 한쪽에 세우는 가로등 수)
$=60 + 1 = 61$(개)

➡ (도로 양쪽에 세우는 가로등 수)
$=61 \times 2 = 122$(개)

누구나 만점 전략 32~33쪽

01 (1) $1\frac{7}{8}$ (2) $4\frac{4}{5}$	**02** $>$
03 2개	**04** $17\frac{1}{5}$배
05 $\frac{2}{3} \div \frac{5}{9} = 1\frac{1}{5}$; $1\frac{1}{5}$분	
06 (1) 4.6 (2) 12	**07** 13
08 ㉡	**09** 12명, 1.4 kg
10 $>$	

01 (1) $\frac{3}{4} \div \frac{2}{5} = \frac{3}{4} \times \frac{5}{2} = \frac{15}{8} = 1\frac{7}{8}$

(2) $4 \div \frac{5}{6} = 4 \times \frac{6}{5} = \frac{24}{5} = 4\frac{4}{5}$

02 $\frac{3}{2} \div \frac{4}{9} = \frac{3}{2} \times \frac{9}{4} = \frac{27}{8} = 3\frac{3}{8}$

$\frac{7}{5} \div \frac{2}{3} = \frac{7}{5} \times \frac{3}{2} = \frac{21}{10} = 2\frac{1}{10}$

➡ $3\frac{3}{8} > 2\frac{1}{10}$

03 $3\frac{1}{2} \div 1\frac{3}{4} = \frac{7}{2} \div \frac{7}{4} = \frac{\cancel{7}^{1}}{\cancel{2}_{1}} \times \frac{\cancel{4}^{2}}{\cancel{7}_{1}} = 2$(개)

04 $10\frac{3}{4} \div \frac{5}{8} = \frac{43}{4} \div \frac{5}{8} = \frac{43}{\cancel{4}_{1}} \times \frac{\cancel{8}^{2}}{5}$

$= \frac{86}{5} = 17\frac{1}{5}$(배)

05 (1 km를 가는 데 걸리는 시간)
$=$(걸린 전체 시간)$\div$(간 거리)

$= \frac{2}{3} \div \frac{5}{9} = \frac{2}{\cancel{3}_{1}} \times \frac{\cancel{9}^{3}}{5} = \frac{6}{5} = 1\frac{1}{5}$(분)

06 (1)

```
          4.6
 1.2)5.5 2
     4 8
     ---
       7 2
       7 2
       ---
         0
```

(2)

```
              1 2
 2.25)2 7.0 0
      2 2 5
      -----
        4 5 0
        4 5 0
        -----
            0
```

07

```
          1 3
 0.54)7.0 2
      5 4
      ---
      1 6 2
      1 6 2
      -----
          0
```

08 ㉠ $17.6 \div 0.8 = 22$
㉡ $32.3 \div 1.7 = 19$
㉢ $57.2 \div 2.6 = 22$

09
$$\begin{array}{r} 12 \\ 3\overline{)37.4} \\ 3 \\ \hline 7 \\ 6 \\ \hline 1.4 \end{array}$$

➡ 12명까지 나누어 줄 수 있고,
남는 소금은 1.4 kg입니다.

10 몫을 반올림하여 소수 첫째 자리까지 나타내면
$2.9 \div 6 = 0.48\cdots\cdots$ ➡ 0.5입니다.
➡ $0.5 > 0.48\cdots\cdots$

창의•융합•코딩 전략❶ 34~35쪽

1 8개	**2** 1.2배

1 $6 \div \frac{3}{4} = (6 \div 3) \times 4 = 2 \times 4 = 8$(개)

2 $41.4 \div 34.5 = 1.2$(배)

창의•융합•코딩 전략❷ 36~39쪽

1 42 kg	**2** 3배
3 27	**4** $3\frac{5}{6}$; $2\frac{3}{10}$
5 1.5배	**6** 14
7 125	**8** 15.9

1 $7 \div \frac{1}{6} = 7 \times 6 = 42$ (kg)

2 $1\frac{1}{2} \div \frac{1}{2} = \frac{3}{2} \div \frac{1}{2} = 3 \div 1 = 3$(배)

3 $8 \div \frac{2}{3} = (8 \div 2) \times 3 = 4 \times 3 = 12 < 20$
➡ 아니요
$12 \div \frac{2}{3} = (12 \div 2) \times 3 = 6 \times 3 = 18 < 20$
➡ 아니요
$18 \div \frac{2}{3} = (18 \div 2) \times 3 = 9 \times 3 = 27 > 20$
➡ 예
따라서 [ ]에 27을 씁니다.

4 빈 곳에 알맞은 수는 $3\frac{5}{6}$입니다.
$3\frac{5}{6} > 2\frac{4}{5} > 2\frac{3}{5} > 1\frac{2}{3}$이므로 가장 큰 수는
$3\frac{5}{6}$이고 가장 작은 수는 $1\frac{2}{3}$입니다.
➡ $3\frac{5}{6} \div 1\frac{2}{3} = \frac{23}{6} \div \frac{5}{3} = \frac{23}{\cancel{6}_{2}} \times \frac{\cancel{3}^{1}}{5}$
$= \frac{23}{10} = 2\frac{3}{10}$

5 $0.96 \div 0.64 = 1.5$(배)

6 현재의 소수로 나타내면 7◎9①8②$=7.98$,
0◎5①7②$=0.57$입니다.
➡ $7.98 > 0.57$이므로 $7.98 \div 0.57 = 14$입니다.

7 $1 \div 0.2 = 5 < 25$ ➡ 반복하기
$5 \div 0.2 = 25 = 25$ ➡ 반복하기
$25 \div 0.2 = 125 > 25$ ➡ 몫을 쓰기
따라서 화면에 보이는 수는 125입니다.

8 $8.5 \times$ ㉠$=54.4$이므로
㉠$=54.4 \div 8.5$, ㉠$=6.4$입니다.
㉠$\times$㉡$=60.8$은 $6.4 \times$㉡$=60.8$이므로
㉡$=60.8 \div 6.4$, ㉡$=9.5$입니다.
따라서 ㉠$+$㉡$=6.4+9.5=15.9$입니다.

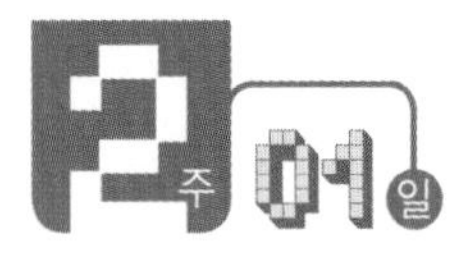

개념 돌파 전략❶ 개념 기초 확인 43, 45쪽

1-1 (위부터) 12, 4
1-2 (위부터) 9, 2
2-1 $\triangle$4 : ⑤ = ⑧ : $\triangle$10
2-2 11, 30 ; 15, 22
3-1 (○)( )( )
3-2 ( )(○)( )
4-1 원주, 원의 지름
4-2 원주
5-1 3, 30
5-2 13 ; 3, 13
6-1 6, 108
6-2 10, 300

1-2 비의 전항과 후항을 0이 아닌 같은 수로 나누어도 비율은 같습니다.
전항 12를 2로 나누었으므로 후항 18도 2로 나누어야 비율이 같습니다.
➡ $18 \div 2 = 9$

2-2 외항: 비례식에서 바깥쪽에 있는 11과 30
내항: 비례식에서 안쪽에 있는 15와 22

3-2 (정희) : (민수) $= 6 : 7$
➡ 민수가 가지는 연필은 전체의 $\frac{7}{6+7}$입니다.

4-2 원의 둘레를 원주라고 합니다.

5-2 (지름) = (원주) ÷ (원주율)
➡ $39 \div 3 = 13$ (cm)

6-2 (원의 넓이) = (반지름) × (반지름) × (원주율)
➡ $10 \times 10 \times 3 = 300$ (cm²)

개념 돌파 전략❷ 46~47쪽

1 (1) 예 19 : 5 (2) 예 67 : 113
2
3 ㉡
4 3.14, 3.14, 3.14 ; ○
5 나
6 20, 200, 20, 400, 200, 400

1 (1) $1.9 : 0.5$ ➡ $(1.9 \times 10) : (0.5 \times 10)$
➡ $19 : 5$
(2) $0.67 : 1.13$ ➡ $(0.67 \times 100) : (1.13 \times 100)$
➡ $67 : 113$

2 $\frac{1}{5} : \frac{1}{7}$ ➡ $\left(\frac{1}{\cancel{5}_1} \times \cancel{35}^{7}\right) : \left(\frac{1}{\cancel{7}_1} \times \cancel{35}^{5}\right)$ ➡ $7 : 5$

$\frac{1}{8} : \frac{1}{3}$ ➡ $\left(\frac{1}{\cancel{8}_1} \times \cancel{24}^{3}\right) : \left(\frac{1}{\cancel{3}_1} \times \cancel{24}^{8}\right)$ ➡ $3 : 8$

3 ㉠ (외항의 곱) $= 3 \times 21 = 63$,
(내항의 곱) $= 7 \times 6 = 42$
➡ 외항의 곱과 내항의 곱이 다르므로 비례식이 아닙니다.
㉡ (외항의 곱) $= 5 \times 8 = 40$,
(내항의 곱) $= 2 \times 20 = 40$
➡ 외항의 곱과 내항의 곱이 같으므로 비례식입니다.

4 $15.7 \div 5 = 3.14$, $31.4 \div 10 = 3.14$,
$157 \div 50 = 3.14$
➡ 원의 크기와 상관없이 (원주) ÷ (지름)은 일정합니다.

5 (원 가의 원주) $= 6 \times 3 = 18$ (cm)
➡ $18 < 21$이므로 원 나가 더 큽니다.

다른 풀이
(원 나의 지름) $= 21 \div 3 = 7$ (cm)
➡ $6 < 7$이므로 원 나가 더 큽니다.

6 원 안에 있는 정사각형은 두 대각선의 길이가 20 cm인 마름모이므로 넓이는 $20\times20\div2=200\ (\text{cm}^2)$입니다.
원 밖에 있는 정사각형은 한 변의 길이가 20 cm인 정사각형이므로 넓이는 $20\times20=400\ (\text{cm}^2)$입니다.

필수 체크 전략❶ 48~51쪽

필수 예제 01 예 5 : 8
확인 1-1 예 63 : 40
확인 1-2 예 75 : 52
필수 예제 02 (1) 7×36, $\square\times28$ (2) 9
확인 2-1 32
확인 2-2 48
필수 예제 03 (1) 8 cm (2) $200.96\ \text{cm}^2$
확인 3-1 $108\ \text{cm}^2$
확인 3-2 $77.5\ \text{cm}^2$
필수 예제 04 85.68 cm
확인 4-1 96 cm
확인 4-2 142 cm

확인 1-1 소수 한 자리 수는 분모가 10인 분수로 나타낼 수 있으므로 $0.9=\frac{9}{10}$입니다.
$0.9:\frac{4}{7}$
➡ $\frac{9}{10}:\frac{4}{7}$
➡ $\left(\frac{9}{\cancel{10}_1}\times\cancel{70}^7\right):\left(\frac{4}{\cancel{7}_1}\times\cancel{70}^{10}\right)$
➡ 63 : 40

확인 1-2 $\frac{3}{4}$을 분모가 100인 분수로 바꾸면 $\frac{75}{100}$이고 $\frac{75}{100}=0.75$입니다.
$\frac{3}{4}:0.52$
➡ 0.75 : 0.52
➡ $(0.75\times100):(0.52\times100)$
➡ 75 : 52

확인 2-1 (외항의 곱)$=4\times40$,
(내항의 곱)$=5\times\square$
➡ $4\times40=5\times\square$, $160=5\times\square$,
$\square=160\div5$, $\square=32$

확인 2-2 (외항의 곱)$=9\times\square$,
(내항의 곱)$=8\times54$
➡ $9\times\square=8\times54$, $9\times\square=432$,
$\square=432\div9$, $\square=48$

확인 3-1 (원의 반지름)$=36\div3\div2=6$ (cm)
➡ (원의 넓이)$=6\times6\times3=108\ (\text{cm}^2)$

확인 3-2 (원의 반지름)$=31\div3.1\div2=5$ (cm)
➡ (원의 넓이)$=5\times5\times3.1=77.5\ (\text{cm}^2)$

확인 4-1 (큰 원의 원주)$=10\times2\times3=60$ (cm),
(작은 원의 원주)$=6\times2\times3=36$ (cm)
➡ (색칠한 부분의 둘레)
$=60+36=96$ (cm)

확인 4-2 (직선 부분)$=20\times4=80$ (cm),
(곡선 부분)$=20\times3.1=62$ (cm)
➡ (색칠한 부분의 둘레)
$=80+62=142$ (cm)

필수 체크 전략 ❷ 52~53쪽

1 4 : 5=24 : 30 또는 24 : 30=4 : 5
2 예지네 가족, 35 kg 3 8 cm
4 111.6 cm 5 471 cm
6 ㉢, 147 cm^2

1 4 : 5 ➡ $\frac{4}{5}$, 8 : 15 ➡ $\frac{8}{15}$,
12 : 20 ➡ $\frac{12}{20}=\frac{3}{5}$, 24 : 30 ➡ $\frac{24}{30}=\frac{4}{5}$
4 : 5와 24 : 30의 비율이 같으므로 비례식으로 나타낼 수 있습니다.
➡ 4 : 5=24 : 30 또는 24 : 30=4 : 5

2 가족 수의 비는 (동호) : (예지)=3 : 5입니다.
비에서 항의 수가 크면 비례배분한 수도 크므로 예지네 가족이 더 많이 가지게 됩니다.
예지네 가족의 감자 무게:
$56\times\frac{5}{3+5}=\overset{7}{\cancel{56}}\times\frac{5}{\underset{1}{\cancel{8}}}=35$ (kg)

3 직사각형의 세로를 □cm라 하고 비례식을 세우면 20 : □=5 : 2입니다.
➡ 20×2=□×5, 40=□×5, □=40÷5, □=8

4 (큰 원의 반지름)=12+6=18 (cm),
(큰 원의 지름)=18×2=36 (cm)
➡ (큰 원의 원주)=36×3.1=111.6 (cm)

5 (굴렁쇠 ㉠이 굴러간 거리)
=65×3.14×10=2041 (cm),
(굴렁쇠 ㉡이 굴러간 거리)
=80×3.14×10=2512 (cm)
➡ 2512−2041=471 (cm)

6 ㉠ 반지름 6 cm,
㉡ (반지름)=10÷2=5 (cm),
㉢ (반지름)=42÷3÷2=7 (cm)
따라서 가장 큰 원은 ㉢이고, 넓이는
7×7×3=147 (cm^2)입니다.

2주 03일

필수 체크 전략 ❶ 54~57쪽

필수 예제 01 3 : 7=6 : 14
확인 1-1 4 : 9=8 : 18
확인 1-2 5 : 8=15 : 24
필수 예제 02 40
확인 2-1 65
확인 2-2 96
필수 예제 03 (1) 5 cm (2) 31.4 cm
확인 3-1 54 cm
확인 3-2 62.8 cm
필수 예제 04 81 cm^2
확인 4-1 86 cm^2
확인 4-2 144 cm^2

확인 1-1 4 : ㉠의 비율이 $\frac{4}{9}$이므로
$\frac{4}{㉠}=\frac{4}{9}$에서 ㉠=9입니다.
내항의 곱이 72이므로
9×㉡=72에서 ㉡=8입니다.
8 : ㉢의 비율이 $\frac{4}{9}$이므로
$\frac{8}{㉢}=\frac{4}{9}=\frac{8}{18}$에서 ㉢=18입니다.

확인 1-2 ㉠ : 8의 비율이 $\frac{5}{8}$이므로

$\frac{㉠}{8}=\frac{5}{8}$에서 ㉠=5입니다.

외항의 곱이 120이므로

$5\times$㉢$=120$에서 ㉢=24입니다.

㉡ : 24의 비율이 $\frac{5}{8}$이므로

$\frac{㉡}{24}=\frac{5}{8}=\frac{15}{24}$에서 ㉡=15입니다.

확인 2-1 어떤 수를 □라 하면

㉠: $□\times\frac{4}{4+9}=□\times\frac{4}{13}=20$입니다.

➡ $□\times\frac{4}{13}=20$, $□=20\div\frac{4}{13}$,

$□=\overset{5}{\cancel{20}}\times\frac{13}{\underset{1}{\cancel{4}}}$, $□=65$

확인 2-2 어떤 수를 □라 하면

㉡: $□\times\frac{5}{11+5}=□\times\frac{5}{16}=30$입니다.

➡ $□\times\frac{5}{16}=30$, $□=30\div\frac{5}{16}$,

$□=\overset{6}{\cancel{30}}\times\frac{16}{\underset{1}{\cancel{5}}}$, $□=96$

확인 3-1 (반지름)×(반지름)=243÷3=81,

9×9=81이므로 반지름은 9 cm입니다.

➡ (원주)=9×2×3=54 (cm)

확인 3-2 (반지름)×(반지름)=314÷3.14=100,

10×10=100이므로 반지름은 10 cm입니다.

➡ (원주)=10×2×3.14=62.8 (cm)

확인 4-1 (정사각형의 넓이)=20×20=400 (cm^2),

(원의 넓이)=10×10×3.14=314 (cm^2)

➡ (색칠한 부분의 넓이)

=400−314=86 (cm^2)

확인 4-2 (큰 원의 넓이)=8×8×3=192 (cm^2),

(작은 원의 넓이)=4×4×3=48 (cm^2)

➡ (색칠한 부분의 넓이)

=192−48=144 (cm^2)

필수 체크 전략 ❷

58~59쪽

1 ㉢	**2** 3, 15
3 100자루	**4** 45 cm
5 1256 cm^2	**6** 32 cm^2

1 ㉠ 28 : 20 ➡ (28÷4) : (20÷4) ➡ 7 : 5

㉡ 30 : 24 ➡ (30÷6) : (24÷6) ➡ 5 : 4

㉢ 21 : 12 ➡ (21÷3) : (12÷3) ➡ 7 : 4

2 (외항의 곱)=㉠×25=75, ㉠=75÷25,

㉠=3

외항의 곱과 내항의 곱은 같으므로 내항의 곱도 75입니다.

(내항의 곱)=5×㉡=75, ㉡=75÷5, ㉡=15

3 0.2 : 0.5 ➡ (0.2×10) : (0.5×10) ➡ 2 : 5

1반의 연필 수:

$350\times\frac{2}{2+5}=\overset{50}{\cancel{350}}\times\frac{2}{\underset{1}{\cancel{7}}}=100$(자루)

4 (곡선 부분)=18×3÷2=27 (cm),

(직선 부분)=18 cm

➡ (도형의 둘레)=27+18=45 (cm)

5 (원의 반지름)=(정사각형의 한 변의 길이)÷2

=40÷2=20 (cm)

➡ (원의 넓이)=20×20×3.14=1256 (cm^2)

6 60°는 360°의 $\frac{60}{360}=\frac{1}{6}$이므로 원의 넓이의 $\frac{1}{6}$을 구합니다.

➡ (도형의 넓이)$=8\times\overset{4}{\cancel{8}}\times\overset{1}{\cancel{3}}\times\frac{1}{\underset{\underset{1}{\cancel{3}}}{\cancel{6}}}=32\,(\text{cm}^2)$

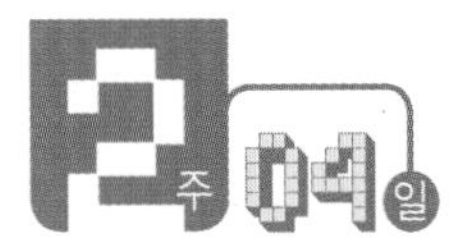

교과서 대표 전략❶ 60~63쪽

대표 예제 01 ③
대표 예제 02 (1) 18, 24 (2) 21, 10
대표 예제 03 ㉠ 5 : 2
대표 예제 04 ㉠ 32 : 25
대표 예제 05 20
대표 예제 06 30개, 35개
대표 예제 07 25만 원
대표 예제 08 40개
대표 예제 09 10 cm
대표 예제 10 9.3 cm
대표 예제 11 191.54 cm^2
대표 예제 12 ㉡, ㉢, ㉠
대표 예제 13 77.5 cm^2
대표 예제 14 5바퀴
대표 예제 15 105 cm
대표 예제 16 81 cm^2

대표 예제 01 후항을 각각 알아보면 ① 4, ② 5, ③ 7, ④ 1, ⑤ 3입니다.
따라서 후항이 가장 큰 비는 ③ 2 : 7입니다.

대표 예제 02 (1) 8 : 9 ➡ $(8\times2):(9\times2)$
➡ 16 : 18
8 : 9 ➡ $(8\times3):(9\times3)$
➡ 24 : 27

(2) 30 : 42 ➡ $(30\div2):(42\div2)$
➡ 15 : 21
30 : 42 ➡ $(30\div3):(42\div3)$
➡ 10 : 14

대표 예제 03 0.4 : 0.16
➡ $(0.4\times100):(0.16\times100)$
➡ 40 : 16
➡ $(40\div8):(16\div8)$
➡ 5 : 2

대표 예제 04 $1\frac{3}{5}:1\frac{1}{4}$ ➡ $\frac{8}{5}:\frac{5}{4}$
➡ $\left(\frac{8}{\underset{1}{\cancel{5}}}\times\overset{4}{\cancel{20}}\right):\left(\frac{5}{\underset{1}{\cancel{4}}}\times\overset{5}{\cancel{20}}\right)$
➡ 32 : 25

대표 예제 05 외항의 곱이 140이므로 내항의 곱도 140입니다.
➡ 7×▲=140, ▲=140÷7, ▲=20

대표 예제 06 원재: $65\times\frac{6}{6+7}=\overset{5}{\cancel{65}}\times\frac{6}{\underset{1}{\cancel{13}}}=30$(개)

안나: $65\times\frac{7}{6+7}=\overset{5}{\cancel{65}}\times\frac{7}{\underset{1}{\cancel{13}}}=35$(개)

대표 예제 07 5일 동안 일하고 받을 돈을 □원이라 하고 비례식을 세우면
3 : 5=15만 : □입니다.
➡ 3×□=5×15만, 3×□=75만,
□=75만÷3, □=25만

대표 예제 08 처음에 있던 구슬 수를 □개라 하면
영호: $□\times\frac{5}{5+3}=□\times\frac{5}{8}=25$(개)
입니다.
➡ $□=25\div\frac{5}{8}$, $□=\overset{5}{\cancel{25}}\times\frac{8}{\underset{1}{\cancel{5}}}$,
□=40

대표 예제 09 $62.8 \div 3.14 \div 2 = 10$ (cm)

대표 예제 10 (큰 원의 원주)
$= 9 \times 2 \times 3.1 = 55.8$ (cm),
(작은 원의 원주)
$= 15 \times 3.1 = 46.5$ (cm)
➡ $55.8 - 46.5 = 9.3$ (cm)

대표 예제 11 (작은 원의 넓이)
$= 5 \times 5 \times 3.14 = 78.5$ (cm^2),
(큰 원의 넓이)
$= 6 \times 6 \times 3.14 = 113.04$ (cm^2)
➡ $78.5 + 113.04 = 191.54$ (cm^2)

대표 예제 12 ㉠ (원주)$= 20 \times 3 = 60$ (cm),
㉡ (원주)$= 15 \times 2 \times 3 = 90$ (cm),
㉢ 원주 80 cm
➡ $90 > 80 > 60$이므로 ㉡, ㉢, ㉠입니다.

대표 예제 13 (가장 큰 원의 지름)
$=$(직사각형의 세로)$= 10$ cm,
(가장 큰 원의 반지름)
$= 10 \div 2 = 5$ (cm)
➡ (가장 큰 원의 넓이)
$= 5 \times 5 \times 3.1 = 77.5$ (cm^2)

대표 예제 14 (굴렁쇠를 한 바퀴 굴린 거리)
$= 70 \times 3 = 210$ (cm)
(굴렁쇠를 굴린 횟수)
$= 1050 \div 210 = 5$(바퀴)

대표 예제 15 (직선 부분)
$= 30 \times 2 = 60$ (cm)
(곡선 부분)
$= 30 \times 2 \times 3 \div 4 = 45$ (cm)
➡ (색칠한 부분의 둘레)
$= 60 + 45 = 105$ (cm)

대표 예제 16 (큰 원의 넓이)
$= 6 \times 6 \times 3 = 108$ (cm^2),
(작은 원의 넓이)
$= 3 \times 3 \times 3 = 27$ (cm^2)
➡ (색칠한 부분의 넓이)
$= 108 - 27 = 81$ (cm^2)

교과서 대표 전략 ❷ 64~65쪽

1 ㉠, ㉣	**2** 160 cm^2
3 예 2 : 3	**4** 7분
5 15 cm	**6** 452.16 cm^2
7 ㉡	**8** 7500 m^2

1 ㉠ (외항의 곱)$= 5 \times 12 = 60$,
(내항의 곱)$= 6 \times 10 = 60$
㉡ (외항의 곱)$= 7 \times 6 = 42$,
(내항의 곱)$= 2 \times 14 = 28$
㉢ (외항의 곱)$= 4 \times 18 = 72$,
(내항의 곱)$= 9 \times 12 = 108$
㉣ (외항의 곱)$= 8 \times 9 = 72$,
(내항의 곱)$= 3 \times 24 = 72$
➡ ㉡과 ㉢은 외항의 곱과 내항의 곱이 다르므로 비례식이 아닙니다.

2 (도화지의 넓이)$= 30 \times 20 = 600$ (cm^2)
도연: $600 \times \frac{4}{4+11} = \overset{40}{\cancel{600}} \times \frac{4}{\underset{1}{\cancel{15}}} = 160$ (cm^2)

3 한 시간 동안 윤석이는 전체의 $\frac{1}{3}$만큼, 수정이는 전체의 $\frac{1}{2}$만큼 일을 했습니다.
윤석 : 수정 ➡ $\frac{1}{3} : \frac{1}{2}$ ➡ $\left(\frac{1}{\underset{1}{\cancel{3}}} \times \overset{2}{\cancel{6}}\right) : \left(\frac{1}{\underset{1}{\cancel{2}}} \times \overset{3}{\cancel{6}}\right)$
➡ 2 : 3

4 오늘 오후 1시부터 내일 오후 5시까지 28시간 동안 빨라지는 시간을 □분이라 하고 비례식을 세우면 24 : 6=28 : □입니다.
➡ 24×□=6×28, 24×□=168,
□=168÷24, □=7

5 93÷3.1÷2=15 (cm)

6 접기 전 색종이는 반지름이 24÷2=12 (cm)인 원 모양입니다.
➡ (접기 전 색종이의 넓이)
=12×12×3.14=452.16 (cm²)

7 ㉠ (반지름)=36÷3÷2=6 (cm),
㉡ (반지름)×(반지름)=300÷3=100,
10×10=100이므로
(반지름)=10 cm입니다.
➡ 6<10이므로 더 큰 원은 ㉡입니다.

8 (호수의 둘레)=20×15=300 (m),
(호수의 반지름)=300÷3÷2=50 (m)
➡ (호수의 넓이)=50×50×3=7500 (m²)

누구나 **만점 전략** 66~67쪽

01 예 2 : 3, 8 : 12
02 (1) 예 17 : 38 (2) 예 5 : 4
03 3 : 5=9 : 15 또는 9 : 15=3 : 5
04 72 cm
05 30자루, 42자루
06 43.96 cm
07 ㉡
08 (1) 17 (2) 8
09 78.5 cm²
10 111.6 cm²

01 4 : 6 ➡ (4÷2) : (6÷2) ➡ 2 : 3
4 : 6 ➡ (4×2) : (6×2) ➡ 8 : 12

02 (1) 1.7 : 3.8 ➡ (1.7×10) : (3.8×10)
➡ 17 : 38
(2) $\frac{1}{4} : \frac{1}{5}$ ➡ $\left(\frac{1}{\cancel{4}_1}\times\cancel{20}^5\right) : \left(\frac{1}{\cancel{5}_1}\times\cancel{20}^4\right)$ ➡ 5 : 4

03 2 : 3 ➡ $\frac{2}{3}$, 3 : 5 ➡ $\frac{3}{5}$, 6 : 8 ➡ $\frac{6}{8}=\frac{3}{4}$,
9 : 15 ➡ $\frac{9}{15}=\frac{3}{5}$
3 : 5와 9 : 15의 비율이 같으므로 비례식으로 나타낼 수 있습니다.
➡ 3 : 5=9 : 15 또는 9 : 15=3 : 5

04 가로를 □cm라 하고 비례식을 세우면
3 : 2=□ : 48입니다.
➡ 3×48=2×□, 144=2×□,
□=144÷2, □=72

05 연필 6타는 연필 12×6=72(자루)입니다.
태희: $72\times\frac{5}{5+7}=\cancel{72}^6\times\frac{5}{\cancel{12}_1}=30$(자루)
선주: $72\times\frac{7}{5+7}=\cancel{72}^6\times\frac{7}{\cancel{12}_1}=42$(자루)

06 (원의 지름)=7×2=14 (cm)
➡ (원주)=14×3.14=43.96 (cm)

07 ㉡ 원주율은 지름에 관계없이 일정합니다.

08 (1) (지름)=(원주)÷(원주율)
=51÷3=17 (cm)
(2) (반지름)×(반지름)=192÷3=64,
8×8=64이므로 반지름은 8 cm입니다.

09 그린 원의 반지름은 컴퍼스를 벌린 길이와 같으므로 5 cm입니다.
➡ (원의 넓이)=5×5×3.14=78.5 (cm²)

10 색칠한 부분의 넓이는 지름이 12 cm인 원의 넓이와 같습니다.
(원의 반지름)$=12\div2=6$ (cm)
➡ (원의 넓이)$=6\times6\times3.1=111.6$ (cm^2)

창의•융합•코딩 전략❶ 68~69쪽

1 16개	**2** 270 cm

1 $28\times\frac{4}{3+4}=\overset{4}{\cancel{28}}\times\frac{4}{\underset{1}{\cancel{7}}}=16$(개)

2 $90\times3=270$ (cm)

창의•융합•코딩 전략❷ 70~73쪽

1 예 4 : 95	**2** 60000원
3 예 4 : 5	**4** 150 L
5 450 cm^2	**6** 225 cm^2
7 83.7 cm	**8** 4바퀴

1 (태양~수성) : (태양~토성)$=0.4:9.5$입니다.
$0.4:9.5$ ➡ $(0.4\times10):(9.5\times10)$ ➡ $4:95$

2 50달러와 같은 우리나라 돈을 □원이라 하고 비례식을 세우면 $1:1200=50:$□입니다.
➡ $1\times$□$=1200\times50$, □$=60000$

3 겹쳐진 부분의 길이가 같으므로
㉮$\times\frac{1}{2}=$㉯$\times\frac{2}{5}$이고 비례식으로 나타내면
㉮ : ㉯$=\frac{2}{5}:\frac{1}{2}$입니다.
$\frac{2}{5}:\frac{1}{2}$ ➡ $\left(\frac{2}{\underset{1}{\cancel{5}}}\times\overset{2}{\cancel{10}}\right):\left(\frac{1}{\underset{1}{\cancel{2}}}\times\overset{5}{\cancel{10}}\right)$ ➡ $4:5$

4 50 L의 물을 더 부으면 물의 높이는
$40-30=10$ (cm) 높아집니다.
수조에 담긴 물의 양을 □L라 하고 비례식을 세우면 $10:50=30:$□입니다.
➡ $10\times$□$=50\times30$, $10\times$□$=1500$,
□$=1500\div10$, □$=150$

5 (전체 피자의 넓이)
$=20\times20\times3=1200$ (cm^2)
➡ (남은 피자의 넓이)$=\overset{150}{\cancel{1200}}\times\frac{3}{\underset{1}{\cancel{8}}}=450$ (cm^2)

6 120°는 360°의 $\frac{120}{360}=\frac{1}{3}$이므로 원의 넓이의 $\frac{1}{3}$을 구합니다.
➡ (도형의 넓이)
$=15\times15\times\overset{1}{\cancel{3}}\times\frac{1}{\underset{1}{\cancel{3}}}=225$ (cm^2)

7 첫 번째: 지름이 $1\times3=3$ (cm)인 원,
(원주)$=3\times3.1$
$=9.3$ (cm)<80 cm
➡ 아니요
두 번째: 지름이 $3\times3=9$ (cm)인 원,
(원주)$=9\times3.1$
$=27.9$ (cm)<80 cm
➡ 아니요
세 번째: 지름이 $9\times3=27$ (cm)인 원,
(원주)$=27\times3.1$
$=83.7$ (cm)>80 cm
➡ 예
따라서 끝에 나오는 원의 원주는 83.7 cm입니다.

8 (큰 원의 원주)$=20\times2\times3=120$ (cm),
(고깔 밑면의 원주)$=5\times2\times3=30$ (cm)
따라서 고깔을 적어도 $120\div30=4$(바퀴) 굴려야 합니다.

정답 및 풀이

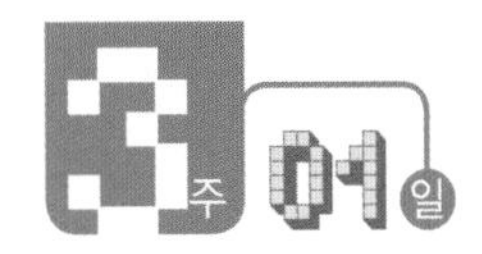

개념 돌파 전략❶ 개념 기초 확인 77, 79쪽

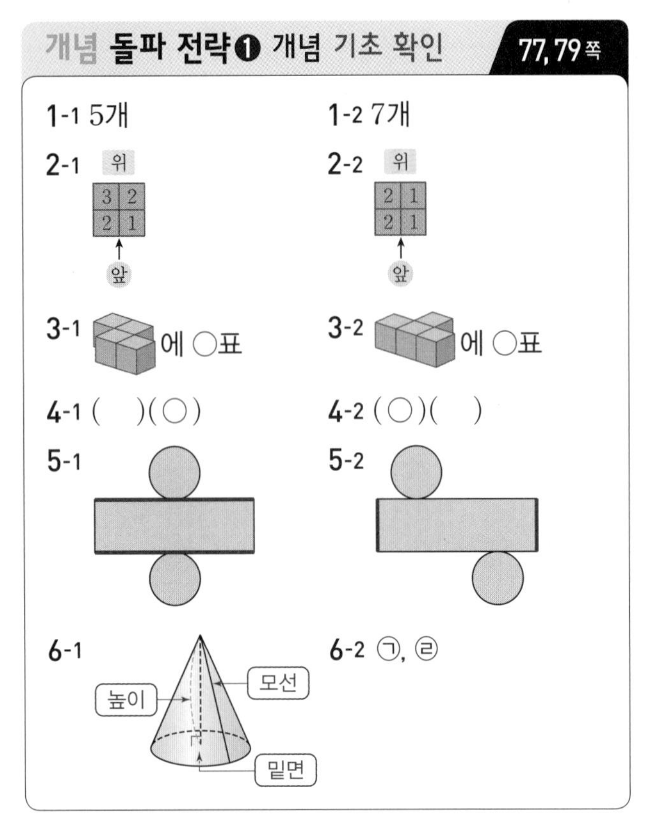

1-2 보이지 않는 부분에 숨겨진 쌓기나무가 없으므로 1층에 5개, 2층에 2개 쌓여 있습니다.
따라서 주어진 모양과 똑같이 쌓는 데 쌓기나무 7개가 필요합니다.

2-2 각 자리에 쌓기나무가 몇 층으로 쌓여 있는지 알아보면 왼쪽 위와 아래 자리는 각각 2층, 오른쪽 위와 아래 자리는 각각 1층입니다.

3-2 만든 모양에서 왼쪽 모양을 찾아보면 다음과 같습니다.

따라서 쌓기나무 1개를 더 붙여서 만들 수 있는 모양은 오른쪽 모양입니다.

4-2 원기둥은 위와 아래에 있는 면이 서로 평행하고 합동인 원으로 이루어져 있습니다.

5-2 원기둥의 전개도에서 원기둥의 높이는 옆면의 세로의 길이와 같으므로 직사각형의 세로를 빨간색 선으로 표시합니다.

6-2 원뿔에서 뾰족한 부분의 점을 원뿔의 꼭짓점, 옆을 둘러싼 굽은 면을 옆면이라고 합니다.

개념 돌파 전략❷ 80~81쪽

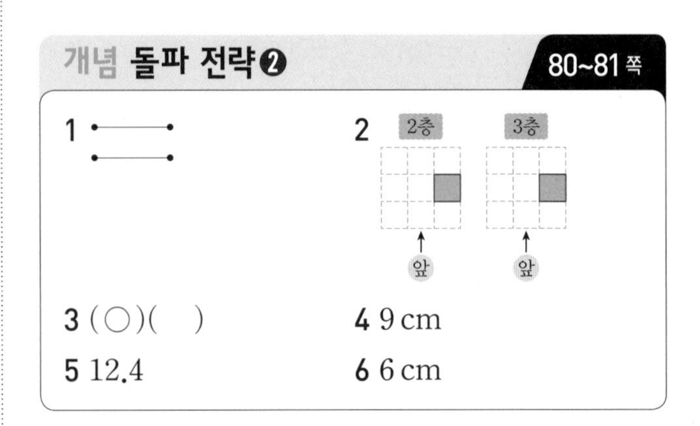

1 • 앞에서 보면 왼쪽부터 가장 높은 층인 2층, 1층, 2층으로 보입니다.
• 옆에서 보면 왼쪽부터 가장 높은 층인 2층, 2층으로 보입니다.

2 2층으로만 쌓인 자리는 없고, 3층으로 쌓인 자리가 한 칸이므로 같은 자리에 한 칸씩 색칠하여 모양을 그립니다.

3 앞에서 봤을 때 왼쪽부터 3층, 2층으로 보입니다.

4 원기둥의 높이는 두 밑면에 수직인 선분의 길이이므로 9 cm입니다.

5 (옆면의 가로의 길이)=(밑면의 지름)×(원주율)
$=4\times3.1=12.4$ (cm)

6 구의 중심에서 구의 겉면의 한 점을 이은 선분을 찾아보면 구의 반지름은 6 cm입니다.

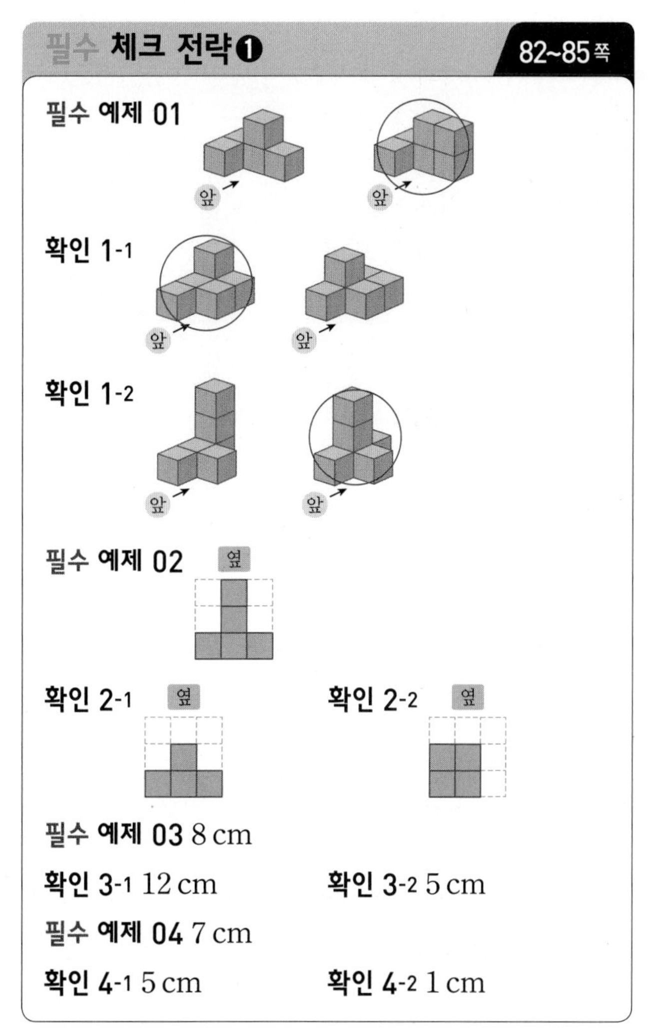

확인 1-1 위 앞에서 봤을 때 ②, ④ 자리는 1층이므로 1개, 옆에서 봤을 때 ③, ⑤ 자리는 1층이므로 1개, ① 자리는 2층이므로 2개 쌓여 있습니다.
각 자리에 쌓인 쌓기나무의 수를 세어 보면 쌓은 모양은 왼쪽 모양입니다.

확인 1-2 위 앞에서 봤을 때 ③ 자리는 1층이므로 1개, 옆에서 봤을 때 ①, ④ 자리는 1층이므로 1개, ② 자리는 3층이므로 3개입니다.
각 자리에 쌓인 쌓기나무의 수를 세어 보면 쌓은 모양은 오른쪽 모양입니다.

확인 2-1 위 앞에서 봤을 때 왼쪽부터 1층, 2층, 1층으로 보이므로 위에서 본 모양의 ○ 자리에 1개씩, △ 자리에 2개 쌓여 있습니다.
옆에서 봤을 때 각 줄의 가장 높은 층으로 보이므로 왼쪽부터 1층, 2층, 1층으로 보입니다.

확인 2-2 위 앞에서 봤을 때 가장 왼쪽은 1층, 가장 오른쪽은 2층으로 보이므로 ○ 자리에 1개, △ 자리에 2개가 쌓여 있습니다.
남은 쌓기나무는 $7-1-2=4$(개)이고, 가운데 줄은 2층으로 보이므로 ☆ 자리에 2개씩 쌓여 있습니다.
옆에서 봤을 때 각 줄의 가장 높은 층으로 보이므로 왼쪽부터 2층, 2층으로 보입니다.

확인 3-1 만들어진 입체도형은 원기둥입니다.
원기둥의 밑면의 반지름은 6 cm이고, 지름은 $6\times2=12$ (cm)입니다.

확인 3-2 만들어진 입체도형은 구입니다.
구의 지름은 10 cm이고, 반지름은 $10\div2=5$ (cm)입니다.

확인 4-1 원기둥의 높이: 13 cm,
원뿔의 높이: 8 cm
➡ 높이의 차: $13-8=5$ (cm)

확인 4-2 원기둥의 높이: 5 cm,
원뿔의 높이: 4 cm
➡ 높이의 차: $5-4=1$ (cm)

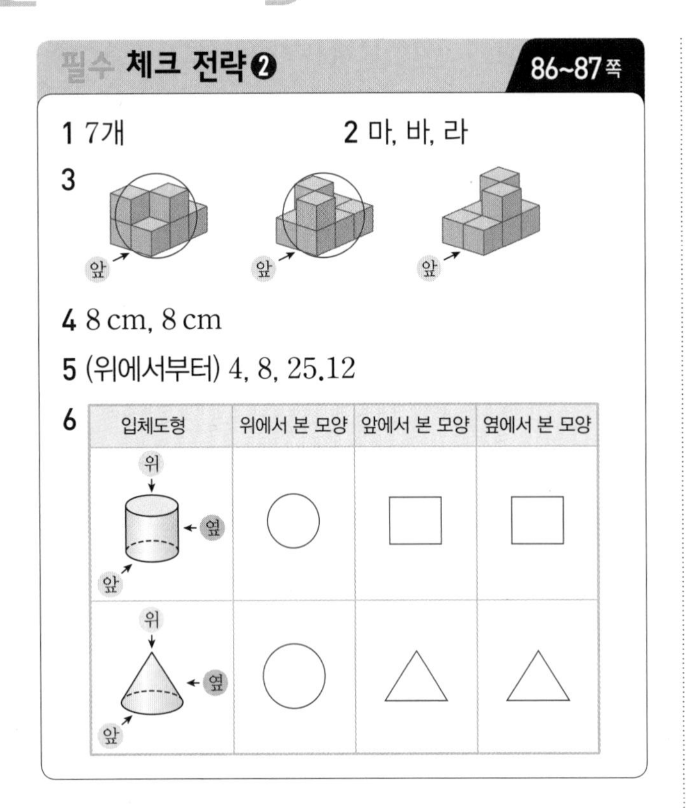

필수 체크 전략❷ 86~87쪽

1 7개 2 마, 바, 라

3

4 8 cm, 8 cm

5 (위에서부터) 4, 8, 25.12

6

입체도형	위에서 본 모양	앞에서 본 모양	옆에서 본 모양

1 ㉠ 자리에 숨겨진 쌓기나무가 1개 있으므로 필요한 쌓기나무는 7개입니다.

2 모양을 돌리거나 뒤집었을 때 서로 같은 모양은 가와 마, 나와 바, 다와 라입니다.

3 보이지 않는 부분에 숨겨진 쌓기나무를 생각하면 세 모양 모두 위와 앞에서 본 모양이 같습니다. 옆에서 본 모양이 왼쪽부터 2층, 2층, 1층으로 보이는 모양은 첫 번째와 두 번째 모양입니다. 세 번째 모양은 오른쪽 옆에서 봤을 때 왼쪽부터 1층, 2층, 2층입니다.

4 • 위에서 본 모양은 밑면의 모양과 같고, 반지름이 4 cm이므로 밑면의 지름은 $4\times2=8$ (cm)입니다.
• 앞에서 본 모양이 정사각형입니다. ➡ 원기둥의 높이는 밑면의 지름과 같으므로 8 cm입니다.

5 밑면의 반지름은 4 cm이고, 옆면의 가로의 길이는 밑면의 둘레와 같으므로
(밑면의 둘레)=(밑면의 반지름)×2×(원주율)
$=4\times2\times3.14=25.12$ (cm)입니다.
(옆면의 세로의 길이)=(높이)=8 cm

6 • 원기둥을 위에서 본 모양은 원, 앞과 옆에서 본 모양은 사각형입니다.
• 원뿔을 위에서 본 모양은 원, 앞과 옆에서 본 모양은 삼각형입니다.

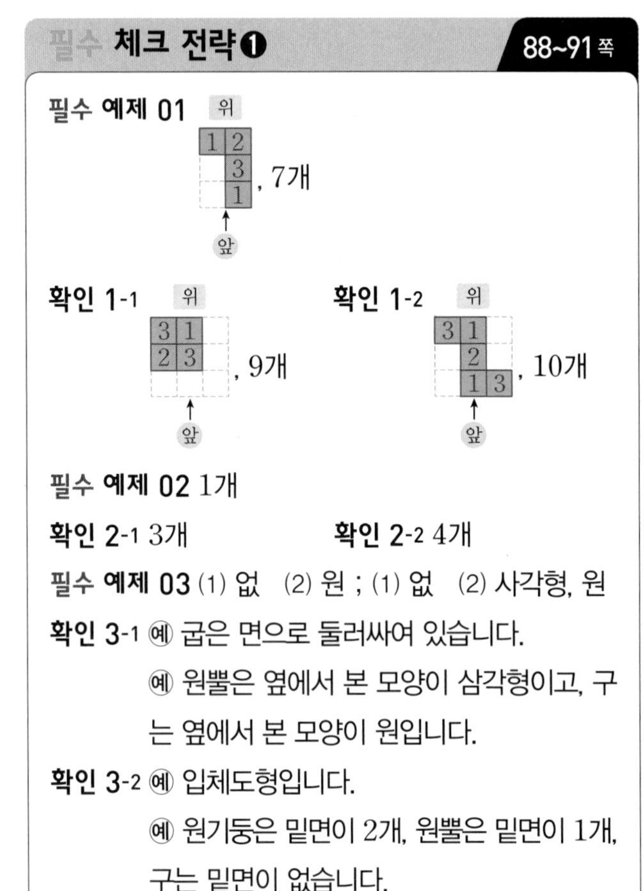

필수 체크 전략❶ 88~91쪽

필수 예제 01 , 7개

확인 1-1 , 9개 확인 1-2 , 10개

필수 예제 02 1개

확인 2-1 3개 확인 2-2 4개

필수 예제 03 (1) 없 (2) 원 ; (1) 없 (2) 사각형, 원

확인 3-1 예 굽은 면으로 둘러싸여 있습니다.
예 원뿔은 옆에서 본 모양이 삼각형이고, 구는 옆에서 본 모양이 원입니다.

확인 3-2 예 입체도형입니다.
예 원기둥은 밑면이 2개, 원뿔은 밑면이 1개, 구는 밑면이 없습니다.

필수 예제 04 4 cm

확인 4-1 5 cm 확인 4-2 6 cm

확인 1-1 위에서 본 모양은 1층의 모양과 같습니다. 3층에서 색칠된 자리에 3을 쓰고, 2층에서 색칠된 자리 중에 3이 쓰인 자리를 제외한 자리에 2를 쓰고, 나머지 자리에 1을 씁니다.
똑같은 모양으로 쌓는 데 필요한 쌓기나무의 개수는 $3+1+2+3=9$(개)입니다.

확인 1-2 위에서 본 모양은 1층의 모양과 같습니다. 3층에서 색칠된 자리에 3을 쓰고, 2층에서 색칠된 자리 중에 3이 쓰인 자리를 제외한 자리에 2를 쓰고, 나머지 자리에 1을 씁니다.
똑같은 모양으로 쌓는 데 필요한 쌓기나무의 개수는 $3+1+2+1+3=10$(개)입니다.

확인 2-1 모양을 쌓는 데 필요한 쌓기나무의 개수는
가: 1층에 6개, 2층에 4개
➡ $6+4=10$(개),
나: $1+3+1+2+2+1+3=13$(개)입니다.
따라서 필요한 쌓기나무 개수의 차는
$13-10=3$(개)입니다.

확인 2-2 모양을 쌓는 데 필요한 쌓기나무의 개수는
가: 1층에 5개, 2층에 4개
➡ $5+4=9$(개),
나: $3+2+1+2+2+3=13$(개)입니다.
따라서 필요한 쌓기나무 개수의 차는
$13-9=4$(개)입니다.

확인 3-1 공통점 위에서 본 모양이 원입니다. 등
차이점 원뿔은 뾰족한 부분이 있고, 구는 뾰족한 부분이 없습니다. 등

확인 3-2 공통점 굽은 면으로 둘러싸여 있습니다. 위에서 본 모양이 원입니다. 등
차이점 원기둥은 옆에서 본 모양이 사각형, 원뿔은 옆에서 본 모양이 삼각형, 구는 옆에서 본 모양이 원입니다. 등

확인 4-1 밑면의 둘레는 옆면의 가로의 길이와 같으므로 31 cm입니다.
(밑면의 둘레)$=$(반지름)$\times 2\times 3.1=31$,
(반지름)$\times 6.2=31$,
(반지름)$=31\div 6.2=5$ (cm)

확인 4-2 밑면의 둘레는 옆면의 가로의 길이와 같으므로 37.68 cm입니다.
(밑면의 둘레)$=$(반지름)$\times 2\times 3.14$
$=37.68$,
(반지름)$\times 6.28=37.68$,
(반지름)$=37.68\div 6.28=6$ (cm)

필수 체크 전략❷ 92~93쪽

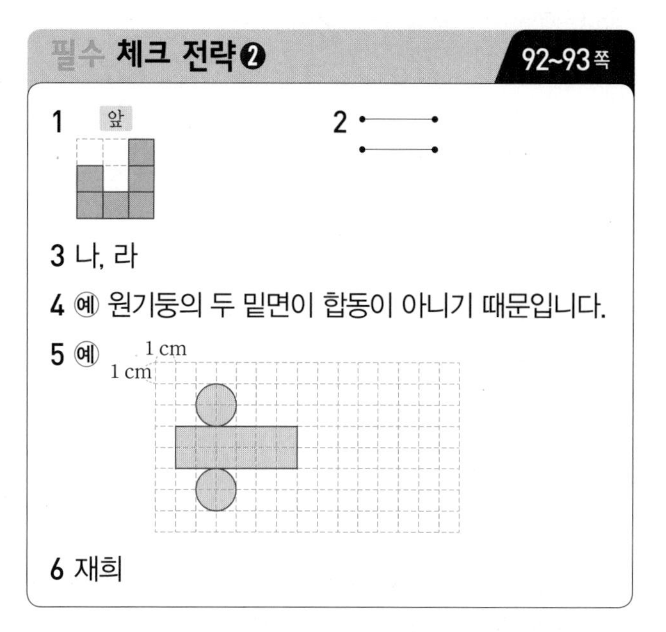

1 앞에서 봤을 때 왼쪽부터 2층, 1층, 3층으로 보입니다.
2 쌓기나무가 각 자리별로 몇 층인지 알아봅니다.
3 2층으로 가능한 모양은 나, 다, 라입니다.
2층에 나를 놓으면 3층에 라를 놓을 수 있습니다.
2층에 다, 라를 놓으면 3층에 놓을 수 있는 모양이 없습니다.
4 원기둥의 전개도는 합동인 두 원과 직사각형으로 이루어져 있습니다.
5 원기둥의 전개도에서 옆면의 가로의 길이는 밑면의 둘레와 같으므로 $1\times 2\times 3=6$ (cm)이고, 옆면의 세로의 길이는 원기둥의 높이와 같으므로 2 cm입니다.
6 왼쪽부터 차례로 원뿔의 밑면의 지름, 높이, 모선의 길이를 재고 있습니다.
밑면의 지름은 $9-3=6$ (cm)입니다.

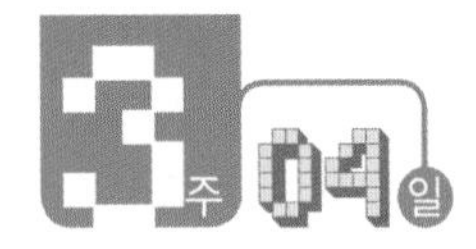

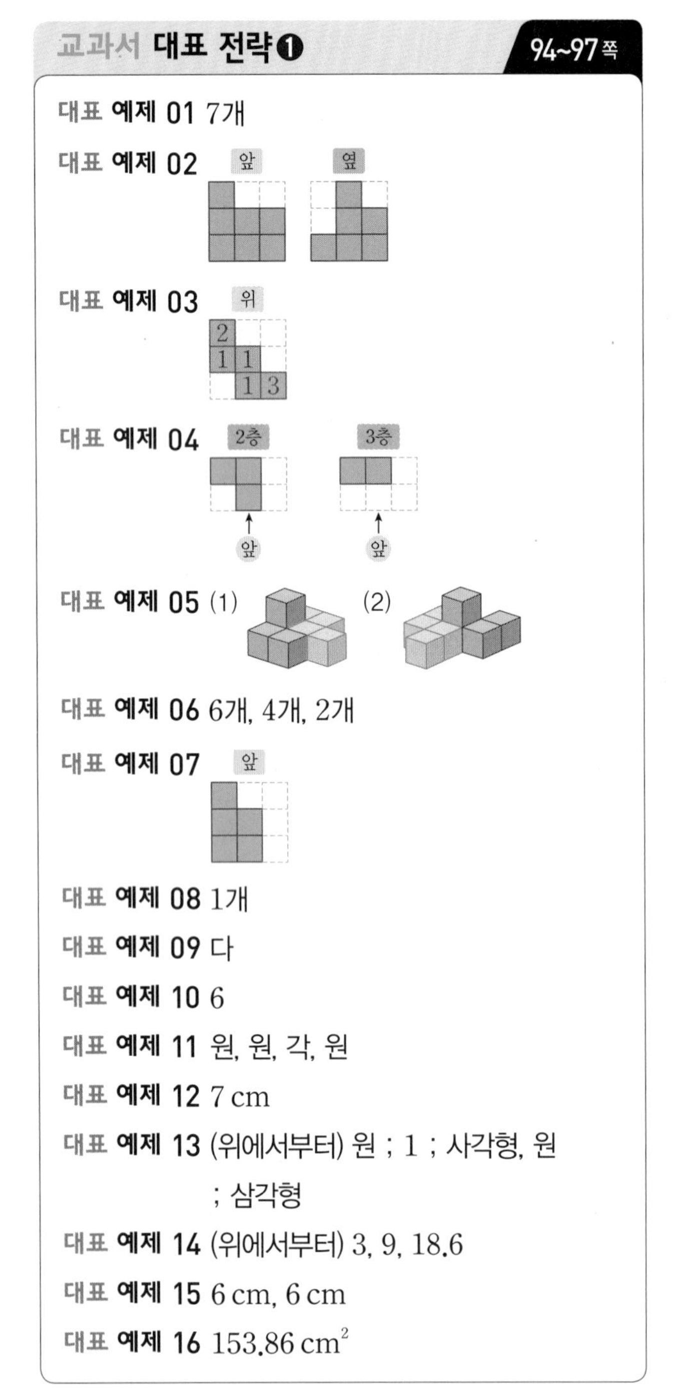

교과서 대표 전략❶ 94~97쪽

대표 예제 01 7개

대표 예제 02 앞 / 옆

대표 예제 03 위

2		
1	1	
	1	3

대표 예제 04 2층 / 3층 (↑ 앞)

대표 예제 05 (1) (2)

대표 예제 06 6개, 4개, 2개

대표 예제 07 앞

대표 예제 08 1개

대표 예제 09 다

대표 예제 10 6

대표 예제 11 원, 원, 각, 원

대표 예제 12 7 cm

대표 예제 13 (위에서부터) 원 ; 1 ; 사각형, 원 ; 삼각형

대표 예제 14 (위에서부터) 3, 9, 18.6

대표 예제 15 6 cm, 6 cm

대표 예제 16 153.86 cm²

대표 예제 01 위

①	②	③
④	⑤	

앞에서 보면 왼쪽부터 1층, 2층, 2층이므로 ①, ④ 자리에 쌓인 쌓기나무는 각각 1개씩이고, ③ 자리에 쌓인 쌓기나무는 2개입니다.

옆에서 보면 왼쪽부터 1층, 2층이므로 ⑤ 자리에 쌓인 쌓기나무는 1개이고, ② 자리에 쌓인 쌓기나무는 2개입니다.

위

1	2	2
1	1	

➡ $1+2+2+1+1=7$(개)

대표 예제 02 • 앞에서 봤을 때 왼쪽부터 3층, 2층, 2층으로 보입니다.

• 옆에서 봤을 때 왼쪽부터 1층, 3층, 2층으로 보입니다.

대표 예제 03 위

①		
②	③	
	④	⑤

앞에서 보면 왼쪽부터 2층, 1층, 3층이므로 ③, ④ 자리에는 1을 쓰고, ⑤ 자리에는 3을 씁니다.

옆에서 보면 왼쪽부터 3층, 1층, 2층이므로 ② 자리에는 1을 쓰고, ① 자리에는 2를 씁니다.

대표 예제 04 1층 모양에서 뒤쪽에 보이지 않는 쌓기나무는 없습니다.

대표 예제 05 하나의 모양을 뒤집거나 돌렸을 때의 모양을 만든 모양에서 먼저 찾아봅니다.

대표 예제 06 1층에 쌓인 쌓기나무는 6개이고, 2층에 쌓인 쌓기나무의 개수는 2와 3이 쓰인 자리의 수를 세어 보면 $2+2=4$(개)이고, 3층에 쌓인 쌓기나무의 개수는 2개입니다.

대표 예제 07 위

	①	
②	③	
④		

(← 옆, ↑ 앞)

옆에서 봤을 때 왼쪽부터 3층, 2층, 1층이므로 ④ 자리에는 3개, ① 자리에는 1개가 쌓여 있습니다.

남은 쌓기나무는 $8-3-1=4$(개)이고, 가운데 줄은 2층이므로 ②, ③ 자리에는 2개씩 쌓여 있습니다.

쌓은 모양을 앞에서 봤을 때 왼쪽부터 3층, 2층으로 보입니다.

대표 예제 08 ☆표 한 자리에 쌓인 쌓기나무를 제외한 나머지 쌓기나무의 개수는 1층에 8개, 2층에 6개, 3층에 4개, 4층에 1개이므로 $8+6+4+1=19$(개)입니다.
➡ $20-19=1$(개)

대표 예제 09 가: 옆면이 직사각형이 아닙니다.
나: 두 밑면이 겹쳐집니다.
라: 밑면과 옆면이 겹쳐집니다.

대표 예제 10 구의 반지름은 반원의 반지름과 같으므로 $\square=12\div2=6$ (cm)입니다.

대표 예제 11 • 원기둥은 밑면이 원이고, 옆면이 굽은 면으로 굴리면 잘 굴러갑니다.
• 각기둥은 밑면이 다각형이고, 옆면이 직사각형입니다.

대표 예제 12 밑면의 지름은 $5\times2=10$ (cm)이고, 높이는 3 cm입니다.
➡ $10-3=7$ (cm)

대표 예제 13 • 사각뿔: 밑에 놓인 면이 사각형이고 옆으로 둘러싼 면이 모두 삼각형인 입체도형
• 원뿔: 평평한 면이 원이고 옆을 둘러싼 면이 굽은 면인 뿔 모양의 입체도형

대표 예제 14 원기둥의 전개도에서 옆면의 가로의 길이는 밑면의 둘레와 같습니다.
➡ $3\times2\times3.1=18.6$ (cm)

대표 예제 15 위에서 본 모양은 밑면의 모양이므로 밑면의 지름은 $3\times2=6$ (cm)입니다.
앞에서 본 모양이 정사각형이므로
(높이)=(밑면의 지름)=6 cm입니다.

대표 예제 16 가장 큰 단면은 원의 반지름이 구의 반지름일 때이므로 단면의 넓이는
$7\times7\times3.14=153.86$ (cm^2)입니다.

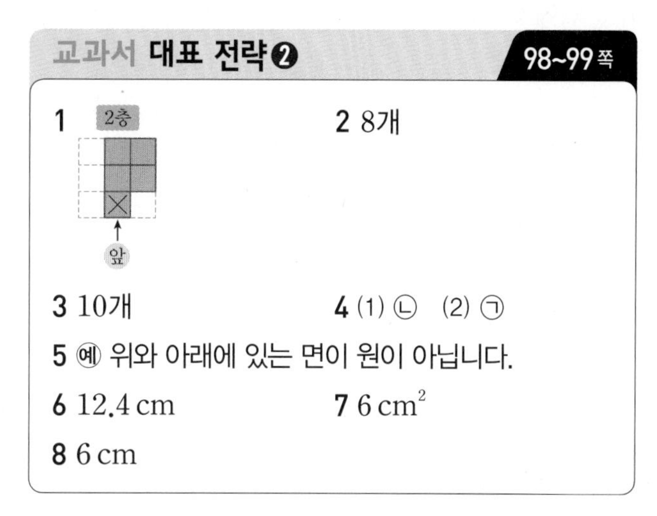
교과서 대표 전략 ❷ 98~99쪽

1 (2층)　　2 8개

3 10개　　4 (1) ㉡ (2) ㉠

5 예 위와 아래에 있는 면이 원이 아닙니다.

6 12.4 cm　　7 6 cm^2

8 6 cm

1 1층에 쌓기나무가 없는 곳에 2층, 3층을 쌓을 수 없습니다.

2 앞에서 본 모양이 왼쪽부터 1층, 2층, 3층이므로 ㉡, ㉤ 자리에는 1, ㉣ 자리에는 3을 씁니다.

옆에서 본 모양이 왼쪽부터 1층, 3층, 1층이므로 ㉠ 자리에는 1, ㉢ 자리에는 2를 씁니다.

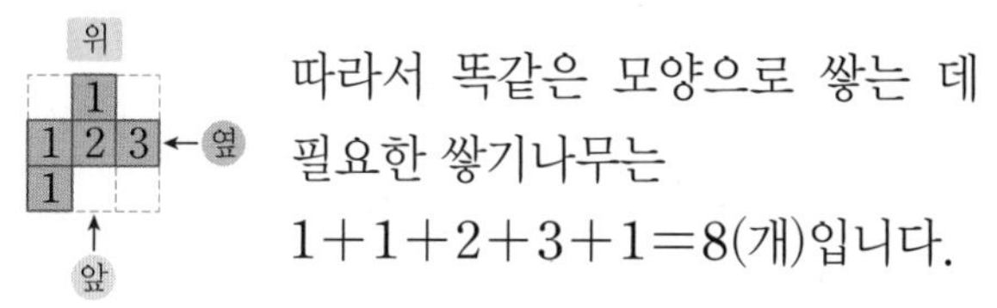
따라서 똑같은 모양으로 쌓는 데 필요한 쌓기나무는
$1+1+2+3+1=8$(개)입니다.

3 위에서 본 모양을 보면 쌓기나무가 1층에 7개, 2층에 2개, 3층에 1개로 $7+2+1=10$(개)가 쌓여 있습니다. 똑같은 모양으로 쌓고 남는 쌓기나무는 $20-10=10$(개)입니다.

4 (1) 모양을 넣기 위해서는 'ㄴ' 모양의 구멍이 필요하기 때문에 상자 ㉠에는 넣을 수 없습니다.
(2) 모양을 넣기 위해서는 쌓기나무 3개가 한 줄로 들어갈 수 있는 구멍이 필요하기 때문에 상자 ㉡에는 넣을 수 없습니다.

5 원기둥은 위와 아래에 있는 면이 서로 평행하고 합동인 원으로 이루어진 입체도형입니다.

6 위에서 본 모양은 반지름이 2 cm인 원이므로 둘레는 $2\times2\times3.1=12.4$ (cm)입니다.

7 삼각형의 밑변의 길이는 4cm, 높이는 $6\div2=3$ (cm)입니다.
➡ (종이의 넓이)$=4\times3\div2=6$ (cm^2)

8 원기둥의 높이를 □ cm라고 하면
(옆면의 세로의 길이)=(원기둥의 높이)
=(밑면의 지름)=□ cm,
(옆면의 가로의 길이)=(밑면의 둘레)
=(□×3) cm입니다.
➡ (옆면의 둘레)=(□+□×3)×2=48,
□×4×2=48, □×4=24, □=6
따라서 원기둥의 높이는 6 cm입니다.

누구나 만점 전략 100~101쪽

01 (앞에서 본 모양 그림)
02 7, 3, 1, 11
03 9개
04 ㉡
05 (앞, 옆에서 본 모양 그림)
06 평행, 합동
07 12 cm, 10 cm, 8 cm
08 (위에서부터) 2, 0 ; 원, 1
09 ④
10 37.68

01 앞에서 봤을 때 왼쪽부터 3층, 1층, 2층으로 보입니다.

02 1층에 7개, 2층에 3개, 3층에 1개이므로 모두 $7+3+1=11$(개)입니다.

03 위에서 본 모양을 보면 뒤에 보이지 않는 쌓기나무가 없습니다.
1층이 5개, 2층이 3개, 3층이 1개이므로 주어진 모양과 똑같이 쌓는 데 쌓기나무 $5+3+1=9$(개)가 필요합니다.

04 위에서 본 모양을 찾아보면 ㉡, ㉢입니다.
➡ 이 중 앞에서 본 모양을 찾아보면 ㉡, ㉢입니다.
➡ 이 중 옆에서 본 모양을 찾아보면 ㉡입니다.

05 위에서 본 모양을 보면 뒤에 보이지 않는 쌓기나무가 없습니다.
앞에서 보면 왼쪽부터 3층, 1층, 1층으로 보입니다.
옆에서 보면 왼쪽부터 1층, 2층, 3층으로 보입니다.

06 원기둥의 두 밑면은 서로 평행하고 합동인 원입니다.

07
- 모선: 원뿔의 꼭짓점과 밑면인 원의 둘레의 한 점을 이은 선분
- 높이: 원뿔의 꼭짓점에서 밑면에 수직인 선분의 길이

08
- 원기둥: 밑면은 원 모양으로 2개이고, 꼭짓점은 없습니다.
- 원뿔: 밑면은 원 모양으로 1개이고, 꼭짓점은 1개 있습니다.

09 ④ 원뿔은 앞에서 본 모양이 삼각형이고, 구는 앞에서 본 모양이 원입니다.

10 (옆면의 가로의 길이)=(밑면의 둘레)

$=6\times2\times3.14$

$=37.68\,(\mathrm{cm})$

창의•융합•코딩 전략❶ 102~103쪽

1 5개 **2** 평행, 합동

1 보이지 않는 부분에 숨겨진 상자가 없으므로 1층에 4개, 2층에 1개 쌓여 있습니다.
똑같이 쌓는 데 필요한 상자는 5개입니다.

2 원기둥은 위와 아래에 있는 면이 서로 평행하고 합동인 원으로 이루어져 있습니다.

창의•융합•코딩 전략❷ 104~107쪽

1 앞

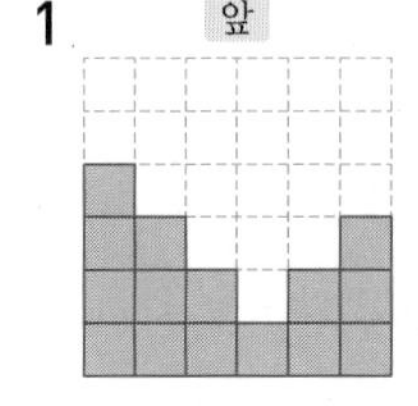

2 재현, 연우

3 (1) 27개 (2) 위

3	2	
3	3	2
2	1	

앞

(3) 16개 (4) 11개

4 원뿔 **5** 10 cm

6 (1) 7 cm (2) 10 cm (3) 3 cm

1

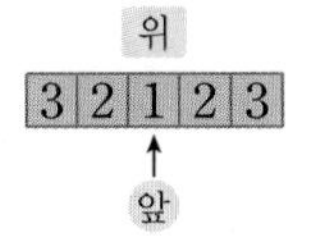

다섯 번째

위

4	3	2	1	2	3

앞

여섯 번째

➡ 여섯 번째로 쌓은 모양은 다음과 같습니다.

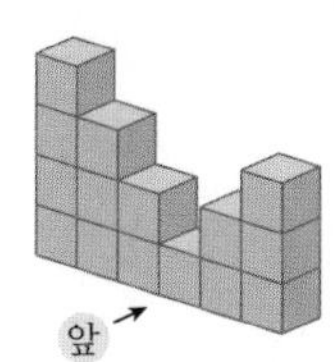

이 모양을 앞에서 보면 왼쪽에서부터 4층, 3층, 2층, 1층, 2층, 3층으로 보입니다.

2 재현:

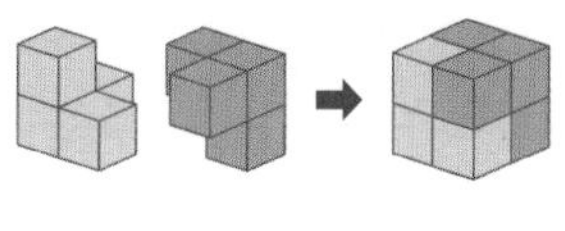

연우:

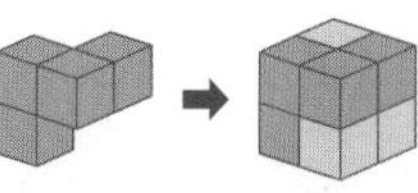

3 (1) 한 층에 9개씩 3층이므로 $9\times3=27$(개)입니다.

(3) $3+2+3+3+2+2+1=16$(개)

(4) $27-16=11$(개)

4

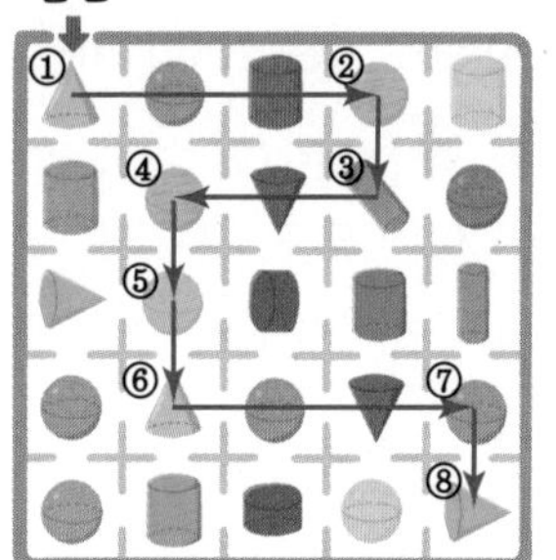

① 원뿔, 오른쪽으로 3칸 이동 ➡ ② 구, 아래쪽으로 1칸 이동 ➡ ③ 원기둥, 왼쪽으로 2칸 이동 ➡ ④ 구, 아래쪽으로 1칸 이동 ➡ ⑤ 구, 아래쪽으로 1칸 이동 ➡ ⑥ 원뿔, 오른쪽으로 3칸 이동 ➡ ⑦ 구, 아래쪽으로 1칸 이동 ➡ ⑧ 원뿔, 오른쪽으로 3칸 이동해야 하는데 이동할 수 없습니다.
따라서 명령어에 따라 이동했을 때 마지막에 있는 입체도형은 원뿔입니다.

5 원기둥 안에 구가 꼭 맞게 들어갔으므로 구의 반지름은 원기둥의 밑면의 반지름과 같습니다.
따라서 구의 반지름은 $20\div2=10\,(\mathrm{cm})$입니다.

6 (1) 한 변을 기준으로 직사각형 모양의 종이를 돌리면 원기둥이 됩니다. ㉠에서 만들어진 원기둥의 밑면의 반지름은 7 cm입니다.

(2) 한 변을 기준으로 직사각형 모양의 종이를 돌리면 원기둥이 됩니다. ㉡에서 만들어진 원기둥의 밑면의 반지름은 10 cm입니다.

(3) $10-7=3\,(\mathrm{cm})$

신유형·신경향·서술형 전략 110~115쪽

1 ❶ $1\frac{5}{7}$ m ❷ $2\frac{2}{7}$ m

2 ❶ 6 ❷ 16

3 ❶ 위

3	3	3
3	3	3
3	3	3

; 27

❷ 예 위

3	1	1
1	3	1
1	1	3

; 15

4 ❶ 32, 24 ; 32, 24 ❷ 32, 24 ; 24, 32
❸ 예 3 : 4

5 ❶ 4800 cm^2 ❷ 2700 cm^2 ❸ 2100 cm^2

6 ❶ 108 cm^2 ❷ 6 cm ❸ 6 cm

1 ❶ $1\frac{2}{7}\div\frac{3}{4}=\frac{9}{7}\div\frac{3}{4}=\frac{\overset{3}{\cancel{9}}}{7}\times\frac{4}{\underset{1}{\cancel{3}}}=\frac{12}{7}=1\frac{5}{7}$ (m)

❷ $1\frac{5}{7}\div\frac{3}{4}=\frac{12}{7}\div\frac{3}{4}=\frac{\overset{4}{\cancel{12}}}{7}\times\frac{4}{\underset{1}{\cancel{3}}}=\frac{16}{7}=2\frac{2}{7}$ (m)

2 ❶ 15 이상의 자연수 중 홀수는 15, 17, 19…… 이므로 가장 작은 홀수는 15입니다.
➡ 15÷2.5=6

❷ 20 이하의 자연수 중 짝수는 20, 18, 16…… 이므로 가장 큰 짝수는 20입니다.
➡ 20÷1.25=16

3 ❶ 쌓기나무를 가장 많이 사용하려면 각 자리에 모두 3층으로 쌓으면 됩니다.

❷ 쌓기나무를 가장 적게 사용하려면 각 방향에서 각 줄의 한 자리에만 3층으로 쌓으면 되고 나머지 자리에 모두 1층으로 쌓으면 됩니다.

4 ❶ ㉮의 톱니 수는 32개, ㉯의 톱니 수는 24개이므로
(㉮의 톱니 수) : (㉯의 톱니 수)=32 : 24입니다.
톱니바퀴 ㉮와 ㉯는 맞물려 돌아가므로 두 톱니바퀴가 각각 돈 전체 톱니 수는 같습니다.
(㉮가 돈 전체 톱니 수)=(㉯가 돈 전체 톱니 수)이므로
(㉮의 회전수)×32=(㉯의 회전수)×24입니다.

❷ 외항의 곱과 내항의 곱이 같다는 비례식의 성질을 거꾸로 생각하여 곱셈식을 비례식으로 나타냅니다.

❸ 24 : 32 ➡ (24÷8) : (32÷8) ➡ 3 : 4

5 ❶ 반지름이 10 cm씩 길어지므로
(반지름)=20+10+10=40 (cm)입니다.
➡ (원의 넓이)=40×40×3=4800 (cm^2)

❷ 반지름이 10 cm씩 길어지므로
(반지름)=20+10=30 (cm)입니다.
➡ (원의 넓이)=30×30×3=2700 (cm^2)

❸ (1점을 얻을 수 있는 부분의 넓이)
=(노란색, 빨간색, 파란색을 합한 원의 넓이)
−(노란색, 빨간색을 합한 원의 넓이)
=4800−2700=2100 (cm^2)

6 ❶ 원기둥을 앞에서 본 모양은 가로가 12 cm이고 세로가 9 cm인 직사각형입니다.
➡ (직사각형의 넓이)=12×9=108 (cm^2)

❷ 구를 앞에서 본 모양은 원이고, 원의 넓이는 원기둥을 앞에서 본 모양의 넓이와 같으므로 108 cm^2입니다.
➡ (반지름)×(반지름)=108÷3=36,
6×6=36이므로 반지름은 6 cm입니다.

❸ 구의 반지름은 구를 앞에서 본 모양의 반지름과 같으므로 6 cm입니다.

학력진단 전략 1회 (116~119쪽)

01 (1) 3 (2) 3

02 (1) 10 ; 6, 71 ; 71 (2) 100 ; 5, 69 ; 69

03 $\frac{7}{21} \div \frac{12}{21} = 7 \div 12 = \frac{7}{12}$

04 (1) 23 (2) 13

05 $2\frac{1}{4}$

06 2, 16, 1.2 ; 2, 1.2

07

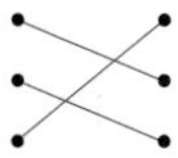

08 1.9, 1.5

09 $1\frac{1}{20}$

10 3.8

11 $<$

12 0.83

13 $1\frac{1}{2}$ cm

14 50

15 $11\frac{1}{4}$ km

16 1, 4, 7, 2.45

17 7

18 90개

19 $\frac{8}{15}$배

20 32.9 km

01 (2) $\frac{6}{9}$에서 $\frac{2}{9}$를 덜어 낼 수 있는 횟수가 $\frac{6}{9} \div \frac{2}{9}$의 몫입니다.

02 (1) 나누어지는 수와 나누는 수에 똑같이 10배를 하여 계산합니다.
➡ $42.6 \div 0.6 = 426 \div 6 = 71$

(2) 나누어지는 수와 나누는 수에 똑같이 100배를 하여 계산합니다.
➡ $3.45 \div 0.05 = 345 \div 5 = 69$

03 분모를 같게 통분한 후 분자끼리 나눕니다.

04 (1)
$$\begin{array}{r} 23 \\ 0.16\overline{)3.68} \\ 32 \\ \hline 48 \\ 48 \\ \hline 0 \end{array}$$
(2)
$$\begin{array}{r} 13 \\ 0.53\overline{)6.89} \\ 53 \\ \hline 159 \\ 159 \\ \hline 0 \end{array}$$

05 $1\frac{1}{2} \div \frac{2}{3} = \frac{3}{2} \div \frac{2}{3} = \frac{3}{2} \times \frac{3}{2} = \frac{9}{4} = 2\frac{1}{4}$

06 몫은 자연수까지 구하고, 나머지는 나누어지는 수의 소수점 위치에서 소수점을 찍습니다.

07 $8 \div \frac{2}{5} = (8 \div 2) \times 5 = 4 \times 5 = 20$,
$9 \div \frac{3}{8} = (9 \div 3) \times 8 = 3 \times 8 = 24$,
$10 \div \frac{5}{6} = (10 \div 5) \times 6 = 2 \times 6 = 12$

08
$$\begin{array}{r} 1.9 \\ 0.4\overline{)0.76} \\ 4 \\ \hline 36 \\ 36 \\ \hline 0 \end{array}, \quad \begin{array}{r} 1.5 \\ 0.9\overline{)1.35} \\ 9 \\ \hline 45 \\ 45 \\ \hline 0 \end{array}$$

09 $\frac{3}{4} = \frac{21}{28} > \frac{5}{7} = \frac{20}{28}$
➡ $\frac{3}{4} \div \frac{5}{7} = \frac{3}{4} \times \frac{7}{5} = \frac{21}{20} = 1\frac{1}{20}$

10 $\square = 6.46 \div 1.7 = 3.8$

11 $\frac{7}{8} \div \frac{2}{3} = \frac{7}{8} \times \frac{3}{2} = \frac{21}{16} = 1\frac{5}{16}$,
$\frac{7}{9} \div \frac{3}{8} = \frac{7}{9} \times \frac{8}{3} = \frac{56}{27} = 2\frac{2}{27}$
➡ $1\frac{5}{16} < 2\frac{2}{27}$

12
$$\begin{array}{r} 0.83\not{3} \\ 3\overline{)2.500} \\ 24 \\ \hline 10 \\ 9 \\ \hline 10 \\ 9 \\ \hline 1 \end{array} ➡ 0.83$$
몫을 소수 셋째 자리까지 구한 후 소수 셋째 자리에서 반올림하면 $0.83\not{3}$…… ➡ 0.83입니다.

13 (높이)=(평행사변형의 넓이)÷(밑변의 길이)

$=8\frac{1}{10}\div5\frac{2}{5}=\frac{81}{10}\div\frac{27}{5}=\frac{\overset{3}{\cancel{81}}}{\underset{2}{\cancel{10}}}\times\frac{\overset{1}{\cancel{5}}}{\underset{1}{\cancel{27}}}$

$=\frac{3}{2}=1\frac{1}{2}$ (cm)

14 어떤 수를 □라 하면 □×0.8=40입니다.
따라서 □=40÷0.8=50입니다.

15 $9\frac{3}{8}\div\frac{5}{6}=\frac{75}{8}\div\frac{5}{6}=\frac{\overset{15}{\cancel{75}}}{\underset{4}{\cancel{8}}}\times\frac{\overset{3}{\cancel{6}}}{\underset{1}{\cancel{5}}}$

$=\frac{45}{4}=11\frac{1}{4}$ (km)

16 작은 수부터 3장을 골라 일의 자리, 소수 첫째 자리, 소수 둘째 자리에 차례로 놓으면 1.47입니다.
➡ 1.47÷0.6=2.45

17 $3\frac{1}{2}\div\frac{5}{9}=\frac{7}{2}\div\frac{5}{9}=\frac{7}{2}\times\frac{9}{5}=\frac{63}{10}=6\frac{3}{10}$
➡ $6\frac{3}{10}$<□이므로 □ 안에 들어갈 수 있는 자연수는 7, 8, 9……입니다.
따라서 가장 작은 수는 7입니다.

18 (기둥 사이의 간격 수)=315÷3.5=90(군데)
➡ 필요한 기둥의 수는 기둥 사이의 간격 수와 같으므로 90개입니다.

19 가분수는 분자가 분모와 같거나 분모보다 큰 분수이므로 준서가 만든 분수는 $\frac{6}{5}$, 시원이가 만든 분수는 $\frac{9}{4}$입니다.

➡ $\frac{6}{5}\div\frac{9}{4}=\frac{\overset{2}{\cancel{6}}}{5}\times\frac{4}{\underset{3}{\cancel{9}}}=\frac{8}{15}$(배)

20 2시간 30분=$2\frac{30}{60}$시간=2.5시간
➡ (한 시간 동안 간 거리)
=82.25÷2.5=32.9 (km)

학력진단 전략 2회 (120~123쪽)

01 9, 14
02 (1) 28.26 cm (2) 31.4 cm
03 (1) 10, 12 (2) 9, 8
04 (1) 523.9 cm^2 (2) 310 cm^2
05 (1) 예 23 : 16 (2) 예 7 : 8
06 윤석
07 3 : 5=18 : 30 또는 18 : 30=3 : 5
08 24 cm^2
09 35개, 45개
10 (1) 16 (2) 7
11 45
12 ㉡, ㉠, ㉢
13 ㉡, ㉢
14 200.96 cm^2
15 525 km
16 697.5 cm^2
17 55장
18 174 cm
19 600 cm^2
20 165 cm^2

01 비 9 : 14에서 기호 ':' 앞에 있는 9를 전항, 뒤에 있는 14를 후항이라고 합니다.

02 (1) 9×3.14=28.26 (cm)
(2) (원의 지름)=5×2=10 (cm)
➡ (원주)=10×3.14=31.4 (cm)

03 (1) 4 : 5 ➡ (4×2) : (5×2) ➡ 8 : 10
4 : 5 ➡ (4×3) : (5×3) ➡ 12 : 15
(2) 24 : 18 ➡ (24÷2) : (18÷2) ➡ 12 : 9
24 : 18 ➡ (24÷3) : (18÷3) ➡ 8 : 6

04 (1) 13×13×3.1=523.9 (cm^2)
(2) (원의 반지름)=20÷2=10 (cm)
➡ (원의 넓이)=10×10×3.1=310 (cm^2)

05 (1) 2.3 : 1.6 ➡ (2.3×10) : (1.6×10)
➡ 23 : 16
(2) $\frac{1}{8}:\frac{1}{7}$ ➡ $\left(\frac{1}{\underset{1}{\cancel{8}}}\times\overset{7}{\cancel{56}}\right):\left(\frac{1}{\underset{1}{\cancel{7}}}\times\overset{8}{\cancel{56}}\right)$ ➡ 7 : 8

06 혜민: 원의 지름이 길어지면 원주도 길어집니다.
수정: 원주율은 원의 지름에 상관없이 일정합니다.

07 $3:5 \Rightarrow \frac{3}{5}$, $9:10 \Rightarrow \frac{9}{10}$,
$12:15 \Rightarrow \frac{12}{15}=\frac{4}{5}$, $18:30 \Rightarrow \frac{18}{30}=\frac{3}{5}$
3 : 5와 18 : 30의 비율이 같으므로 비례식으로 나타낼 수 있습니다.
➡ $3:5=18:30$ 또는 $18:30=3:5$

08 (원의 넓이)$=4\times4\times3=48\,(\mathrm{cm}^2)$
➡ (도형의 넓이)$=48\div2=24\,(\mathrm{cm}^2)$

09 아라: $80\times\frac{7}{7+9}=\overset{5}{\cancel{80}}\times\frac{7}{\underset{1}{\cancel{16}}}=35$(개)

윤호: $80\times\frac{9}{7+9}=\overset{5}{\cancel{80}}\times\frac{9}{\underset{1}{\cancel{16}}}=45$(개)

10 (1) (지름)$=$(원주)$\div$(원주율)
$=48\div3=16\,(\mathrm{cm})$
(2) (반지름)$\times$(반지름)$=147\div3=49$,
$7\times7=49$이므로 반지름은 7 cm입니다.

11 (외항의 곱)$=7\times\square$, (내항의 곱)$=9\times35$
➡ $7\times\square=9\times35$, $7\times\square=315$,
$\square=315\div7$, $\square=45$

12 지름이 길수록 큰 원이므로 지름을 비교합니다.
㉠ 16 cm, ㉡ $9\times2=18\,(\mathrm{cm})$,
㉢ $47.1\div3.14=15\,(\mathrm{cm})$
따라서 $18>16>15$이므로 ㉡, ㉠, ㉢입니다.

13 ㉠ (외항의 곱)$=2\times20=40$,
(내항의 곱)$=5\times10=50$
㉡ (외항의 곱)$=9\times12=108$,
(내항의 곱)$=4\times27=108$
㉢ (외항의 곱)$=6\times14=84$,
(내항의 곱)$=7\times12=84$
㉣ (외항의 곱)$=8\times15=120$,
(내항의 곱)$=3\times32=96$
➡ ㉠과 ㉣은 외항의 곱과 내항의 곱이 다르므로 비례식이 아닙니다.

14 (가장 큰 원의 지름)$=$(직사각형의 세로)
$=16\,\mathrm{cm}$,
(가장 큰 원의 반지름)$=16\div2=8\,(\mathrm{cm})$
➡ (가장 큰 원의 넓이)
$=8\times8\times3.14=200.96\,(\mathrm{cm}^2)$

15 7시간 동안 갈 수 있는 거리를 □km라 하고 비례식을 세우면 $4:300=7:\square$입니다.
➡ $4\times\square=300\times7$, $4\times\square=2100$,
$\square=2100\div4$, $\square=525$

16 (원의 반지름)$=93\div3.1\div2=15\,(\mathrm{cm})$
➡ (원의 넓이)$=15\times15\times3.1=697.5\,(\mathrm{cm}^2)$

17 처음에 있던 색종이 수를 □장이라 하면
근우: $\square\times\frac{4}{4+7}=\square\times\frac{4}{11}=20$(장)입니다.
➡ $\square=20\div\frac{4}{11}$, $\square=\overset{5}{\cancel{20}}\times\frac{11}{\underset{1}{\cancel{4}}}$, $\square=55$

18 (큰 원의 원주)$=20\times2\times3=120\,(\mathrm{cm})$,
(작은 원의 원주)$=9\times2\times3=54\,(\mathrm{cm})$
➡ (색칠한 부분의 둘레)
$=120+54=174\,(\mathrm{cm})$

19 (가로)$+$(세로)$=$(둘레)$\div2$
$=100\div2=50\,(\mathrm{cm})$
가로: $50\times\frac{2}{2+3}=\overset{10}{\cancel{50}}\times\frac{2}{\underset{1}{\cancel{5}}}=20\,(\mathrm{cm})$
세로: $50\times\frac{3}{2+3}=\overset{10}{\cancel{50}}\times\frac{3}{\underset{1}{\cancel{5}}}=30\,(\mathrm{cm})$
➡ (직사각형의 넓이)$=20\times30=600\,(\mathrm{cm}^2)$

20 (큰 원의 넓이)$=8\times8\times3=192\,(\text{cm}^2)$,
(작은 원의 넓이)$=3\times3\times3=27\,(\text{cm}^2)$
➡ (색칠한 부분의 넓이)
$=192-27=165\,(\text{cm}^2)$

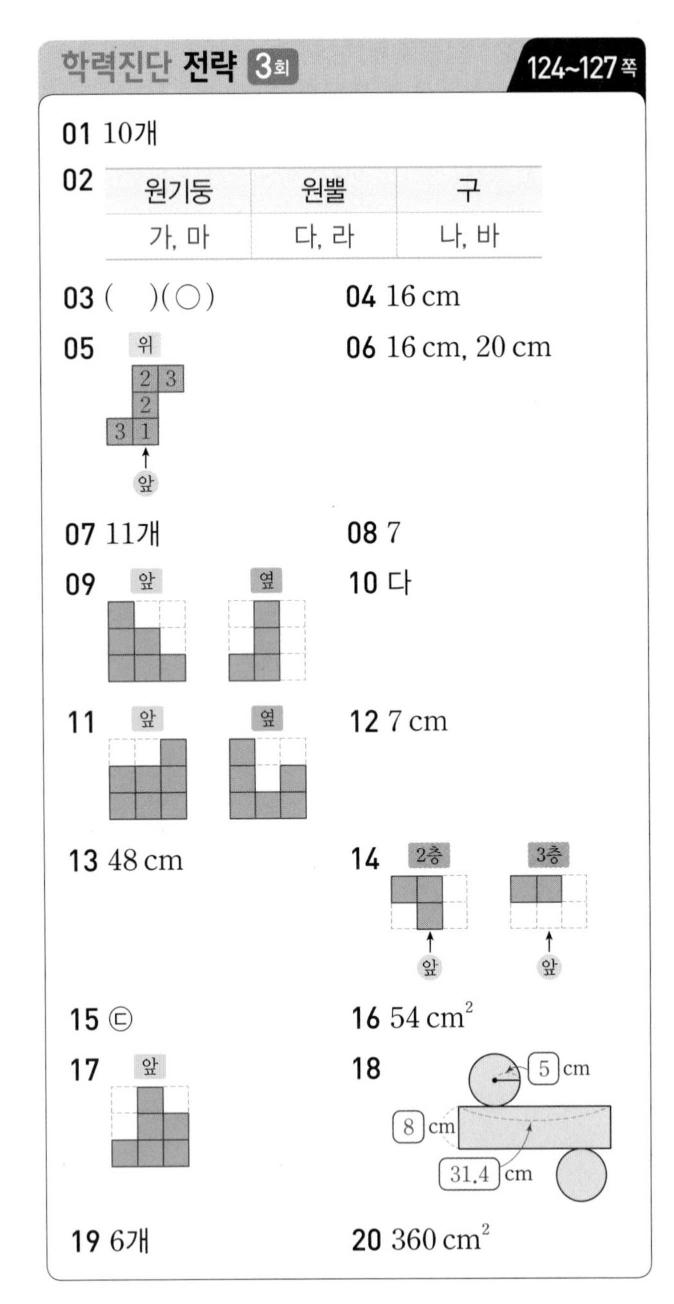
학력진단 전략 3회 124~127쪽

01 10개

02

원기둥	원뿔	구
가, 마	다, 라	나, 바

03 ( )(○)
04 16 cm
05
06 16 cm, 20 cm
07 11개
08 7
09
10 다
11
12 7 cm
13 48 cm
14
15 ㉢
16 54 cm^2
17
18
19 6개
20 360 cm^2

01 1층이 5개, 2층이 3개, 3층이 2개입니다.
➡ $5+3+2=10$(개)

02 원기둥: 위와 아래에 있는 면이 서로 평행하고 합동인 원으로 이루어진 입체도형
원뿔: 평평한 면이 원이고 옆을 둘러싼 면이 굽은 면인 뿔 모양의 입체도형
구: 공 모양의 입체도형

03 왼쪽 모양은 쌓기나무 2개를 더 붙여서 만든 모양입니다.

04 원기둥의 높이는 두 밑면에 수직인 선분의 길이이므로 16 cm입니다.

05 각 자리에 쌓기나무를 몇 개씩 쌓았는지 세어 봅니다.

06 꼭짓점에서 밑면에 수직인 선분의 길이가 높이이므로 16 cm이고, 꼭짓점과 밑면인 원의 둘레의 한 점을 이은 선분이 모선이므로 20 cm입니다.

07 위에서 본 모양을 보면 뒤에 보이지 않는 쌓기나무가 없습니다.
1층이 5개, 2층이 4개, 3층이 2개입니다.
➡ $5+4+2=11$(개)

08 구의 반지름은 반원의 반지름과 같습니다.
➡ $\square=14\div2=7$

09 위에서 본 모양을 보면 뒤에 보이지 않는 쌓기나무가 없습니다.
앞에서 보면 왼쪽부터 3층, 2층, 1층으로 보입니다.
옆에서 보면 왼쪽부터 1층, 3층으로 보입니다.

10 가: 밑면이 합동이 아닙니다.
나: 옆면이 직사각형이 아닙니다.
라: 한 밑면이 옆면과 겹칩니다.

11 각 방향에서 보았을 때 가장 높은 층으로 보입니다.
앞에서 보면 왼쪽부터 2층, 2층, 3층으로 보입니다.
옆에서 보면 왼쪽부터 3층, 1층, 2층으로 보입니다.

12 만들어진 입체도형은 원기둥이고, 돌릴 때 기준으로 했던 변의 길이가 원기둥의 높이가 되므로 7 cm입니다.

13 구를 위에서 본 모양은 반지름이 8 cm인 원이므로 둘레는 $8\times2\times3=48$ (cm)입니다.

14 1층 모양을 보았을 때 뒤에 보이지 않는 쌓기나무가 없습니다.
2층에는 3칸, 3층에는 2칸을 색칠합니다.

15 위에서 본 모양으로 가능한 것은 ㉠, ㉡, ㉢입니다.
➡ 앞에서 본 모양으로 가능한 것은 ㉡, ㉢입니다.
➡ 옆에서 본 모양으로 가능한 것은 ㉢입니다.

16 삼각형의 밑변의 길이는 12 cm,
높이는 $18\div2=9$ (cm)입니다.
➡ (종이의 넓이)$=12\times9\div2=54$ (cm^2)

17 1층

1층의 ①, ⑤에는 쌓기나무가 1층만 있습니다.
1층의 ③에는 쌓기나무가 2층까지 있습니다.

1층의 ②, ④에는 쌓기나무가 3층까지 있습니다.

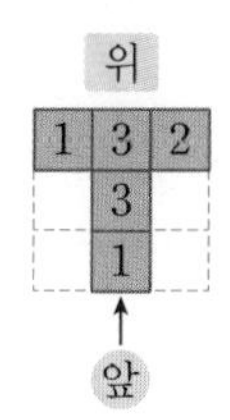

앞에서 보면 왼쪽부터 1층, 3층, 2층으로 보입니다.

18 (옆면의 가로)=(밑면의 둘레)
$=5\times2\times3.14=31.4$ (cm)
(옆면의 세로)=(원기둥의 높이)=8 cm

19

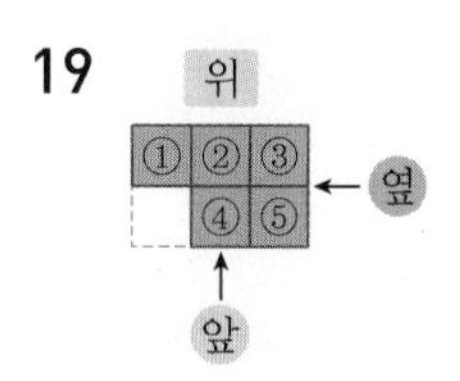

앞에서 보면 왼쪽부터 1층, 1층, 2층으로 보이므로 위에서 본 모양의 ①, ②, ④에는 쌓기나무가 1개씩 있습니다.
옆에서 보면 왼쪽부터 1층, 2층으로 보이므로 위에서 본 모양의 ③, ⑤에는 쌓기나무가 2개, 1개 있습니다.

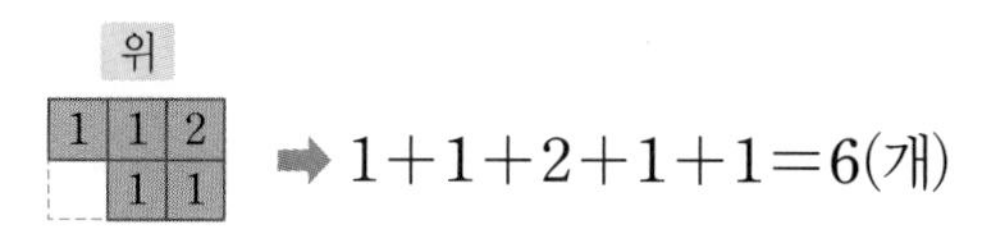

➡ $1+1+2+1+1=6$(개)

20 (옆면의 가로)=(밑면의 둘레)
$=10\times3=30$ (cm),
(옆면의 세로)=(원기둥의 높이)=12 cm,
(옆면의 넓이)$=30\times12=360$ (cm^2)
따라서 필요한 색 도화지의 넓이는 360 cm^{2}입니다.

메모

정답은
이안에
있어!

수학
전략

배움으로 행복한 내일을 꿈꾸는

천재교육 커뮤니티 안내

교재 안내부터 구매까지 한 번에!

천재교육 홈페이지

자사가 발행하는 참고서, 교과서에 대한 소개는 물론
도서 구매도 할 수 있습니다. 회원에게 지급되는 별을 모아
다양한 상품 응모에도 도전해 보세요!

다양한 교육 꿀팁에 깜짝 이벤트는 덤!

천재교육 인스타그램

천재교육의 새롭고 중요한 소식을 가장 먼저 접하고 싶다면?
천재교육 인스타그램 팔로우가 필수!
깜짝 이벤트도 수시로 진행되니 놓치지 마세요!

수업이 편리해지는

천재교육 ACA 사이트

오직 선생님만을 위한, 천재교육 모든 교재에 대한 정보가 담긴
아카 사이트에서는 다양한 수업자료 및 부가 자료는 물론
시험 출제에 필요한 문제도 다운로드하실 수 있습니다.

https://aca.chunjae.co.kr

천재교육을 사랑하는 샘들의 모임

천사샘

학원 강사, 공부방 선생님이시라면 누구나 가입할 수 있는 천사샘!
교재 개발 및 평가를 통해 교재 검토진으로 참여할 수 있는 기회는 물론
다양한 교사용 교재 증정 이벤트가 선생님을 기다립니다.

아이와 함께 성장하는 학부모들의 모임공간

튠맘 학습연구소

튠맘 학습연구소는 초·중등 학부모를 대상으로 다양한 이벤트와 함께
교재 리뷰 및 학습 정보를 제공하는 네이버 카페입니다.
초등학생, 중학생 자녀를 둔 학부모님이라면 튠맘 학습연구소로 오세요!